Anders als seine amerikanischen Landsleute, von denen Bill Bryson süffisant feststellt, sie würden sich täglich nicht mehr als 300 Meter zu Fuß bewegen, hat er sich Großes vorgenommen: Gemeinsam mit seinem alten Schulfreund Stephen Katz, der aufgrund seiner Leibesfülle und ausgesprochenen Leidenschaft für Unmengen von Snickers allerdings nicht eben die besten Voraussetzungen mitbringt, plant er eine Bezwingung des »Appalachian Trail« – jenes legendären längsten Fußweges der Welt, der sich über 3000 Kilometer durch 14 Staaten hindurch an der Ostküste Amerikas entlangwindet und dem Wanderer die spektakulärsten Naturschönheiten offenbart. Aber unberührte Wälder, verwunschene Seen und atemberaubende Schluchten sind nicht das Einzige, was dieser Trip den beiden Wagemutigen beschert: Von den Tücken einer mangelhaften Ausrüstung einmal abgesehen, lauern allerhand Gefahren im Dickicht, und da selbst die einschlägige Fachliteratur keine verläßlichen Tips für den Fall einer Bärenattacke zu geben vermag – außer, unter gar keinen Umständen Snickers bei sich zu führen –, nimmt das Bangen kein Ende. Und dann sind da auch noch die lieben Mitmenschen, die unvermeidlicherweise ihren Weg kreuzen und sie in so manch fatale Situation bringen …

Autor

Bill Bryson wurde 1951 in Des Moines, Iowa, geboren. 1977 ging er nach Großbritannien und schrieb dort mehrere Jahre u. a. für die *Times* und den *Independent*. Mit »Reif für die Insel« (Goldmann Taschenbuch 44279) gelang Bryson, der zuvor bereits Reiseberichte geschrieben hat, der ganz große Durchbruch. Bill Bryson lebt heute mit seiner Familie in Hanover, New Hampshire. Weitere Werke des Autors sind bei Goldmann in Vorbereitung.

Bill Bryson

Picknick
mit Bären

Deutsch von
Thomas Stegers

GOLDMANN

Die Originalausgabe erschien 1998
unter dem Titel »A Walk in the Woods«
bei Broadway Books, New York

Umwelthinweis:
Alle bedruckten Materialien dieses Taschenbuches
sind chlorfrei und umweltschonend.

Deutsche Erstveröffentlichung 9/99
Copyright © der Originalausgabe 1998
by Bill Bryson
Copyright © der deutschsprachigen Ausgabe 1999
by Wilhelm Goldmann Verlag, München
in der Verlagsgruppe Bertelsmann GmbH
Umschlaggestaltung: Design Team München
Umschlagfoto: Tony Stone/Wolfe
Satz: deutsch-türkischer fotosatz, Berlin
Druck: Elsnerdruck, Berlin
Verlagsnummer: 44395
Redaktion: Henriette Zeltner
CN · Herstellung: Peter Papenbrok
Made in Germany
ISBN 3-442-44395-4

5 7 9 10 8 6 4

Für Katz.
Wen sonst.

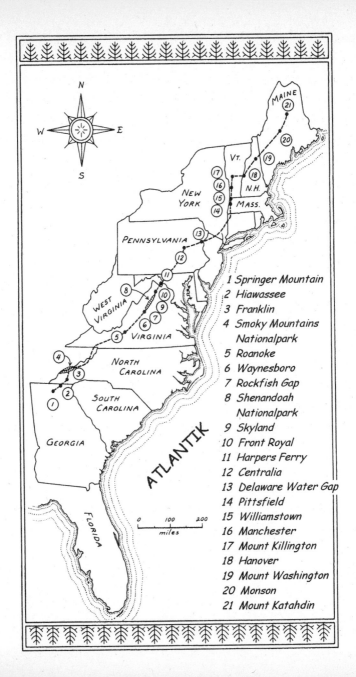

1 Springer Mountain
2 Hiawassee
3 Franklin
4 Smoky Mountains
   Nationalpark
5 Roanoke
6 Waynesboro
7 Rockfish Gap
8 Shenandoah
   Nationalpark
9 Skyland
10 Front Royal
11 Harpers Ferry
12 Centralia
13 Delaware Water Gap
14 Pittsfield
15 Williamstown
16 Manchester
17 Mount Killington
18 Hanover
19 Mount Washington
20 Monson
21 Mount Katahdin

TEIL 1

1. Kapitel

Kurz nachdem ich mit meiner Familie in eine Kleinstadt in New Hampshire gezogen war, entdeckte ich zufällig einen Wanderweg, der sich am Ortsausgang in einem Wald verlor.

Ein Schild verkündete, daß es sich hierbei nicht um einen gewöhnlichen Weg handelte, sondern um den berühmten Appalachian Trail. Mit seinen über 3.300 Kilometern durch die majestätischen und verlockenden Appalachen, entlang der amerikanischen Ostküste, zählt der AT, wie er bei Kennern heißt, zu den Altvordern unter den Fernwanderwegen. Er führt von Georgia bis nach Maine, durch 14 verschiedene Bundesstaaten, über stattliche, reizvolle Berge, deren Namen – Blue Ridge, Smokies, Cumberlands, Catskills, Green Mountains, White Mountains – schon wie eine Einladung zum Spazierengehen klingen. Wer kann schon die Worte »Great Smoky Mountains« oder »Shenandoah Valley« aussprechen, ohne dabei nicht das Bedürfnis zu verspüren, »einen Laib Brot und ein Pfund Tee in einen alten Rucksack zu werfen, über den Gartenzaun zu springen und loszuziehen«, wie es der Naturforscher John Muir ausdrückte.

Da war er also, der Weg, schlängelte sich – für mich ganz unerwartet – verführerisch durch das friedliche Nest in New England, in dem ich mich gerade niedergelassen hatte. Die Vorstellung, ich könnte von zu Hause aufbrechen und 2.800 Kilometer weit durch einen Wald bis nach Georgia wandern, oder in die andere Richtung, 700 Kilometer nach Norden, über die rauhen und gebirgigen White Mountains klettern, bis auf den sagenhaften burgähnlichen Gipfel des Mount Katahdin, die ganze Zeit über umgeben von Bäumen, durch eine Wildnis, die nur wenige Menschen je zu Gesicht bekommen haben – diese Vorstellung erschien mir so außergewöhnlich, daß sich eine leise Stimme in meinem Inneren meldete: »Hört sich toll an! Das machen wir!«

Ich legte mir eine Reihe vernünftiger Gründe zurecht, die dafür sprachen. Es würde mich nach Jahren der Faulenzerei wieder auf die Beine bringen. Es wäre eine interessante und besinnliche Art, sich nach 20 Jahren im Ausland wieder mit der Größe und Schönheit meines Heimatlandes vertraut zu machen. Es würde mir von Nutzen sein – wenn ich auch noch nicht wußte wie –, einmal zu lernen, mich in der Wildnis zurechtzufinden und für mich selbst zu sorgen. Ich brauchte mir nicht mehr wie ein Schlappschwanz vorzukommen, wenn die Männer in Tarnhosen und mit Jägerhüten im Four Aces Diner beisammensaßen und sich über ihre schaurigen Erlebnisse in der freien Natur unterhielten. Ich wollte ein bißchen von der Großspurigkeit abhaben, die sich einstellt, wenn man mit Granitaugen in die Ferne blickt und mit einem gedehnten, virilen Räuspern sagen kann: »Ja, ich kenne den Wald wie meine Westentasche.«

Es gab noch einen anderen, unwiderstehlicheren Grund. Die Appalachen sind die Heimat des größten Laubwaldes der Erde – der ausgedehnte Restbestand des üppigsten und abwechslungsreichsten Waldgebietes, das je die gemäßigte Klimazone unseres Planeten zierte –, und dieser Wald ist gefährdet. Sollte sich die Erdatmosphäre im Laufe der nächsten 50 Jahre um vier Grad Celsius erwärmen, was durchaus wahrscheinlich ist, würde sich die gesamte Wildnis der Appalachen südlich von New England in eine Savanne verwandeln. Das Baumsterben hat bereits erschreckende Ausmaße angenommen. Ulmen und Kastanien sind dort längst verschwunden; der stattliche Schierling und der blütenreiche Hartriegel sind im Verschwinden begriffen; Rottanne, Frasertanne, Eberesche und Zuckerahorn sind als nächste dran. Wenn es jemals an der Zeit war, diese einzigartige Wildnis zu erleben, dann jetzt.

Ich faßte also den Entschluß, es zu machen. Vorschnell teilte ich Freunden und Nachbarn meine Absicht mit, informierte selbstsicher meinen Verlag, sorgte für Verbreitung der Neuigkeit unter allen, die mich kannten. Sodann kaufte ich mir ein paar Bücher und redete mit Leuten, die den Trail ganz oder abschnittweise gegangen waren, und allmählich wurde mir klar, daß dieses Unternehmen alles, aber wirklich alles übertreffen würde, was ich jemals angepackt hatte.

Fast jeder, mit dem ich mich darüber unterhielt, hatte eine Geschichte über irgendeinen arglosen Bekannten parat, der sich mit großen Hoffnungen und neuen Wanderschuhen auf den Weg gemacht hatte und zwei Tage später mit einem Rotluchs als Halskrause oder einem Hemdsärmel, aus dem nur noch ein bluttriefender Stumpf ragte, zurückgetorkelt kam und heiser flüsterte: »Bär!« bevor er in tiefe Bewußtlosigkeit versank.

Die Wälder waren voller Gefahren – Klapperschlangen und Mokassinschlangen, Rotluchse, Bären, Kojoten, Wölfe und Wildschweine; gemütskranke Hinterwäldler, durch den großzügigen Konsum von Maisschnaps und sündigen Sexualpraktiken über Generationen aus der Bahn geworfen; tollwütige Stinktiere, Waschbären und sogar Eichhörnchen; unbarmherzige, rote Ameisen und wütende Kriebelmücken; gemeiner Giftsumach, kletternder Giftsumach, giftige Färbereiche und giftige Salamander; versprengte Elche, die von einem parasitären tödlichen Wurm befallen sind, der sich in ihrem Gehirn einnistet und sie dazu anstiftet, harmlose Wanderer über entlegene, sonnenbeschienene Wiesen zu jagen und sie in Gletscherseen zu treiben.

Unvorstellbare Dinge konnten einem da draußen widerfahren. Ich habe von einem Mann gehört, der nächtens zum Pinkeln aus seinem Zelt trat und von einer kurzsichtigen Eule am Kopf gestreift wurde – seinen Skalp sah er zuletzt von den Krallen des Vogels herabbaumeln, hübsch anzuschauen vor der Silhouette des Vollmonds; und von einer jungen Frau, die von einem Kitzeln am Bauch aufwachte, in ihren Schlafsack blickte und eine Mokassinschlange entdeckte, die es sich in der Wärme zwischen ihren Beinen gemütlich gemacht hatte. Ich habe vier verschiedene Versionen – stets mit einem unterdrückten Lachen vorgetragen – von ein und derselben Geschichte über das Zusammentreffen von

Wanderern und Bären gehört, die sich für einen kurzen, aufreibenden Moment ein Zelt miteinander teilten; Geschichten von Leuten, die auf einem Gebirgskamm, von einem plötzlichen Sturm überrascht und von mannsdicken Blitzstrahlen getroffen, sich in Dampf auflösten (»es blieb nur noch 'n Brandfleck von ihm übrig«); Geschichten von Zelten, die von stürzenden Bäumen zerschmettert, von strömendem Regen wie auf Kugellagern ganze Abhänge hinuntergerollt, gleitschirmartig in ferne Täler getragen oder von der Wasserwand einer Sturzflut weggespült wurden; von unzähligen Wanderern, deren letzter Gedanke im Angesicht der erzitternden Erde war: »Was um Himmels willen –?«

Bereits die oberflächliche Lektüre von Abenteuerbüchern und ein Mindestmaß an Phantasie reichten aus, um sich Situationen auszumalen, in die ich unweigerlich geraten würde: umzingelt von Wölfen, die der Hunger treibt; in die Flucht geschlagen von bissigen Ameisen, taumelnd, mir die Kleider vom Leib reißend oder wie versteinert vom Anblick des zum Leben erwachten Unterholzes, das wie ein Unterwassertorpedo auf mich zukommt und sich als schrankgroßes Wildschwein mit kalten, glänzenden Augen entpuppt, das mich, begleitet von markigen Grunzlauten, mit unstillbarem Appetit auf rosiges, schwabbeliges, vom Stadtleben verweichlichtes Menschenfleisch lustvoll verzehrt.

Dann wären da noch diverse Krankheiten zu nennen, für die der Mensch in der Wildnis anfällig ist – Giardiasis, östliche Pferdeenzephalitis, Rocky-Mountain-Fleckfieber, Lymekrankheit, Ehrlichiosis, Bilharziose, Bruzelose und die bazilläre Ruhr, um nur eine kleine Auswahl zu nennen. Die östliche Pferdeenzephalitis, durch einen Moskitostich hervorgerufen, greift Gehirn und Zentralnervensystem an. Man kann von Glück sagen, wenn man den Rest seines Lebens im Sessel sitzend verbringen darf, mit Lätzchen um den Hals – im allgemeinen ist die Krankheit tödlich. Ein Gegenmittel ist nicht bekannt. Nicht weniger interessant ist die Lymekrankheit, die durch den Biß einer winzigen Rotwildzecke übertragen wird. Unentdeckt kann das Virus jahrelang im menschlichen Körper schlummern, bis es sich in einem wahren Inferno Bahn bricht. Diese Krankheit ist etwas für Leute, die es wirklich wissen wollen. Zu den Symptomen zählen – ohne Garantie auf Vollständigkeit – Kopfschmerzen, Erschöpfungszustände, Fieberanfälle, Schüttelfrost, Kurzatmigkeit, Schwindelgefühl, stechende Gliederschmerzen, Herzrhythmusstörungen, Gesichtslähmung, Muskelzuckungen, schwere geistige Schäden, Verlust der Kontrolle über Körperfunktionen und – was niemanden überraschen wird – chronische Depression.

Hinzu kommt die kaum bekannte Familie der Organismen, die man als Hantaviren bezeichnet. Sie tummeln sich mit Vorliebe in den Mikroschwaden, die sich über Mäuse- und Rattenkot bilden, und werden in die menschlichen Luftwege eingesogen, wenn der Betreffende versehentlich eine der Atemöffnungen in die Nähe hält – indem er sich beispielsweise auf ein Schlafpodest bettet, unter dem kürzlich ein paar Mäuse herumgetollt sind. 1993 kamen durch eine einzige Hantavirusepidemie im Südwesten der Vereinigten Staaten 32 Menschen ums Leben, und im Jahr darauf forderte die Krankheit ihr erstes Opfer auf dem AT. Ein Wanderer hatte sie sich in einer »nagetierbefallenen Schutzhütte« zugezogen, wobei gesagt werden muß, daß alle Schutzhütten auf dem Appalachian Trail von Nagetieren befallen sind. Von den bekannten Viren garantieren nur noch die Tollwut, das Ebolavirus und das HIV einen sicheren Tod. Auch für das Hantavirus gibt es kein Gegenmittel.

Zu guter Letzt gibt es immer noch die Möglichkeit, ermordet zu werden – wir leben schließlich in Amerika. Seit 1974 sind mindestens neun Wanderer auf dem AT ermordet worden, wobei die tatsächliche Zahl schwankt, je nachdem, welche Quelle man konsultiert und was man unter dem Wort Wanderer versteht. Während ich den AT entlangwanderte, starben jedenfalls zwei Frauen.

Aus diversen praktischen Gründen, die im wesentlichen mit den langen, zermürbenden Wintern im nördlichen New England zu tun haben, stehen jedes Jahr nur entsprechend wenige Monate zum Wandern zur Verfügung. Beginnt man die Wanderung im Norden, am Mount Katahdin in Maine, muß man bis Ende Mai, Anfang Juni abwarten, damit aller Schnee geschmolzen ist. Beginnt man dagegen in Georgia und arbeitet sich Richtung Norden vor, gilt es, die Wanderung zeitlich so zu legen, daß man vor Mitte Oktober, wenn der erste Schneefall einsetzt, am Ziel angelangt ist. Die meisten wandern mit Beginn des Frühjahrs von Süden nach Norden und halten idealerweise immer einen Vorsprung von einigen Tagen vor der schlimmsten Hitze und den lästigen und Krankheiten übertragenden Insekten ein. Ich beabsichtigte, Anfang März im Süden aufzubrechen und rechnete sechs Wochen für die erste Etappe.

Die Frage nach der exakten Länge des Appalachian Trail bleibt ein interessantes Rätsel. Der U.S. National Park Service, der sich immer wieder durch diverse Ungereimtheiten hervortut, bringt es fertig, die Länge des Weges in einem einzigen Prospekt mal mit 3.468 Kilometer, mal mit 3.540 Kilometer anzugeben. Die *Appalachian Trail Guides*, der offizielle Wanderführer, ein Schuber mit elf Büchlein, von denen jedes einen bestimmten Bundesstaat oder einen Abschnitt behandelt, spricht nach Belieben von 3.450, 3.455, 3.474 und einmal von »über 3459 Kilometern«. Die Appalachian Trail Conference legte 1993 die Länge des Wanderwegs auf genau 3.454,6 Kilometer fest, ging dann für ein paar Jahre zu der vagen Angabe »mehr als 3.460 Kilometer« über und kehrte erst kürzlich selbstbewußt zu der präzisen Angabe von 3.467,4 Kilometern zurück. Ebenfalls 1993 gingen drei Leute die gesamte Strecke mit einem Meßrad ab und kamen auf eine Distanz von 3.483,97 Kilometern. Ungefähr zur gleichen Zeit ergab eine sorgfältige Überprüfung, die auf Karten der U.S. Geological Survey basierte, eine Gesamtlänge von 3.408,98 Kilometern.

Eins ist sicher: es ist ein langer Wanderweg, und er ist, egal, an welchem Ende man startet, weiß Gott nicht leicht. Die Gipfel entlang des Appalachian Trail sind nicht gewaltig, im Vergleich zu den Alpen etwa – der höchste, Clingmans Dome in Tennessee, erreicht gerade mal 2.042 Meter –, aber sie wollen dennoch erklommen werden, und es bleibt nicht bei einem Berg. Mehr als 350 Gipfel am AT sind über 1.500 Meter hoch, und in der Umgebung befinden sich noch einmal tausend weitere. Insgesamt veranschlagt man etwa fünf Monate und fünf Millionen Schritte, um von einem Ende des Trails zum anderen zu kommen.

Natürlich muß man alles, was man unterwegs braucht, auf dem Rücken mitschleppen. Für andere mag das selbstverständlich sein, aber für mich war es ein kleiner Schock, als mir klar wurde, daß eine Wanderung entlang des AT nicht im entferntesten mit einem gemächlichen Spaziergang in den englischen Cotswolds oder im Lake District zu vergleichen ist, zu dem man mit einer Proviantasche aufbricht, die ein Lunchpaket und eine Wanderkarte enthält, und von dem man am Ende des Tages in eine gemütliche Herberge zurückkehrt, zu einem heißen Bad, einem herzhaften Abendessen und einem weichen Bett. Auf dem AT schläft man draußen und kocht sich sein Essen selbst. Kaum einem gelingt es, das Gewicht des Rucksacks auf weniger als 18 Kilogramm zu reduzieren, und wenn man so viel mit sich herumschleppt, spürt man jedes einzelne Gramm, das kann ich Ihnen versichern. 3.000 Kilometer zu wandern ist eine Sache, 3.000 Kilometer mit einem Kleiderschrank auf dem Rücken sind etwas ganz anderes.

Eine erste Ahnung davon, was für ein waghalsiges Unternehmen das werden würde, bekam ich in unserem Dartmouth Co-Op, als ich dort hinging, um mir eine Ausrüstung zu kaufen. Mein Sohn hatte gerade angefangen, nach der Schule in dem Laden zu jobben, ich hatte also strengste Anweisung, mich gut zu benehmen. Vor allem sollte ich nichts Blödes sagen oder tun, nichts anprobieren, wozu ich meinen Bauch hätte entblößen müssen, nicht sagen: »Wollen Sie mich verarschen?«, wenn mir der Preis eines Artikels genannt würde, betont unaufmerksam tun, wenn mir ein Verkäufer die richtige Pflege oder Nachbehandlung eines Produktes erläuterte, und unter gar keinen Umständen irgend etwas Unpassendes anziehen, zum Beispiel eine Skimütze für Damen aufsetzen, nur so aus Spaß.

Ich sollte nach einem gewissen Dave Mengle fragen, weil er große Abschnitte des Weges selbst gegangen war und so etwas wie ein wandelndes Lexikon in Sachen Outdoor-Bekleidung sein sollte. Mengle entpuppte sich als ein freundlicher, rücksichtsvoller Mensch, der schätzungsweise vier Tage lang ununterbrochen und mit großem Interesse über jeden Aspekt einer Wanderausrüstung dozieren konnte.

Ich war noch nie so beeindruckt und gleichzeitig so verwirrt worden. Wir gingen einen ganzen Vormittag lang sein Lager durch, und Dave konnte dabei Sätze loslassen wie etwa folgenden: »Der hier hat einen 70 Denier, verschleißresistenten Reißverschluß mit hoher Dichte und Doppelzwirnnaht. Andererseits, und in dem Punkt will ich ehrlich zu Ihnen sein« – wobei er sich zu mir hinüberbeugte, seine Stimme senkte und einen freimütigeren Ton anschlug, als wollte er mir eröffnen, besagter Reißverschluß sei einmal zusammen mit einem Matrosen auf einer öffentlichen Bedürfnisanstalt verhaftet worden –, »die Nähte sind bandisoliert statt diagonal versetzt, und das Vestibül ist ein bißchen eng.«

Da ich beiläufig erwähnt hatte, daß ich in England ein bißchen gewandert sei, unterstellte er mir eine gewisse Kompetenz. Ich wollte ihn nicht beunruhigen oder enttäuschen, so daß ich, als er mich fragte, »Was halten Sie eigentlich von Kohlenstoffasern?« nur mit einem mitleidigen Lächeln den Kopf schüttelte, angesichts dieses heiklen Dauerthemas, und antwortete: »Wissen Sie, Dave, ich bin in dem Punkt immer noch zu keinem abschließenden Ergebnis gekommen. Was meinen Sie?«

Gemeinsam diskutierten wir über Kompressionsriemen, erwogen ernsthaft die relativen Vorteile von Schneeschürzen, Klettverschlüssen, Lastentransferausgleich, Belüftungskanälen, Gewebeschlaufen und Kopfmulden für größere Bewegungsfreiheit. Das wurde bei jedem Artikel durchexerziert. Selbst bei einem Kochgeschirr aus Aluminium ließen sich Überlegungen hinsichtlich Gewicht, Kompaktheit, Thermodynamik und allgemeiner Nützlichkeit anstellen, die den Verstand stundenlang beschäftigen konnten. Zwischendurch bot sich immer wieder Gelegenheit, über das Wandern ganz allgemein zu plaudern, was sich jedoch auf die Risiken beschränkte, als da wären Steinschlag, Begegnungen mit Bären, Kocherexplosionen und Schlangenbisse, die Dave mit einem verschleierten Blick hingebungsvoll beschrieb, bevor er sich wieder dem eigentlichen Thema widmete.

Wie gesagt, er redete viel, besonders viel über Gewicht. Mir erschien es eine Idee zu pingelig, einen bestimmten Schlafsack einem anderen vorzuziehen, weil dieser ein paar Gramm leichter war, aber immer mehr Ausrüstungsgegenstände türmten sich um uns herum auf, und immer deutlicher wurde mir vorgeführt, wie aus vielen Gramm ganz allmählich ein Kilo wird. Ich hatte nicht damit gerechnet, so viel zu kaufen – ich besaß bereits Wanderschuhe, ein Schweizer Offiziersmesser und eine Kartentasche aus Plastik, die man an einer Kordel um den Hals trug; ich dachte, ich sei eigentlich bestens ausgestattet – aber je länger ich mit Dave redete, desto klarer wurde mir, daß ich dabei war, mich für eine Expedition auszurüsten.

Was mich dann wirklich schockierte, war zum einen, wie teuer alles war – jedesmal, wenn Dave ins Lager sprang oder loszog, um das Gewicht des Gewebes in der Maßeinheit Denier zu überprüfen, warf ich einen verstohlenen Blick auf die Preisschildchen und war ausnahmslos entsetzt – und zum anderen, daß jeder Ausrüstungsgegenstand unweigerlich den Erwerb eines weiteren erforderlich machte. Wenn man einen Schlafsack kaufte, brauchte man einen Packbeutel für den Schlafsack. Der Packbeutel kostete 29 Dollar. Für diese Nötigung hatte ich zunehmend weniger Verständnis.

Als ich mich schließlich nach reiflicher Überlegung für einen Rucksack entschieden hatte – einen sehr hochwertigen Gregory, vom Allerfeinsten, nach dem Motto: es bringt nichts, hier zu knausern –, fragte Dave: »Was für Gurte wollen Sie dazu haben?«

»Wie bitte?« erwiderte ich und merkte auf der Stelle, daß ich mich am Rand einer gefährlichen Krise befand, auch als Konsumverweigerung bekannt. Ab jetzt konnte ich nicht mehr unbekümmert von mir geben: »Packen Sie nur ruhig gleich sechs Stück davon ein, Dave. Und wenn ich schon mal dabei bin – von den anderen Dingern nehme ich acht Stück. Ach, was soll's, warum nicht gleich zwölf? Man gönnt sich ja sonst nichts.« Der Haufen Klamotten, der mir eben noch verschwenderisch vorgekommen war und mich irgendwie ganz aufgeregt gemacht hatte – alles neu! alles meins! –, erschien mir plötzlich erdrückend und übertrieben.

»Gurte«, erklärte Dave. »Um Ihren Schlafsack draufzuschnallen und Sachen festzubinden.«

»Gehören die Gurte nicht dazu?« sagte ich leicht gereizt.

»Nein.« Er ließ seinen Blick über eine Wand, vollbehängt mit Kleinkram, schweifen. »Jetzt brauchen Sie natürlich auch noch einen Regenschutz.«

Ich sah ihn verständnislos an. »Einen Regenschutz? Wozu das denn?«

»Gegen den Regen.«

»Ist der Rucksack denn nicht wasserdicht?«

Er verzog das Gesicht, als müßte er einen höchst schwierigen Sachverhalt klären. »Na ja, nicht hundertprozentig ...«

Das fand ich höchst seltsam. »Wirklich? Ist dem Hersteller nie in den Sinn gekommen, daß die Kunden ihre Rucksäcke gelegentlich auch mal mit nach draußen nehmen wollen? Vielleicht sogar über Nacht draußen zelten wollen? Wieviel kostet der Rucksack eigentlich?«

»250 Dollar.«

»250 Dollar? Wollen Sie mich verarsch...«

Ich unterbrach mich und schlug einen anderen Ton an. »Soll das heißen, man zahlt 250 Dollar für einen Rucksack, der keine Gurte hat und nicht wasserdicht ist?«

Dave nickte.

»Hat er wenigstens einen Boden?«

Mengle grinste verlegen. Kritik an der unerschöpflichen, vielversprechenden Welt der Wanderausrüstung oder gar Überdruß

20

gehörte nicht zu seinem Wesen. »Die Gurte gibt es in sechs verschiedenen Farben«, bot er mir zur Versöhnung an.

Zum Schluß hatte ich so viel Ausrüstung beisammen, daß ich einen ganzen Treck Sherpas hätte beschäftigen können: Zelt für einen Drei-Jahreszeiten-Einsatz; Isoliermatte, die sich selbst aufbläst; Kombitöpfe und -pfannen; Klappbesteck; Plastikteller und -tasse; Wasserfilter mit einem komplizierten Pumpsystem; Packbeutel in allen Regenbogenfarben; Nahtdichter; Klebeflicken; Schlafsack; Spanngurte; Wasserflaschen; wasserdichter Poncho; wasserfeste Sturm-Zündhölzer; Regenschutz; ein niedlicher Schlüsselanhänger mit eingebautem Minikompaß und Thermometer; ein kleiner, zusammenklappbarer Kocher, der eindeutig Ärger zu machen versprach; Gaskartusche und Ersatzkartusche; eine Taschenlampe, die man sich wie eine Grubenlampe auf die Stirn setzt, so daß die Hände frei sind (die gefiel mir sehr gut); ein großes Messer, um Bären und andere Hinterwäldler abzumurksen; Thermo-Unterwäsche; lange Unterhosen und Unterhemden; vier große Tücher, auch als Stirnbänder zu benutzen, und jede Menge anderer Sachen, für die ich extra nochmal in den Laden zurückgehen mußte, um zu fragen, wozu sie eigentlich gut waren. Bei einem Designer-Zeltboden für 59,95 Dollar war bei mir Schluß, weil ich wußte, daß es im Supermarkt Zeltplanen für fünf Dollar gab. Ein Erste-Hilfe-Set, ein Nähset, ein Schlangenbiß-Set, eine Trillerpfeife für zwölf Dollar und einen kleinen orangefarbenen Spaten, um seine Hinterlassenschaft zu verbuddeln, ließ ich ebenfalls links liegen mit der Begründung, daß diese Dinge nicht nötig und zu teuer seien oder man sich damit der Lächerlichkeit preisgeben würde. Besonders der kleine orangefarbene Spaten schien mir zuzurufen: »Grünschnabel! Schlappschwanz! Ist sich zu fein für die eigene Scheiße!«

Um gleich alles in einem Aufwasch zu erledigen, ging ich noch nach nebenan in den Buchladen von Dartmouth und kaufte Bücher – *The Thru-Hiker's Handbook, Walking the Appalachian Trail*, diverse Bücher über wildlebende Tiere und wildwachsende Pflanzen, naturwissenschaftliche Werke, einen historischen Abriß über die geologische Entwicklung des Appalachian Trail von einem Autor mit dem köstlichen Namen V. Collins Chew, und die bereits erwähnte, vollständige Sammlung der offiziellen *Appalachian Trail Guides*, die elf Taschenbücher und 59 Karten umfaßt, letztere allesamt von unterschiedlicher Größe und Aufmachung und mit verschiedenen Maßstäben. Diese Anthologie stellt den gesamten Weg vom Springer Mountain bis zum Mount Katahdin dar und ist zu dem stolzen Preis von 233,45 Dollar zu haben. Beim Hinausgehen fiel mir ein Buch auf, *Bären: Jäger und Gejagte in Amerikas Wildnis*. Ich schlug es wahllos auf, las den Satz: »Hier haben wir ein typisches Beispiel für den nicht selten auftretenden Fall, daß ein Schwarzbär einen Menschen erblickt und beschließt, ihn zu töten und zu fressen«, und warf es gleich mit in die Einkaufstüte.

Ich brachte den Krempel nach Hause und trug ihn in mehreren Etappen runter in den Keller. Es war ungeheuer viel, und mit der ganzen Technik der Ausrüstung war ich absolut nicht vertraut; es war spannend und gleichzeitig beängstigend, hauptsächlich beängstigend. Ich setzte die Stirnlampe auf, nur so zum Spaß, zog das Zelt aus der Plastikhülle und baute es auf. Ich rollte die Isomatte aus, die sich selbst aufblies, schob sie ins Zelt und kroch dann selbst mit meinem neuen Schlafsack hinein. Dann schlüpfte ich in den Schlafsack und blieb eine ganze Weile so liegen. Dabei versuchte ich, mich in der teuren, arg begrenzten, noch seltsam neu riechenden, gänzlich ungewohnten Räumlichkeit, die schon bald mein Zuhause fern von zu Hause sein würde, zurechtzufinden. Ich versuchte mir vorzustellen, ich läge nicht in einem Keller, neben dem gemütlichen Heizungskessel mit seinem gezähmten Gebrumm, sondern draußen, auf einem hohen Gebirgspaß, lauschte dem Wind und dem Blätterrauschen, dem einsamen Heulen hundeähnlicher Geschöpfe, dem heiseren Flüstern, aus dem unüberhörbar der Dialekt aus den Bergen von Georgia herausklang: »He, Virgil, hier liegt einer. Hast du an das Seil gedacht?« Es wollte mir nicht gelingen.

Seit ich im Alter von ungefähr neun Jahren aufgehört hatte, aus

Decken und Spieltischen Hütten zu bauen, hatte ich mich nicht mehr in so einer Umgebung aufgehalten. Es war sogar ziemlich urig, und wenn man sich erstmal an den Geruch, von dem ich naiverweise annahm, er würde sich im Laufe der Zeit verflüchtigen, und an die kränklich blaßgrüne Färbung gewöhnt hatte, die das Material allen Dingen um einen herum wie der Schein eines leuchtenden Radarschirms verlieh, war es gar nicht so furchtbar. Vielleicht ein bißchen klaustrophobisch, komisch riechend, aber dennoch gemütlich und urig.

Es würde schon nicht so schlimm werden, redete ich mir ein. Aber insgeheim wußte ich, daß ich mich gründlich irrte.

2. Kapitel

Am 5. Juli 1983 schlugen drei erwachsene Aufseher und eine Gruppe Jugendlicher an einer bei Wanderern beliebten Stelle am Lake Canimina mitten in einem würzig riechenden Kiefernwald westlich von Quebec, ungefähr 130 Kilometer nördlich von Ottawa, in einem Park, der sich La Vérendrye Provincial Reserve nennt, nachmittags ihr Lager auf. Sie kochten sich ein Abendessen und verstauten anschließend ihre Lebensmittelvorräte, wie es sich gehört, in einen Beutel, trugen diesen etwa 100 Meter weit in den Wald hinein und hängten ihn zwischen zwei Bäumen auf, in einer Höhe, die für Bären nicht zu erreichen war.

Um Mitternacht strich ein Schwarzbär am Rand des Lagers herum, entdeckte den Beutel und holte ihn herunter, indem er auf den Baum kletterte und einen Ast abknickte. Er plünderte den Vorrat und verschwand, kehrte aber eine Stunde später wieder zurück und betrat diesmal das Lager, angezogen von dem Geruch gebratenen Fleischs, der noch in den Kleidern und Haaren, den Schlafsäcken und Zelten der Leute hing. Es sollte eine lange Nacht für die Gruppe am Lake Canimina werden. Zwischen Mitternacht und halb vier stattete der Bär dem Lager dreimal einen Besuch ab.

Stellen Sie sich, falls Sie Masochist sind, vor, Sie liegen mutterseelenallein im Dunkeln in einem kleinen Zelt, zwischen Ihnen und der kalten Nachtluft nur eine Nylonmembran von ein paar tausendstel Millimeter Dicke, und draußen rumort dieser zentnerschwere Koloß. Stellen Sie sich vor, Sie hören sein leises Grunzen und unerklärliches Schniefen, das Schmatzen und Nagen, das Tapsen der Ballen unter den Tatzen, den schweren Atem, das Geräusch, wenn er sich an Ihrer Zeltwand reibt, das Klappern von gestapeltem Kochgeschirr, wenn er dagegentritt. Stellen Sie sich vor, was für ein heißer Adrenalinschub durch Ihren Körper geht, wie es in Ihren Achselhöhlen kribbelt – dann der plötzliche, rauhe Stoß der Schnauze des Tieres gegen die Wand am Fußende Ihres Zeltes, das alarmierend wilde Flattern Ihrer dünnhäutigen Hülle, wenn das Tier Ihren Rucksack durchwühlt, den Sie unachtsamerweise am Eingang aufgebockt haben und in dessen Seitentasche sich, wie Ihnen siedendheiß einfällt, ein Snickers befindet. Bären sind geradezu versessen auf Snickers, haben Sie mal gehört.

Und dann das dumpfe Gefühl – ach, du meine Güte –, daß Sie den Snickers-Riegel mit ins Zelt genommen haben, daß er hier irgendwo liegt, zu ihren Füßen oder unter Ihnen, oder – ach, du Scheiße, hier ist er ja! Der nächste Stoß der Schnauze, begleitet von einem Grunzen, gegen das Zelt, diesmal unweit Ihrer Schulter. Wieder das Flattern der Zeltwand. Dann Stille, eine lang anhaltende Stille, und – Moment, psssst! ... jawohl! – die unsägliche Erleichterung, als Ihnen klar wird, daß der Bär hinüber auf die andere Seite des Lagers geschlurft ist oder sich zurück in den Wald verzogen hat.

Ich sage Ihnen, ich würde das nicht aushalten.

Nun stellen Sie sich vor, wie erst dem kleinen zwölfjährigen David Anderson zumute gewesen sein mußte, als um halb vier morgens, bei dem dritten Übergriff, sein Zelt urplötzlich mit einem Tatzenhieb aufgeschlitzt wurde und der Bär, von dem starken, in der Luft liegenden Geruch nach Hamburgern zur Raserei getrieben, seine Zähne in ein hastig zurückzuckendes Bein schlug und den brüllenden, strampelnden Knaben durch das Lager schleppte, hinein in den Wald. In den wenigen Sekunden, die seine Kameraden brauchten, um sich aus ihren Sachen zu schälen. Und stellen Sie sich weiter vor, was es heißt, sich aus plötzlich voluminösen Schlafsäcken herauszuwühlen, nach den Taschenlampen zu kramen, sich einen provisorischen Knüppel zu schnappen, die Zeltverschlüsse hochzuziehen und hinter dem Tier herzujagen – in diesen wenigen Sekunden hauchte der arme kleine David Anderson sein Leben aus.

Und nun stellen Sie sich vor, Sie läsen ein Sachbuch, in dem es nur so wimmelt von solchen Geschichten – wahren Geschichten, nüchtern erzählt –, kurz bevor Sie allein zu einer Wanderung durch die nordamerikanische Wildnis aufbrächen. Das Buch, von dem hier die Rede ist, heißt *Bären: Jäger und Gejagte in Amerikas Wildnis*, und der Verfasser ist der kanadische Wissenschaftler Stephen Herrero. Wenn das Buch nicht das letzte Wort in dieser Angelegenheit ist, dann möchte ich das letzte Wort lieber nicht erfahren. Während sich draußen in New Hampshire der Schnee auftürmte und meine Frau friedlich neben mir im Bett schlummerte, verbrachte ich ganze Nächte damit, mit angstvoll aufgerissenen Augen klinisch exakte Berichte über Menschen zu lesen, die in ihren Schlafsäcken zu Brei zermalmt, die wimmernd von Bäumen heruntergeholt worden waren, an die die Bestie sich geräuschlos herangepirscht hatte – ich wußte nicht, daß so etwas vorkam –, als sie gerade unbedarft durchs Laub schlenderten oder ihre Füße in einem kalten Gebirgsbach baumeln ließen. Über Menschen, die den verhängnisvollen Fehler begangen hatten, sich wohlriechendes Gel ins Haar zu schmieren, ein saftiges Stück Fleisch zu essen, sich für später einen Snickers-Riegel in die Brusttasche zu stecken, sich sexuell zu betätigen, zu menstruieren oder die Geruchsempfindlichkeit des hungrigen Bären in sonstwie unachtsamer Weise zu reizen. Oder deren Verhängnis, auch das gab es, schlicht darin bestand, außerordentlich großes Pech zu haben – um eine Kurve zu gehen und auf ein hungriges Bärenmännchen zu treffen, das den Weg versperrt, den Kopf erwartungsvoll hin und her wiegt, oder darin, nichts Böses ahnend in das Revier eines Bären zu tapern, der, bedingt durch Alter und Trägheit, zu alt war, um flinkere Beute zu jagen.

Ich will gleich klarstellen, daß die Wahrscheinlichkeit eines schweren Übergriffs durch einen Bären am Appalachian Trail äußerst gering ist. Zunächst einmal wütet der wirklich gefährliche amerikanische Bär, der Grizzly – *Ursus horribilis*, wie er anschaulich und korrekterweise bezeichnet wird –, nicht östlich des Mississippi, was immerhin von Vorteil ist, denn Grizzlys sind riesig, stark und geraten schnell in Wut. Als Meriwether Lewis und William Clark zu Beginn des letzten Jahrhunderts zu ihrer Expedition in die Wildnis aufbrachen, stellten sie fest, daß nichts die eingeborenen Indianer mehr zermürbte als ein Grizzlybär. Und das ist nicht weiter erstaunlich, denn man kann einen Grizzly mit Pfeilen durchlöchern, ihn buchstäblich damit spicken, so daß er aussieht wie ein Stachelschwein – er wird immer noch nicht aufgeben. Selbst Lewis und Clark zeigten sich erstaunt und verunsichert über die Fähigkeit des Grizzlys, ganze Geschützsalven zu verkraften, ohne auch nur leicht ins Wanken zu geraten.

Herrero berichtet von einem Fall, der die Robustheit des Grizzlys sehr schön veranschaulicht. Die Geschichte handelt von einem erfahrenen Jäger in Alaska, Alexei Pitka, der sich durch den Schnee an ein großes Männchen herangeschlichen und es mit einem gezielten Schuß ins Herz aus einem großkalibrigen Gewehr niedergestreckt hatte. Pitka hätte vorher noch einmal in den Verhaltensregeln nachlesen sollen. »Erst überprüfen, ob der Bär auch wirklich tot ist. Dann Waffe ablegen.« Er näherte sich behutsam und beobachtete ein, zwei Minuten lang, ob der Bär sich nicht rührte. Als er keine Regung feststellen konnte, lehnte er sein Gewehr gegen einen Baum (schwerer Fehler!) und trat vor, um seine Beute zu beanspruchen. Gerade wollte er das Fell berühren, da sprang der Bär auf, legte ihm seine breiten Tatzen um den Kopf, als wollte er ihm einen Kuß geben, und riß ihm mit einem Ruck das Gesicht weg.

Pitka überlebte wie durch ein Wunder. »Ich weiß auch nicht, wieso ich das Scheißgewehr an den Baum gestellt habe«, sagte er später. (Eigentlich war nur »Mnnnpfffnnnndgnnn« zu verstehen, da Pitka weder über Lippen, Zähne, Nase, Zunge noch über ein anderes Stimmorgan mehr verfügte.)

Sollte ich betätschelt und angeknabbert werden – was mir immer wahrscheinlicher erschien, je mehr ich las –, dann von einem Schwarzbären, *Ursus americanus*. Es gibt ungefähr eine halbe Million Schwarzbären in Amerika, vielleicht sogar eine dreiviertel Million. Sie sind sehr verbreitet in den Bergen entlang des Appalachian Trail, ja sie benutzen den Weg sogar gern, weil er so bequem ist, und ihre Zahl ist im Steigen begriffen. Die Zahl der Grizzlybären dagegen beläuft sich, bezogen auf ganz Nordamerika, auf höchstens 35.000; davon entfallen gerade einmal 1.000 auf das Herzland der Vereinigten Staaten, hauptsächlich auf den Yellowstone National Park und Umgebung. Schwarzbären sind in der Regel kleiner (das ist allerdings relativ zu sehen, denn ein Schwarzbärmännchen kann immer noch 300 Kilo auf die Waage bringen), und sie sind eindeutig zurückhaltender.

Schwarzbären greifen selten von sich aus an, aber manchmal eben doch. Alle Bären sind behende, schlau und unglaublich stark, und sie haben immer Hunger. Sie können einen Menschen töten und fressen, wenn sie wollen, und sie tun es auch – wenn sie wollen. Es kommt nicht oft vor, aber – und das ist der springende Punkt: einmal reicht. Herrero gibt sich alle Mühe, darauf hinzuweisen, daß Schwarzbärattacken zahlenmäßig selten sind. Für den Zeitraum von 1900 bis 1980 konstatierte er lediglich 23 Tötungen von Menschen durch einen Schwarzbären (das sind halb so viele Tötungen wie durch Grizzlybären), und die meisten ereigneten sich im Westen oder in Kanada. In New Hampshire hat jedenfalls seit 1784 kein unprovozierter tödlicher Übergriff eines Bären auf einen Menschen mehr stattgefunden, und in Vermont sogar noch nie.

Ich hätte mich von diesen quasi Versprechungen ja gerne trösten lassen, aber mir fehlte es an der nötigen Glaubenskraft. Der Aussage, daß zwischen 1960 und 1980 500 Menschen von Schwarzbären angegriffen und verletzt wurden – 25 Übergriffe pro Jahr, bei einer Population von mindestens einer halben Million Bären –, fügt Herrero hinzu, die meisten Verletzungen seien nicht schwer gewesen. »Die typischen, von einem Bären zugefügten Verletzungen«, schreibt er kühl, »sind nur geringfügiger Natur und beschränken sich für gewöhnlich auf ein paar Kratzer oder leichte Bißwunden.« Was, bitteschön, ist eine leichte Bißwunde? Geht es hier um spielerische Ringkämpfe und Nasenstüber? Wohl kaum. Und sind 500 nachgewiesene Übergriffe tatsächlich eine so bescheidene Zahl, wenn man bedenkt, daß nur wenige Menschen die Wälder Nordamerikas je betreten? Und wie blöd muß man sein, damit einen die Information, in Vermont und New Hampshire sei seit 200 Jahren kein Mensch mehr von einem Bären getötet worden, beruhigen kann? Die Angriffe blieben ja nicht aus, weil die Bären ein Abkommen mit den Menschen ausgehandelt hatten. Es spricht nichts dagegen, daß sie nicht schon morgen ein kleines Massaker anrichten.

Stellen wir uns also vor, ein Bär in der Wildnis hätte es auf uns abgesehen. Wie soll man sich verhalten?

Interessanterweise sind die empfohlenen Tricks bei Grizzly- beziehungsweise Schwarzbärattacken genau gegensätzlich. Bei dem Überfall eines Grizzlybären sollte man den nächsten hohen Baum aufsuchen, da Grizzlys keine guten Kletterer sind. Wenn kein Baum in Reichweite ist, sollte man langsam rückwärts gehen und dabei den Blickkontakt vermeiden. Alle Bücher raten einem, auf keinen Fall zu rennen, wenn der Grizzly auf einen zukommt. Solche Ratschläge können nur von Schreibtischtätern kommen. Lassen Sie sich gesagt sein: Wenn Sie sich in einem offenen Gelände befinden und keine Waffe dabei haben, dann nehmen Sie besser die Beine in die Hand. Was bleibt Ihnen schon anderes übrig? So haben Sie in den letzten sieben Sekunden Ihres Lebens wenigstens etwas zu tun. Sollte der Grizzly Sie jedoch einholen, was mit an Sicherheit grenzender Wahrscheinlichkeit der Fall sein wird, lassen Sie sich auf den Boden fallen und stellen Sie sich tot. An einem schlaffen Körper knabbert der Grizzly nur ein bißchen herum, im allgemeinen verliert er nach wenigen Minuten die Lust und schlurft davon. Bei Schwarzbären dagegen ist der Trick, sich tot zu stellen, vergeblich, denn sie knabbern weiter an einem herum, bis auch der beste plastische Chirurg später nichts mehr ausrichten kann. Auf einen Baum zu klettern wäre ebenfalls ziemlich töricht, denn Schwarzbären sind geschickte Kletterer, und man würde den Kampf gegen den Bären lediglich auf den Baum verlagern, wie Herrero trocken feststellt.

Am besten, schlägt Herrero vor, sollte man einen Höllenlärm veranstalten, um einen aggressiven schwarzen Bären zu vertreiben, auf Töpfe und Pfannen schlagen, mit Stöcken und Steinen werfen und »auf den Bär zulaufen«. (Bitte. Wenn Sie als erster gehen, Herr Professor!) Andererseits, fügt er vernünftigerweise hinzu, könnten diese Tricks »den Bären erst recht provozieren«. Vielen Dank auch. An anderer Stelle empfiehlt Herrero, als Wanderer solle man daran denken, gelegentlich Krach zu machen, zum Beispiel ein Lied zu singen, um einen Bären vor seiner Anwesenheit zu warnen, da ein überraschter Bär höchstwahrscheinlich wütender sein wird. Doch dann mahnt er ein paar Seiten weiter, daß »es gefährlich sein könnte, Krach zu machen«, da er einen hungrigen Bären anlocken könnte, der einen sonst übersehen hätte.

Tatsache ist: Keiner kann einem sagen, was man machen soll. Bei Bären weiß man vorher nie, wie sie reagieren, und was bei dem einen klappt, ist bei dem anderen vielleicht verhängnisvoll. Im Jahre 1973 hatten sich zwei Teenager, Mark Seeley und Michael Whitten, zu einer Wanderung durch den Yellowstone National Park aufgemacht und gerieten unterwegs unabsichtlich zwischen eine Schwarzbärmutter und ihre Jungen. Nichts bringt eine Bärenmutter mehr in Rage als Menschen, die sich in der Nähe ihrer Brut aufhalten. Wütend drehte sie sich um und eröffnete die Jagd – trotz des etwas tapsigen Gangs können Bären bis zu 60 Stundenkilometer schnell laufen – und die beiden Jungen erkletterten den nächsten Baum. Der Bär sprang Whitten hinterher, faßte mit dem Maul seinen rechten Fuß und zog ihn langsam und geduldig von seinem Hochsitz herunter. (Spüren Sie da auch, wie sich Ihre Fingernägel in der Rinde verkrallen, oder geht das nur mir so?) Auf der Erde fing der Bär an, den Jungen übel zuzurichten. Seeley versuchte, das Tier von seinem Freund wegzulocken und brüllte es an, worauf es losließ und auch ihn von seinem Baum herunterholte. Beide Jungen stellten sich daraufhin tot – nach den Verhaltensmaßregeln genau das Verkehrte –, und der Bär verschwand.

Ich möchte nicht behaupten, daß ich wie besessen von dem Thema war, aber es beschäftigte meine Gedanken während der Monate, in denen ich darauf wartete, daß endlich der Frühling käme. Mein besonderer Schrecken – die lebhafte Phantasie, die mich Nacht für Nacht die Baumschatten an der Schlafzimmerdecke anstarren ließ – war die Vorstellung, ich läge in einem kleinen Zelt, allein in der pechschwarzen Wildnis, hörte draußen einen Bär, der auf Futtersuche wäre, und hätte keine Ahnung, was er nun vorhatte. Vor allem ein Amateurfoto in Herreros Buch faszinierte mich. Es war spät nachts von einem Camper auf einem Lagerplatz irgendwo im Westen der USA mit Blitzlicht aufgenommen worden. Der Fotograf hatte vier Schwarzbären erwischt, die sich darüber den Kopf zerbrachen, wie sie an einen Vorratsbeutel kommen sollten, der von einem Ast herunterhing. Die Bären wirkten zwar überrascht – von dem Blitzlicht vermutlich –, aber sie waren nicht im geringsten erschrocken. Es war weniger die Größe oder das Verhalten der Bären, was mich beunruhigte – sie sehen komischerweise völlig harmlos aus, wie vier junge Männer, deren Frisbeescheibe im Baum gelandet war – als ihre Zahl. Bis dahin hatte ich mir nicht klargemacht, daß Bären auch in Rudeln herumstrolchen konnten. Was um Himmels willen sollte ich machen, wenn plötzlich vier von diesen Ungeheuern in mein Lager kämen? Na, was schon? Ich würde natürlich sterben. Buchstäblich tausend Tode sterben, mir in die Hose machen vor Angst, mir den Schließmuskel aus dem Hintern pusten, so wie die Luftschlangen, die man auf Kindergeburtstagen bekommt – ich glaube, es würde das Tier nicht im geringsten beeindrucken – und in meinem Schlafsack jämmerlich verbluten.

Herreros Buch erschien 1985. Seit damals haben, nach einem Artikel in der *New York Times*, die Übergriffe durch Bären in Nordamerika um 25 Prozent zugenommen. In dem Artikel hieß es außerdem, Bären gingen im Frühjahr nach einer schlechten Beerenernte wesentlich häufiger auf Menschen los als sonst. Die Beerenernte im Vorjahr war katastrophal ausgefallen. Das gefiel mir alles nicht.

Dann gab es noch die ganzen Probleme und speziellen Gefahren, die durch die Einsamkeit bedingt sind. Ich habe immer noch meinen Blinddarm und jede Menge anderer, lebenswichtiger Organe, die in der Wildnis aufplatzen oder auslaufen könnten. Was sollte ich in so einem Fall machen? Was, wenn ich von einem Felsvorsprung stürzen und mir das Rückgrat brechen würde? Wenn ich mich bei Nebel oder in einem Schneesturm verirren würde, von einer giftigen Schlange gebissen, bei der Durchquerung eines Flusses auf einem bemoosten Stein den Halt verlieren oder mir nach einem Sturz eine Gehirnerschütterung zuziehen würde? Man kann auch in einer fünf Zentimeter tiefen Wasserlache ertrinken oder an einem verstauchten Fußgelenk sterben. Nein, nein, das gefiel mir alles ganz und gar nicht.

Meine Weihnachtsgrüße an Freunde und Bekannte versah ich mit der Einladung, doch mit mir zu wandern, und wenn es nur ein Teil des Weges wäre. Natürlich reagierte keiner darauf. Dann bekam ich eines Tages im Februar, der Termin meiner Abreise rückte immer näher, einen Anruf. Er war von einem alten Schulfreund, Stephen Katz. Katz und ich waren zusammen in Iowa aufgewachsen, aber ich hatte so ziemlich jeden Kontakt zu ihm verloren. Diejenigen unter Ihnen – mehr als fünf werden es wohl nicht sein – die *Neither Here nor There* gelesen haben, kennen Katz bereits aus den Geschichten über meine jugendlichen Abenteuer als meinen Reisegefährten in Europa. In den 25 Jahren, die seitdem vergangen sind, bin ich ihm drei-, viermal bei Besuchen zu Hause begegnet, aber sonst hatten wir nie mehr etwas miteinander zu tun. Wir waren Freunde geblieben, im theoretischen Sinn, aber unsere Lebenswege hätten verschiedener nicht sein können.

»Ich habe erst gezögert«, sagte er langsam. Er suchte nach Worten. »Die Sache mit dem Appalachian Trail – könnte ich da vielleicht mitkommen?«

Ich wollte meinen Ohren nicht trauen. »Willst du wirklich mitkommen?«

»Also, wenn du was dagegen hättest – das würde ich verstehen.«

»Was dagegen?« sagte ich. »Nein. Überhaupt nicht. Im Gegenteil. Ich bin heilfroh.«

»Wirklich?« Das schien ihn aufzuheitern.

»Klar.« Ich konnte es nicht fassen. Ich brauchte nicht allein zu gehen. Ich stimmte innerlich einen Freudengesang an. *Ich brauch' nicht mehr allein zu gehen.* »Ich kann dir gar nicht sagen, wie überglücklich ich bin.«

»Das ist ja schön«, sagte er, mehr als erleichtert, und fügte dann in bekennendem Tonfall hinzu: »Ich dachte, vielleicht willst du mich nicht dabeihaben.«

»Wieso denn nicht?«

»Weil ich dir immer noch 600 Pfund schulde, von unserer Reise damals durch Europa.«

»He, meine Güte, das kann nicht sein … schuldest du mir wirklich 600 Pfund?«

»Ich habe mir fest vorgenommen, sie dir zurückzuzahlen.«

»He!« sagte ich. »He.« Ich konnte mich an diese 600 Pfund gar nicht mehr erinnern. Ich hatte noch nie jemandem in meinem Leben Schulden in dieser Höhe erlassen, und es dauerte eine Weile, bis ich die Worte herausbrachte: »Kein Problem. Komm einfach mit wandern. Weißt du auch, worauf du dich einläßt?«

»Klar.«

»Und wie ist deine körperliche Verfassung?«

»Ziemlich gut. Ich gehe nur noch zu Fuß.«

»Wirklich?« Das ist sehr ungewöhnlich für amerikanische Verhältnisse.

»Na ja, mein Wagen wurde beschlagnahmt. Deswegen.«

»Ach so.«

Wir redeten noch über dies und das, seine Mutter, meine Mutter, Des Moines. Ich erzählte ihm alles, was ich über den Trail wußte, was nicht viel war, und über das Leben in der Wildnis, das uns erwartete. Wir verblieben so, daß er nächsten Mittwoch nach New Hampshire fliegen sollte, wir uns zwei Tage Zeit für Vorbereitungen nehmen und uns dann auf den Weg machen würden. Zum ersten Mal seit Monaten hatte ich ein rundum gutes Gefühl, was unser Unternehmen betraf. Katz klang außerdem recht optimistisch für jemanden, der das Ganze eigentlich nicht mitzumachen brauchte.

Zuletzt fragte ich ihn: »Und? Wie stehst du zu Bären?«

»Bis jetzt haben sie mich jedenfalls noch nicht gekriegt.«

Das ist die richtige Einstellung, dachte ich. Mensch, Katz, altes Haus. Du kommst mir wie gerufen.

Mir wäre jeder recht gewesen, der diesen Elan hatte und den festen Willen, mit mir loszuziehen. Nachdem ich aufgelegt hatte, fiel mir ein, daß ich vergessen hatte ihn zu fragen, warum er eigentlich mitwollte. Katz war der einzige Mensch auf der Welt, bei dem ich mir vorstellen konnte, daß er sich vor jemandem verstecken mußte, vor Leuten, die Julio hießen oder Mister Big. Egal. Ich brauchte jedenfalls nicht allein zu gehen.

Ich ging zu meiner Frau, die in der Küche am Spülbecken stand, und überbrachte ihr die gute Nachricht. Ihre Begeisterung fiel reservierter als erwartet aus.

»Du willst also wochenlang mit einem Menschen, den du seit 25 Jahren nicht mehr gesehen hast, durch die Wildnis wandern. Hast du dir das auch gründlich überlegt?« (Als hätte ich mir je etwas gründlich überlegt.) »Ich dachte, ihr beiden wärt euch in Europa gehörig auf die Nerven gegangen.«

»Nein.« Das stimmte nicht ganz. »Wir sind uns bloß am Anfang auf die Nerven gegangen. Zum Schluß hatten wir nur noch Verachtung füreinander übrig. Aber das ist lange her.«

Sie warf mir einen zutiefst zweifelnden Blick zu. »Ihr beide habt nichts gemein. Ihr seid völlig verschieden.«

»Wir sind überhaupt nicht verschieden. Wir sind beide 44 Jahre alt. Wir werden uns über unsere Hämorrhoiden unterhalten, unsere Schmerzen im unteren Rückenbereich und darüber, daß wir ständig vergessen, wo wir irgend etwas hingelegt haben. Und dann frage ich ihn am nächsten Abend, sag mal, habe ich dir schon von meinen Rückenproblemen erzählt?, und er sagt, nein, ich glaube nicht, und wir kauen das Thema wieder von vorne durch. Es wird bestimmt toll.«

»Es wird grauenvoll.«

»Ja, ich weiß«, sagte ich.

Eine Woche später fand ich mich an unserem kleinen Flughafen ein und beobachtete, wie die Konservenbüchse mit Katz an Bord aufsetzte und auf der Rollbahn knapp 20 Meter vor dem Terminal zum Stehen kam. Das Brummen der Propeller wurde für einen Moment noch einmal lauter, verstummte dann stotternd, die Tür öffnete sich und die Gangway wurde heruntergeklappt. Ich versuchte mir ins Gedächtnis zurückzurufen, wann ich Katz das letzte Mal gesehen hatte. Nach unserer Europareise im Sommer war er nach Des Moines zurückgekehrt und dort zu Iowas Drogenguru aufgestiegen. Jahrelang war sein Leben ein einziges, rauschendes Fest gewesen, bis keiner mehr zum Mitfeiern übriggeblieben war, so daß er nur noch mit sich allein feierte, in seiner Wohnung, in T-Shirt und Boxer-Shorts, mit einem Vorrat an Marihuana, vor einem Fernseher mit Zimmerantenne. Jetzt erinnerte ich mich auch, daß ich ihn zuletzt vor fünf Jahren in Dennys Restaurant gesehen hatte, wohin ich meine Mutter zum Frühstück eingeladen hatte. Er saß ein paar Tische weiter, zusammen mit einem verhärmten Kerl, der aussah, als hieße er Virgil Starkweather oder so ähnlich, er stocherte in seinen Pfannkuchen herum und trank gelegentlich einen verbotenen Schluck aus einer Flasche, die in einem Papierbeutel steckte. Es war acht Uhr morgens, und Katz sah sehr zufrieden aus. Er war immer zufrieden, wenn er betrunken war, und er war fast immer betrunken.

Wie ich später erfuhr, fand ihn die Polizei zwei Wochen später in einem Auto, das sich auf einem Stoppelfeld außerhalb der Kleinstadt Mingo überschlagen hatte. Er hing noch im Sicherheitsgurt, mit dem Kopf nach unten, das Steuerrad fest umklammert, und sagte zu dem Polizisten: »Irgendwelche Probleme, Officer?« Im Handschuhfach wurde eine geringe Menge Kokain gefunden, und Katz wurde vorsorglich für 18 Monate in Sicherheitsverwahrung genommen. Während dieser Zeit fing er an, regelmäßig zu den Treffen der Anonymen Alkoholiker zu gehen.

Zu unser aller Überraschung, nicht zuletzt seiner eigenen, hatte er seitdem keinen Tropfen Alkohol oder andere Drogen mehr angerührt.

Nach seiner Entlassung bekam er einen kleinen Job, ging halbtags wieder aufs College und zog mit einer Friseuse namens Patty zusammen. Die letzten drei Jahre hatte er ein unbescholtenes Leben geführt und, wie ich gleich feststellen konnte, als er geduckt durch die Tür trat, sich einen Bauch zugelegt. Katz war erstaunlich breit geworden im Vergleich zum letzten Mal. Er war immer schon ein wenig pummelig, aber jetzt mußte man gleich an Orson Welles nach einer durchzechten Nacht denken, wenn man ihn sah. Er humpelte leicht und atmete schwerer, als nach einem Weg von 20 Metern zu erwarten wäre.

»Mann, hab' ich einen Hunger«, sagte er, ohne ein Wort der Begrüßung, und übergab mir sein Handgepäck. Ich hätte mir beinahe den Arm ausgerenkt.

»Was hast du denn da drin?« keuchte ich.

»Nur ein paar Kassetten und anderen Kram für unterwegs. Gibt es hier irgendwo ein Dunkin Donuts in der Nähe? Ich habe seit Boston nichts mehr gegessen.«

»Boston? Da kommst du doch gerade erst her.«

»Ja. Ich muß jede Stunde was essen, sonst kriege ich meine – wie soll ich sagen? – Anwandlungen.«

»Was denn für Anwandlungen?« Es war nicht gerade das Wiedersehen, das ich mir ausgemalt hatte. Ich stellte mir vor, wie er den Appalachian Trail entlanghüpfte, wie ein Spielzeug zum Aufziehen, das auf den Rücken gefallen war.

»Die kriege ich regelmäßig, seit ich vor zehn Jahren mal verseuchtes Anilin eingenommen habe. Mit ein paar Doughnuts ist die Sache normalerweise erledigt.«

»In drei Tagen sind wir mitten in der Wildnis, Stephen. Da gibt es keine Doughnuts.«

Er strahlte stolz übers ganze Gesicht. »Ich habe vorgesorgt.« Er zeigte auf seine Tasche an der Gepäckausgabe, einen grünen Army-Seesack, und deutete mir an, ich solle ihn hochheben. Er wog mindestens 30 Kilo. Er sah meinen verwunderten Gesichtsausdruck. »Snickers«, erklärte er. »Ein ganzer Sack voll Snickers.«

Wir machten einen Umweg über Dunkin Donuts, bevor wir nach Hause fuhren. Meine Frau und ich setzten uns mit ihm an den Küchentisch und sahen zu, wie er fünf Boston-Cream-Doughnuts verputzte, die er mit zwei Bechern Milch hinunterspülte. Dann sagte er, er wolle sich ein bißchen ausruhen. Er brauchte mehrere Minuten, um die Treppe nach oben zu bewältigen.

Meine Frau sah mich mit einem Ausdruck heiterer Verständnislosigkeit an.

»Bitte, sag jetzt nichts«, bat ich sie.

Nachdem er seinen Mittagsschlaf gehalten hatte, suchten wir Dave Mengle in dem Outdoor-Laden auf, kauften eine Ausstattung für Katz – Rucksack, Zelt, Schlafsack und den ganzen anderen Kram, – anschließend gingen wir zu Kmart und besorgten einen Zeltboden, Thermounterwäsche und noch ein paar Kleinigkeiten. Danach mußte er sich wieder hinlegen.

Am Tag darauf gingen wir in einen Supermarkt, um Proviant für die erste Woche unserer Wanderung einzukaufen. Ich hatte keine Ahnung vom Kochen, aber Katz versorgte sich seit Jahren selbst und hatte ein festes Repertoire an Gerichten (hauptsächlich Erdnußbutter, Thunfisch und brauner Zucker, alles in einem Topf vermengt), die seiner Meinung nach auch ganz gut zur Zeltlageratmosphäre paßten, aber er packte noch eine Menge anderer Sachen in seinen Einkaufswagen – vier große Salamiwürste, fünf Pfund Reis, diverse Kekspackungen, Haferflocken, Rosinen, M&Ms, Büchsenfleisch, noch mehr Snickers, Sonnenblumenkerne, Grahamplätzchen, Instant-Kartoffelpüree, mehrere Streifen gedörrtes Rindfleisch, ein paar Käsestücke, Dosenschinken und die gesamte Auswahl unverderblicher Kuchen und Doughnuts, die der Hersteller Little Debbie im Angebot hat.

»Ich glaube nicht, daß wir das alles tragen können«, gab ich ängstlich zu bedenken, als er auch noch eine kummetgroße Mortadella in den Einkaufswagen legte.

Katz begutachtete den Wageninhalt mißmutig. »Du hast recht«, pflichtete er mir bei. »Fangen wir nochmal von vorne an.«

Er ließ den Wagen einfach stehen und ging los, um sich einen neuen zu holen. Wir drehten nochmal eine Runde und versuchten, diesmal eine intelligentere Auswahl zu treffen, hatten aber zum Schluß immer noch viel zu viel.

Wir brachten alles nach Hause, teilten es auf und machten uns ans Packen – Katz in dem Gästezimmer, wo auch sein übriger Kram lag, und ich in meinem Hauptquartier im Keller. Ich packte zwei Stunden lang, aber ich schaffte es nicht, alles reinzukriegen. Ich legte Bücher, Notizblöcke und die ganze Ersatzkleidung beiseite und probierte alle möglichen Kombinationen aus, aber jedesmal, wenn ich fertig war, entdeckte ich ein großes und wichtiges Teil, das übriggeblieben war. Schließlich ging ich nach oben, um zu sehen, wie Katz zurechtkam. Katz lag auf dem Bett und hatte seinen Walkman auf. Sein Zeug lag überall verstreut im Zimmer herum. Der neue Rucksack stand schlaff und vernachlässigt da. Ein leises rhythmisches Zischen tönte aus dem Kopfhörer.

»Willst du nicht packen?« sagte ich.

»Jaah.«

Ich wartete eine Minute lang. Ich dachte, er würde sich vom Bett erheben, aber er rührte sich nicht. »Entschuldige bitte, Stephen, aber ich habe den Eindruck, daß du dich hingelegt hast.«

»Jaah.«

»Kannst du mich eigentlich verstehen?«

»Jaah. Es dauert nur noch eine Minute.«

Ich seufzte und ging wieder runter in den Keller.

Beim Abendessen sprach Katz nur wenig und verschwand danach gleich wieder in seinem Zimmer. Wir hörten nichts weiter von ihm im Laufe des Abends, erst vor Mitternacht, als wir schon im Bett lagen, drang Lärm durch die Wand zu uns herüber – ein Poltern und Murmeln, Geräusche, als würden Möbel im Zimmer verrückt, und kurze heftige Wutausbrüche, gefolgt von lang anhaltenden Phasen der Stille. Ich hielt die Hand meiner Frau fest und wußte nicht, was ich sagen sollte. Am nächsten Morgen klopfte ich bei Katz an und steckte schließlich, da er nicht antwortete, den Kopf durch die Tür. Er schlief noch, angezogen, auf einem Haufen zerwühlter Bettwäsche. Die Matratze war ein Stück vom Bettkasten gerutscht, als hätte er sich mit irgendwelchen nächtlichen Eindringlingen herumgeschlagen. Sein Rucksack war voll, aber nicht zugebunden, und seine persönlichen Sachen lagen immer noch weiträumig im ganzen Zimmer verstreut. Ich sagte ihm, wir müßten in einer Stunde losfahren, wenn wir unseren Flug nicht verpassen wollten.

»Jaah«, sagte er.

20 Minuten später kam er die Treppe herunter, schwerfällig und unter leisem Gefluche. Man hörte, ohne hinzusehen, daß er seitlich und übervorsichtig ging, als wären die Stufen vereist. Den Rucksack hatte er aufgesetzt. Hinten und an beiden Seiten, überall waren irgendwelche Sachen festgebunden – ein Paar versiffte Turnschuhe, ein zweites Paar, offenbar normale Alltagsschuhe, dazu Töpfe und Pfannen, eine Laura-Ashley-Einkaufstasche, die er im Kleiderschrank meiner Frau gefunden und sich angeeignet hatte und die jetzt mit wer weiß was gefüllt war. »Besser habe ich es nicht hingekriegt«, sagte er. »Ich mußte ein paar Sachen hierlassen.«

Ich nickte. Ich mußte auch ein paar Sachen zu Hause lassen. An erster Stelle waren die Haferflocken zu nennen, die ich sowieso nicht mag, und die etwas ekligeren Kuchen von Little Debbie, will sagen, alle Kuchen von Little Debbie.

Meine Frau brachte uns bei dichtem Schneetreiben zum Flughafen nach Manchester, und wir verharrten in dem eigentümlichen Schweigen, das einer langen Trennung vorausgeht. Katz saß auf dem Rücksitz und aß Doughnuts. Am Flughafen überreichte mir meine Frau ein Geschenk der Kinder, einen Spazierstock mit Knauf, dem sie eine rote Schleife umgebunden hatten. Ich hätte in Tränen ausbrechen können – am liebsten wäre ich gleich wieder in den Wagen gestiegen und zurückgefahren. Katz mühte sich derweil noch stirnrunzelnd mit den vielen Gurten ab. Meine Frau kniff mich in den Arm, lächelte verlegen und ging.

Ich schaute ihr hinterher, dann betrat ich mit Katz den Terminal. Der Mann am Abfertigungsschalter warf einen Blick auf unsere Tickets nach Atlanta und sagte in einem – wie ich fand – ziemlich alarmierenden Ton für einen Menschen, der im Winter mit kurzärmeligem Hemd herumlief: »Haben Sie vor, den Appalachian Trail entlangzuwandern?«

»Und ob!« sagte Katz mit stolzgeschwellter Brust.

»Die haben gerade eine Menge Ärger mit den Wölfen, da unten in Georgia.«

»Tatsächlich?« Katz spitzte die Ohren.

»Ja, ja. Sind kürzlich ein paar Leute angefallen worden. Ziemlich übel zugerichtet, wie ich gehört habe.« Er ließ sich noch etwas Zeit mit den Tickets und den Gepäckanhängern.

»Hoffentlich haben Sie genug lange Unterhosen eingepackt.« Katz verzog schmerzlich das Gesicht. »Gegen die Wölfe?«

»Nein, gegen das Wetter. Es soll die nächsten vier, fünf Tage eine Rekordkälte geben. Weit unter null Grad heute abend in Atlanta.«

»Na wunderbar«, sagte Katz und stieß einen verzweifelten Seufzer aus. Er sah den Mann herausfordernd an. »Sonst noch Neuigkeiten für uns? Anruf vom Krankenhaus, wir hätten Krebs, oder so?«

Der Mann strahlte und knallte die Tickets auf den Schalter. »Nein, das wär's. Trotzdem gute Reise. Ach, noch etwas«, er wandte sich direkt an Katz, senkte dabei die Stimme, »hüten Sie sich vor den Wölfen, denn ganz im Vertrauen, Sie sehen aus wie ein richtiger Leckerbissen.« Er zwinkerte scherzhaft.

»Meine Güte«, sagte Katz mit kaum hörbarer Stimme und wirkte plötzlich sehr, sehr trübsinnig.

Wir fuhren mit dem Aufzug zu unserem Flugsteig. »Und dann geben sie einem auf diesem Flug nicht mal was Anständiges zu essen«, stellte er abschließend mit ungewöhnlicher Bitterkeit fest.

3. Kapitel

Alles nahm seinen Anfang mit einem Mann namens Benton MacKaye, einem sanftmütigen, freundlichen, unendlich wohlmeinenden Visionär, der im Sommer 1921 seinem Freund Charles Harris Whitaker, Herausgeber einer führenden Architekturzeitschrift, den ehrgeizigen Plan für einen Fernwanderweg unterbreitete. Die Behauptung MacKayes Leben sei zu diesem Zeitpunkt nicht zufriedenstellend verlaufen, wäre eine harmlose Untertreibung. In dem Jahrzehnt davor war er von diversen Posten in Harvard und dem National Forest Service entlassen und, mangels einer besseren Stelle, auf die man ihn hätte abschieben können, mit dem unklar umrissenen Auftrag, Ideen zur Steigerung der Effizienz und der Moral zu entwickeln, in ein Büro des amerikanischen Ministeriums für Arbeit gesteckt worden. Pflichtbewußt, wie er war, arbeitete er ehrgeizige und unrealistische Entwürfe aus, die mit Erheiterung zur Kenntnis genommen wurden und anschließend gleich im Papierkorb landeten. Im April 1921 stürzte sich seine Frau, die berühmte Pazifistin und Suffragette Jessie Hardy Stubbs, von einer Brücke in New York in den East River und ertrank.

Soweit die Vorgeschichte. Gerade einmal zehn Wochen nach dem tragischen Ereignis eröffnete MacKaye seinem Freund Whitaker die Idee für einen Wanderweg durch die Appalachen, und im Oktober wurde der Vorschlag in einem dafür eigentlich ungeeigneten Forum, der Zeitschrift von Whitaker, dem *Journal of the American Institute of Architects*, veröffentlicht. Der Appalachian Trail war nur ein Aspekt von MacKayes weitreichender Vision. Er sah den AT als eine Art roten Faden, um »Arbeitslager« auf den Berggipfeln miteinander zu verbinden. In diese sogenannten Workcamps sollten die blassen, erschöpften Arbeiter aus den

Städten zu Tausenden strömen und sich im Geiste der Selbstlosigkeit in gesundheitsfördernder Schufterei ergehen und sich an der freien Natur ergötzen. Herbergen, Rasthäuser und Studienzentren sollten errichtet werden, schließlich sogar ganze Walddörfer, die dauerhaft bewohnt sein sollten, Kooperativen »in Selbstverwaltung«, deren Bewohner sich mit »nichtindustrieller Tätigkeit«, basierend auf Handwerk, Forst- und Landwirtschaft, ihren Lebensunterhalt verdienen sollten. Das Ganze sollte nach MacKayes überschwenglicher Beschreibung ein »Rückzug vom Profitdenken« sein – eine Vorstellung, in der andere »die Geißel des Bolschewismus« erkannten, um mit den Worten eines Biographen zu sprechen.

Zu dem Zeitpunkt, als MacKaye seine Idee entwickelte, existierten bereits mehrere Wandervereine im Osten der Vereinigten Staaten – der Green Mountain Club, der Dartmouth Outing Club und der altehrwürdige Appalachian Mountain Club, um nur einige zu nennen. Diese eher elitären Organisationen besaßen und unterhielten Hunderte Kilometer Forst- und Wanderwege, hauptsächlich in New England. 1925 kamen Vertreter der führenden Vereine in Washington zusammen und gründeten die Appalachian Trail Conference, zu dem Zweck, einen fast 2.000 Kilometer langen Pfad anzulegen, der die beiden höchsten Gipfel im Osten, den 2037 Meter hohen Mount Mitchell in North Carolina und den 120 Meter niedrigeren Mount Washington in New Hampshire , miteinander verbinden sollte. Tatsächlich geschah in den nächsten fünf Jahren erst einmal gar nichts, hauptsächlich deswegen, weil MacKaye damit beschäftigt war, seine Pläne weiter auszuarbeiten und zu verfeinern, bis er selbst und seine Vision den Kontakt zur Realität verloren hatten.

Erst als 1930 der junge Seerechtler und begeisterte Wanderer Myron Avery aus Washington die Weiterentwicklung des Projekts in die Hand nahm, konnte die Arbeit richtig beginnen und machte plötzlich rasche Fortschritte. Avery muß offenbar kein sonderlich liebenswerter Mensch gewesen sein. Er hinterließ zwischen Maine und Georgia zwei Spuren, wie sich ein Zeitgenosse ausdrückte. »Die eine war eine Spur der Verwüstung, verletzter Gefühle und gekränkter Eitelkeiten. Die andere war der Appalachian Trail.« Avery besaß keine Geduld im Umgang mit MacKaye und seinen »quasi mystischen Sprüchen«; jedenfalls kamen die beiden nicht miteinander klar. 1935 hatten sie einen erbitterten Streit über die Erschließung des Shenandoah National Parks – Avery war bereit, den Bau einer landschaftlich schönen Schnellstraße durch die Berge zuzulassen, MacKaye empfand das als Verrat grundlegender Prinzipien –, danach wechselten die beiden kein Wort mehr miteinander.

Es ist MacKaye, dem das Verdienst angerechnet wird, den Trail initiiert zu haben, aber eigentlich liegt das nur daran, daß er das biblische Alter von 96 Jahren erreichte und schlohweißes Haar auf seinem Kopf hatte. Außerdem konnte man sich immer auf ihn verlassen, wenn aus Anlaß irgendwelcher Feierlichkeiten ein paar Worte gesagt werden mußten. Avery dagegen starb 1952, ein Vierteljahrhundert vor MacKaye, als der Weg noch kaum bekannt war. Aber eigentlich war er Averys Werk. Er hatte Karten erstellt, er hatte die Vereine bedrängt, Gruppen freiwilliger Helfer zur Verfügung zu stellen, und er hatte persönlich den Bau von Hunderten Kilometern der Wanderstrecke überwacht. Er sorgte für eine Verlängerung der ursprünglich geplanten Strecke von 2.000 auf weit über 3.000 Kilometer und war vor Beendigung des Baus jeden Kilometer selbst abgewandert. In nicht einmal sieben Jahren gelang es ihm, mit Hilfe ehrenamtlicher Arbeit einen 3.000 Kilometer langen Wanderweg durch die bergige Wildnis anzulegen. Ganze Armeen haben weniger zustande gebracht.

Mit der Rodung eines vier Kilometer langen Waldstreifens in einem entlegenen Teil von Maine am 14. August 1937 wurde der Appalachian Trail fertiggestellt. Erstaunlicherweise erregte der Bau des längsten Fußweges der Welt keine große Aufmerksamkeit. Avery war kein Mensch, der die Öffentlichkeit liebte, und MacKaye hatte sich zu dem Zeitpunkt bereits zurückgezogen. Keine Zeitung meldete das Ende der Bauarbeiten, und es gab keine offizielle Einweihungsfeier aus diesem Anlaß.

Der Weg besitzt keine historischen Wurzeln, er folgt keinem Indianerpfad oder einer Postroute aus der Kolonialzeit. Er bietet auch nicht die schönsten Ausblicke, die höchsten Gipfel oder die auffälligsten landschaftlichen Wahrzeichen. Schließlich bringt er den Wanderer nicht einmal in die Nähe von Mount Mitchell, schließt dafür aber Mount Washington mit ein und führt sogar noch 560 Kilometer weiter bis zum Mount Katahdin in Maine. (Es war vor allem Avery, der darauf bestand. Er war in Maine aufgewachsen und hatte dort seine prägenden »Wanderjahre« verbracht.) Im wesentlichen verläuft der Trail dort, wo sich am leichtesten Zugang schaffen ließ, hauptsächlich in den Höhenlagen, über einsame Pässe und durch verlassene Schluchten, die kein Mensch je vorher benutzt oder sich für sie begeistert hatte, die häufig nicht mal einen Namen besaßen. Er verfehlt das geographische südliche Ende der Bergkette der Appalachen um 240, das nördliche um fast 1.125 Kilometer. Die Workcamps und Blockhütten, die Schulen und Studienzentren wurden nie gebaut.

Dennoch ist sehr viel von dem ursprünglichen Reiz, der von MacKayes Vision ausging, erhalten geblieben. Die gesamte Wegstrecke von 3.380 Kilometer, einschließlich der Seitenpfade, Fußgängerbrücken, Hinweisschilder, Markierungen und Schutzhütten, werden von ehrenamtlichen Helfern gewartet – es heißt sogar, der AT sei die größte ehrenamtliche Einrichtung der Welt. Und bislang hat er sich glücklicherweise jeder Kommerzialisierung widersetzt. Die Appalachian Trail Conference stellte erst 1968 ihren ersten bezahlten Mitarbeiter ein, aber sie hat sich ihren freundlichen, umgänglichen, engagierten Charakter bewahrt. Der AT ist nicht mehr der längste Wanderweg. Der Pacific Crest und der Continental Divide, die beide im Westen der Vereinigten Staaten liegen, sind etwas länger, aber der AT wird immer der erste und schönste dieser Art bleiben. Er hat viele Freunde gefunden, und er hat sie verdient.

Seit dem Tag der Fertigstellung mußte die Wegstrecke immer wieder hier und da umgeleitet werden. Als erstes wurde ein Abschnitt von 189 Kilometern in Virginia verlegt, um dem Bau des

Skyline Drive durch den Shenandoah National Park zu ermöglichen. 1985 machte die intensive bauliche Erschließung des Gebietes um den Mount Oglethorpe in Georgia es erforderlich, 32 Kilometer des südlichen Wegabschnittes zu kappen und den Ausgangspunkt an den Springer Mountain, mitten in die geschützte Wildnis des Chattahochee National Forest zu verlegen. Zehn Jahre später wies der Maine Appalachian Trail Club einen Abschnitt von 423 Kilometer neu aus – die Hälfte der gesamten Wegstrecke durch diesen Bundesstaat – und führte den Pfad abseits von Forststraßen, wieder durch freies Gelände. Noch heute ändert sich die Wegführung Jahr für Jahr.

Die vielleicht größte Schwierigkeit für den Wanderer besteht darin, überhaupt auf den Appalachian Trail zu kommen, besonders die Endpunkte sind schwer zu erreichen. Springer Mountain, der Einstieg im Süden, ist elf Kilometer vom nächsten Highway entfernt und befindet sich im Amicalola Falls State Park, der wiederum am Ende der Welt liegt. In Atlanta, dem nächsten Anschluß an die Außenwelt, können Sie sich entscheiden zwischen täglich einem Zug oder zwei Bussen nach Gainesville, von wo aus es immer noch 64 Kilometer bis zu dem Ort sind, der die besagten elf Kilometer vom eigentlichen Trail entfernt liegt. Und an den Katahdin Mountain in Maine zu gelangen ist sogar noch umständlicher.

Zum Glück gibt es Leute, die einen gegen Bezahlung in Atlanta abholen und nach Amicalola bringen. So geschah es, daß Katz und ich uns in die Obhut eines großen, freundlichen Herrn mit Baseballmütze und dem Namen Wes Wisson begaben, der sich bereit erklärt hatte, uns für 60 Dollar vom Flughafen in Atlanta zur Amicalola Falls Lodge, unserem Ausgangspunkt am Springer Mountain, zu bringen.

Jedes Jahr machen sich zwischen Anfang März und Ende April 2.000 Wanderer am Springer Mountain auf den Weg, die meisten in der festen Absicht, die gesamte Strecke bis zum Katahdin Mountain zu laufen. Nicht einmal zehn Prozent schaffen es. 50 Prozent kommen nicht über Virginia hinaus, das entspricht knapp einem Drittel des Weges. 25 Prozent kommen bis North Carolina, in den Nachbarstaat. Bis zu 20 Prozent geben innerhalb der ersten sieben Tage auf. Wisson kennt sich mit alldem aus.

»Letztes Jahr habe ich einen Mann am Startpunkt des Trail rausgelassen«, erzählte er uns, während wir durch die dichten Kiefernwälder Richtung Norden kutschierten, auf die zerklüftete Hügellandschaft von Georgia zu. »Drei Tage später ruft er mich von einer öffentlichen Telefonzelle in Woody Gap aus an, dem ersten öffentlichen Telefon auf der Strecke. Meint, er will nach Hause, der Weg sei nicht das, was er erwartet hätte. Ich bringe ihn also zurück zum Flughafen, und zwei Tage danach steht er wieder in Atlanta. Meint, seine Frau hätte ihn zurückgeschickt, weil er so viel Geld für die Ausrüstung bezahlt hätte, und so leicht würde er ihr nicht davonkommen. Ich setze ihn also am Einstieg zum Weg ab. Drei Tage später wieder ein Anruf aus Woody Gap. Er will zum Flughafen gebracht werden. Ich frage ihn: ›Und was ist mit Ihrer Frau?‹ Und er: ›Diesmal fahre ich nicht nach Hause.‹«

»Wie weit ist es bis Woody Gap?« frage ich.

»33 Kilometer vom Springer Mountain. Nicht gerade sehr weit, oder? Immerhin ist er den ganzen Weg von Ohio hierhergekommen.«

»Warum hat er dann so schnell aufgegeben?«

»Er sagte, es sei nicht das, was er erwartet hätte. Das sagen alle. Gerade letzte Woche wieder. Ich hatte drei Frauen aus Kalifornien im Wagen – mittelalt, wirklich nette Mädchen, ein bißchen viel gekichert haben sie, aber ansonsten, wirklich nett – und als ich sie absetzte, waren sie in richtiger Wanderlaune. Vier Stunden später riefen sie an und sagten, sie wollten nach Hause. Sie müssen sich vorstellen, die waren von Kalifornien hergekommen, hatten ein Heidengeld für das Flugticket und die Ausrüstung bezahlt – die hatten das beste Zeug, was ich je gesehen habe, alles neu, mit allen Schikanen – und waren gerade mal ein, zwei Kilometer gelaufen, und schon geben sie auf. Sie sagten, es wäre nicht das, was sie erwartet hätten.«

»Was haben sie denn erwartet?«

»Was weiß ich? Vielleicht Rolltreppen. Aber außer Bergen und Felsen und Wald und dem Weg gibt's da nichts. Das weiß doch selbst der Dümmste. Aber Sie wären erstaunt, wieviel Leute aufgeben. Andererseits – neulich hatte ich hier einen Jungen, es ist vielleicht sechs Wochen her, der hätte besser aufgegeben. Er hatte gerade den Trail absolviert, war den ganzen Weg von Maine bis hierher allein gelaufen. Er hatte acht Monate dazu gebraucht, länger als die meisten, und ich glaube, in den letzten Wochen war er keiner Menschenseele mehr begegnet. Am Ende war er ein einziges Wrack, zitterte am ganzen Leib. Ich hatte seine Frau dabei. Sie war mitgekommen, um ihn abzuholen, und er sank bloß in ihre Arme und fing an zu heulen. Er bekam kein Wort heraus. Und so ging's die ganze Fahrt zum Flughafen. Ich habe noch nie jemanden gesehen, der so erleichtert war, es hinter sich gebracht zu haben. Es hat Sie niemand gezwungen, den Appalachian Trail zu gehen, Sir, habe ich mir nur gedacht. Aber ich habe natürlich meinen Mund gehalten.«

»Können Sie, wenn Sie die Leute absetzen, erkennen, ob sie es schaffen werden oder nicht?«

»Im allgemeinen, ja.«

»Glauben Sie, daß wir es schaffen werden?« sagte Katz.

Er musterte uns nacheinander. »Ach, Sie werden es schon schaffen«, antwortete er, aber in seinem Gesicht stand etwas anderes zu lesen.

Die Amicalola Falls Lodge, die man über eine lange Serpentinenstraße durch den Wald erreicht, liegt in luftiger Höhe an einem Berghang. Der Mann am Flughafenschalter in Manchester hatte auf jeden Fall den richtigen Wetterbericht gehört. Es herrschte eine grimmige Kälte, als wir aus dem Auto stiegen. Aus allen Richtungen fegte ein heimtückischer, eisiger Wind und schob einem Ärmel und Hosenbeine hoch.

»Meine Fresse!« rief Katz höchst erstaunt, als hätte soeben jemand einen Eimer mit Eiswürfeln über ihn ausgeschüttet, und rannte in die Hütte. Ich zahlte und folgte ihm.

Die Hütte war modern eingerichtet und gut geheizt. Sie hatte einen offenen Empfangsraum, der von einem gemauerten Kamin beherrscht wurde, und nichtssagende, bequeme Zimmer, wie man sie in jedem Holiday Inn vorfindet. Wir sagten uns gute Nacht und verabredeten uns für morgen früh, sieben Uhr. Ich zog mir eine Cola aus dem Automaten im Flur, stellte mich unter die heiße Dusche, machte verschwenderischen Gebrauch von den Handtüchern, und bettete mich zwischen gestärkte Laken – wie lange würde ich auf diesen Luxus wohl verzichten müssen –, sah mir von glücklichen, unbekümmerten Moderatoren vorgebrachte, entmutigende Berichte auf dem Wetterkanal an und schlief kaum.

Ich war vor Tagesanbruch auf und setzte mich ans Fenster, als die blasse Dämmerung widerwillig die Landschaft freigab – ein kahles, scheinbar grenzenloses Gelände aus mächtigen, geschwungenen Hügeln, mit Reihen nackter Bäume, alles von einer hauchdünnen Schicht Pulverschnee bedeckt. Es sah nicht gerade abschreckend aus – wir befanden uns hier nicht im Himalajagebirge –, aber auch nicht so einladend, daß man unbedingt rausgehen wollte.

Als ich zum Frühstück runterging, kam die Sonne heraus und erfüllte die Welt hoffnungsfroh mit ihrem Licht, und ich trat nach draußen, um die Luft zu schnuppern. Die Kälte war fürchterlich, wie ein Schlag ins Gesicht, und es wehte noch immer ein scharfer Wind. Kleine trockene Flocken wirbelten wie Styroporkügelchen durch die Luft. Ein großes Thermometer am Hütteneingang zeigte –12 Grad Celsius an.

»Die schlimmste Kälte, die wir je um diese Zeit in Georgia hatten«, sagte eine Hotelangestellte mit einem breiten, zufriedenen Lächeln zu mir, als sie eilig vom Parkplatz heraufkam. Dann blieb sie stehen und fragte: »Wollen Sie wandern?«

»Ja.«

»Ich möchte nicht mit Ihnen tauschen. Trotzdem viel Glück. Brrrrr!« sagte sie und schlüpfte hinein.

Zu meiner Überraschung verspürte ich plötzlich einen heftigen Bewegungsdrang. Ich wollte endlich loswandern. Immerhin hatte ich seit Monaten auf diesen Tag gewartet, wenn auch meist mit gemischten Gefühlen. Ich wollte sehen, wie es da draußen zuging. Abertausende Menschen in ganz Amerika würden sich heute zur Arbeit quälen, im Stau stecken und Abgase einatmen. Ich dagegen durfte im Wald spazierengehen. Ich wollte los, endlich los.

Ich suchte Katz und fand ihn im Speiseraum, er wirkte sogar recht munter. Das kam, weil er eine Bekanntschaft geschlossen hatte – eine Kellnerin mit dem hübschen Namen Rayette, die sich auf höchst kokette Weise um seine Bedürfnisse kümmerte. Rayette war über einen Meter achtzig groß und hatte ein Gesicht, vor dem sich jedes Kind gegruselt hätte, aber sie war gutmütig und schenkte großzügig Kaffee aus. Sie hätte Katz ihre Bereitschaft zur Hingabe nicht deutlicher zeigen können, wenn sie die Röcke gerafft und sich auf seine »Frühstücksplatte für den Wolfshunger« gelegt hätte. Katz hatte einen regelrechten Hormonschub.

»Oh, ich mag Männer, die gerne saftige Pfannkuchen essen«, flötete sie.

»Und der hier ist besonders saftig, meine Liebe«, erwiderte Katz mit vor Sirup und frühmorgendlicher Glückseligkeit glänzendem Gesicht. Nicht gerade Hepburn und Tracy, die beiden, aber es war trotzdem irgendwie rührend.

Rayette ging und kümmerte sich um einen anderen Gast, und Katz schaute ihr mit geradezu väterlichem Stolz hinterher. »Sie ist ziemlich häßlich, findest du nicht?« sagte er mit einem frohen, widersinnigen Strahlen.

Ich bemühte mich um Takt. »Verglichen mit anderen Frauen schon.«

Katz nickte nachdenklich und richtete dann einen plötzlich ehrfürchtigen Blick auf mich. »Weißt du, worauf es mir in letzter Zeit bei einer Frau immer mehr ankommt? Daß das Herz am rechten Fleck ist und daß sie noch alle Gliedmaßen hat.«

»Kann ich nachvollziehen.«

»Und das ist bei mir schon die oberste Kategorie. Bei den

Gliedmaßen bin ich zu Kompromissen bereit. Glaubst du, daß sie zu haben ist?«

»Ich vermute, da sind noch andere vor dir dran.«

Er nickte ernüchtert. »Es ist besser, wir essen auf und machen, daß wir rauskommen.«

Das hörte ich gern. Ich trank meinen Kaffee aus, und wir gingen unsere Sachen holen. Als wir uns zehn Minuten später in voller Montur und abmarschbereit wiedertrafen, sah Katz elend aus. »Sollen wir nicht doch noch einen Tag hierbleiben?« sagte er.

»Was? Machst du Witze?« Ich war sprachlos. »Warum?«

»Weil es warm ist da drinnen, und hier draußen ist es kalt.«

»Wir müssen los.«

Er sah hinüber zum Wald. »Wir werden uns zu Tode frieren.«

Ich sah ebenfalls hinüber. »Ja, wahrscheinlich. Wir müssen trotzdem los.«

Ich setzte meinen Rucksack auf und taumelte unter dem Gewicht nach hinten – es dauerte Tage, bis ich dieses Manöver auch nur annähernd aufrecht stehend schaffte –, zog den Hüftgurt stramm und trottete los. Am Waldrand sah ich mich um, ob Katz auch hinter mir herkam. Vor mir erstreckte sich eine öde Welt aus winterkahlen Bäumen. Ich betrat mit gebührender Würde den Pfad, ein Abschnitt des ursprünglichen Appalachian Trail aus der Zeit, als hier die Route zwischen Mount Oglethorpe und Springer Mountain vorbeiführte.

Wir schrieben den 9. März 1996. Wir waren unterwegs.

Es ging zunächst hinunter in ein bewaldetes Tal mit einem plätschernden, von brüchigem Eis gesäumten Bachlauf, dem der Weg auf einer Strecke von etwa 700 Metern folgte, bevor er uns bergauf in dichtes Waldgebiet brachte. Es war, das wurde schnell deutlich, der Fuß unseres ersten großen Berges, Frosty Mountain, und er stellte uns umgehend auf eine harte Probe. Die Sonne schien, der Himmel war stahlblau, aber alles in Bodennähe war braun – braune Bäume, braune Erde, steifgefrorene, braune Blätter – und die Kälte war unnachgiebig. Ich trottete ungefähr 30 Meter weiter bergauf, dann blieb ich stehen, meine Augen quol-

len hervor, meine Atmung ging schwer, mein Herz raste besorg-
niserregend. Katz war bereits weit zurückgefallen und keuchte
schlimm. Ich drängte vorwärts.

Es war eine Tortur. Das sind die ersten Tage einer Wanderung
immer. Ich war einfach nicht in Form, es war hoffnungslos. Der
Rucksack war zu schwer, viel zu schwer. Ich hatte mich noch nie
einer solchen Anstrengung ausgesetzt, auf die ich zudem schlecht
vorbereitet war. Jeder Schritt war eine Qual.

Das Schwierigste war, mit der immer wieder aufs neue entmu-
tigenden Erkenntnis fertig zu werden, daß der Berg sozusagen
nicht aufhört. Beim Aufstieg sieht man im Gegensatz zum Abstieg, wenn man den Berg im Rücken hat, nie genau, was noch vor
einem liegt. Zwischen den Vorhängen aus Bäumen zu beiden Seiten, den ständig zurückweichenden Umrissen des steilen Hangs
vor einem und dem eigenen müden Stapfen verliert sich allmählich das Gefühl dafür, wie weit man schon gelaufen ist. Jedesmal,
wenn man sich zum vermeintlichen Bergkamm geschleppt hat,
stellt man fest, daß der Berg dahinter nicht etwa aufhört, sondern
noch weiter ansteigt, in einem Winkel, der einem vorher verborgen geblieben war, und daß hinter diesem Hang der nächste Hang
liegt, und dahinter noch einer und noch einer, und dahinter immer noch welche, bis es einem absolut unmöglich erscheint, daß
der Berg sich so endlos lang hinziehen kann. Schließlich erreicht
man ein Niveau, von dem aus man die Wipfel der am höchsten
gelegenen Bäume erkennen kann, dahinter strahlend blauen
Himmel, und das schwankende Gemüt des Wanderers richtet
sich auf – endlich da! –, doch dann, welch gnadenlose Enttäuschung. Der Gipfel entzieht sich kontinuierlich immer um genau
die Distanz, die man gerade zurückgelegt hat, so daß man jedesmal, wenn sich das Dach aus Bäumen vor einem weit genug öff-
net, um einen Blick freizugeben, mit Bestürzung erkennt, daß die
am höchsten gelegenen Bäume so fern, so unerreichbar sind wie
zuvor. Trotzdem stapft man weiter. Was bleibt einem anderes
übrig?

Wenn man dann, nach unendlich langer Zeit, in die wirklich

höheren Gefilde kommt, wo die kühle Luft nach Harz duftet, die Vegetation knorrig und zäh und windgebeutelt ist, und man bis zur kahlen Bergspitze vorgedrungen ist, kann einem nichts mehr etwas anhaben. Man legt sich flach auf den Bauch, streckt alle viere von sich, wird von dem Gewicht des Rucksacks auf das abschüssige, gneisige Gestein gepreßt, verharrt einige Minuten in dieser Position und sinniert auf sonderbar distanzierte, außerkörperliche Weise darüber, daß man Flechten noch nie aus solcher Nähe betrachtet hat, überhaupt noch nie etwas Natürliches so nahe gesehen hat, seit man vier Jahre alt war und seine erste Lupe geschenkt bekommen hatte. Schließlich rollt man mit einem matten Schnaufer auf die Seite, schnallt den Rucksack ab, rappelt sich hoch und erkennt – auch dies wie benommen, als wäre man nicht ganz anwesend –, daß die Aussicht spektakulär ist: bewaldete Berge, so weit das Auge reicht, unberührt von Menschenhand, in alle Richtungen. Es könnte himmlisch sein. Es ist herrlich, keine Frage, aber es kommt einem der Gedanke, vor dem es kein Entrinnen gibt, daß man sich nämlich diesen Ausblick zu Fuß erobern mußte und daß das nur ein Bruchteil dessen ist, was man noch durchwandern muß, um bis ans Ziel zu gelangen.

Man vergleicht die Karte mit der umliegenden Landschaft und stellt fest, daß der Pfad steil in ein Tal hinabgeht – eigentlich eine Schlucht, den Schluchten nicht unähnlich, in die der Kojote in den Roadrunner-Zeichentrickfilmen immer abtaucht, Schluchten, deren Tiefpunkte sich im Nichts verlieren – und einen an den Fuß eines Berges bringt, der noch steiler und gewaltiger ist als der, auf dem man steht, und daß man seit dem Frühstück 2,73 Kilometer zurückgelegt haben wird, wenn dieser unsäglich beschwerliche Gipfel erklommen ist, während der Plan, den man sich zu Hause am Küchentisch so schön zurechtgelegt und nach höchstens drei Sekunden des Nachdenkens aufgeschrieben hatte, bis zum Mittagessen 14,32 Kilometer, bis zum Abendessen glatte 27 Kilometer und für morgen noch größere Entfernungen vorsieht.

Aber vielleicht regnet es ja auch, einen kalten, peitschenden, erbarmungslosen Regen, mit Blitz und Donner, der sich bereits auf den benachbarten Bergen austobt. Vielleicht kommt ein Zug Pfadfinder in einem niederschmetternden Tempo vorbei. Vielleicht friert man und hat Hunger und stinkt so erbärmlich, daß man sich selbst nicht mehr riechen kann. Vielleicht will man sich einfach nur hinlegen und es den Flechten gleichtun, nicht unbedingt tot sein, aber ruhen, lange ausruhen, ganz lange ausruhen.

Aber das lag alles noch vor mir. Heute brauchte ich auf einer gut markierten Strecke von 11,2 Kilometern nur vier mittelmäßig hohe Berge bei klarem, trockenen Wetter zu überqueren. Das war doch wohl nicht zuviel verlangt. Im Gegenteil. Es war zu viel verlangt. Es war die Hölle.

Ich weiß nicht mehr genau, wann ich Katz aus den Augen verlor, aber es war schon nach wenigen Stunden. Zuerst hatte ich immer noch gewartet, bis er aufgeholt hatte. Er fluchte bei jedem Auftreten, blieb nach drei, vier schlurfenden Schritten stehen, wischte sich die Stirn und sah verdrießlich auf die nächsten paar Meter, die unmittelbar vor ihm lagen. Es war schwer auszuhalten, in jeder Beziehung. Schließlich wartete ich nur noch ab, bis er ins Blickfeld rückte, um sicherzugehen, daß er auch nachkam, nicht irgendwo zitternd am Wegesrand lag oder seinen Rucksack angewidert weggeworfen und sich auf die Suche nach Wes Wisson gemacht hatte. Ich wartete und wartete, bis endlich seine Gestalt zwischen den Bäumen auftauchte. Er japste, bewegte sich mit unendlicher Langsamkeit fort und schimpfte laut mit sich selbst. Auf halbem Weg zu unserem dritten Berg, dem 1.036 Meter hohen Black Mountain, blieb ich nochmals stehen, wartete wieder sehr lange und überlegte, ob ich zurückgehen sollte, aber dann ließ ich es bleiben und kämpfte mich weiter vorwärts.

11,2 Kilometer hört sich wenig an, aber das ist es keineswegs, glauben Sie mir. Die Entfernung mit Rucksack zu gehen ist selbst für trainierte Menschen nicht ganz einfach. Kennen Sie das: Sie sind im Zoo oder in irgendeinem Vergnügungspark, mit einem kleinen Kind, das keinen Fuß mehr vor den anderen setzen will?

Man nimmt es mit Schwung auf die Schultern und eine Zeitlang, ein paar Minuten vielleicht, macht es sogar Spaß, den kleinen Kerl da oben sitzen zu haben, zu spielen, man würde ihn fallenlassen, oder einen niedrigen Durchgang mit ihm anzusteuern, wo er sich unweigerlich den Kopf stoßen würde, um im allerletzten Moment auszuweichen. Doch dann wird es allmählich ungemütlich. Man spürt ein Stechen im Nacken, eine Verspannung zwischen den Schulterblättern, und der zuerst noch leichte Schmerz sickert tiefer, breitet sich aus, bis es richtig unangenehm wird, und Sie verkünden dem kleinen Jimmy, daß Sie ihn mal absetzen müssen.

Jimmy ist bockig und will keinen Schritt weitergehen, und Ihre Frau sieht Sie mit einem geringschätzigen Blick an. »Hätte ich doch bloß einen Footballspieler geheiratet«, scheint sie zu sagen, denn Sie sind keine 400 Meter weit gegangen. »Kannst du das nicht verstehen? Es tut weh. Sehr sogar.« – »Ja ja, ist gut. Ich verstehe schon.«

Und nun stellen Sie sich zwei kleine Jimmies in einem Sack auf Ihrem Rücken vor, oder noch besser, etwas Träges und Schweres, etwas, das nicht hochgehoben werden will, das einem, sobald man es berührt, unmißverständlich zu verstehen gibt, daß es lieber auf dem Boden hocken bleiben will, sagen wir, ein Zementsack oder eine Kiste mit medizinischer Fachliteratur, jedenfalls eine 20 Kilo schwere Last. Stellen Sie sich vor, wie der Sack an Ihnen zerrt, ähnlich der Zugkraft eines abwärts fahrenden Aufzugs. Stellen Sie sich vor, Sie gingen mit diesem Gewicht auf dem Rücken stundenlang, tagelang zu Fuß, und Sie gingen nicht auf einer asphaltierten Straße mit Bänken und Imbißbuden, die in rücksichtsvoll angemessenen Abständen aufgestellt sind, sondern auf einem rauhen Weg, gespickt mit scharfkantigen Steinen und starren Wurzeln und schwindelerregenden Anstiegen, die allesamt Ihren zarten, zittrigen Schenkeln ungeheure Strapazen abverlangen. Beugen Sie nun den Kopf nach hinten, bis sich Ihr Nacken verspannt, und visieren Sie einen Punkt in drei Kilometern Entfernung an. Das ist Ihr erster Aufstieg. Bis zum Gipfel sind es steile 1.427 Meter, und von dem Kaliber kommen noch einige Gipfel. Jetzt erzählen Sie mir nicht, 11,2 Kilometer seien nicht viel. Und noch etwas. Sie müssen ja nicht. Ich meine, wir sind hier nicht bei der Armee. Sie können sofort umkehren. Nach Hause gehen. Zu Ihrer Familie. Im eigenen Bett schlafen.

Oder aber – Sie können es sich aussuchen, Sie bedauernswerter, armer kleiner Kerl – Sie laufen 3.500 Kilometer durch die Wildnis und über Berge bis nach Maine. Und so trottete ich weiter, Stunde um Stunde, unter viel Weh und Ach, imposante Berge rauf und runter, an endlosen Reihen hoch aufragender Bäume vorbei, die unbeweglich, wie Gäste auf einer Cocktailparty, dastanden, und die ganze Zeit dachte ich: Langsam müßte ich die elf Kilometer geschafft haben. Aber nie hörte der Wanderpfad auf.

Um halb vier erklomm ich einige in Stein gehauene Stufen und befand mich auf einem breiten Aussichtsfelsen: der Gipfel des Springer Mountain. Ich warf meinen Rucksack ab und plumpste gegen einen Baum, überrascht von dem Ausmaß meiner Erschöpfung. Die Aussicht war bezaubernd – die geschwungenen Hügel der Cohutta Mountains, von einem bläulichen Dunstschleier umfangen, wie Zigarettenrauch, der sich am fernen Horizont verliert. Die Sonne stand bereits niedrig am Himmel. Ich ruhte mich ein paar Minuten aus, stand dann auf und sah mich um. An einem Stein war eine Bronzeplatte befestigt, die den Ausgangspunkt des Appalachian Trail anzeigte, und unweit davon war auf einem Pfahl ein Holzkasten montiert, in dem ein an einem Bindfaden befestigter Kugelschreiber lag, dazu ein Notizblock, dessen Seiten sich von der Feuchtigkeit wellten. Der Notizblock war das Gipfelbuch, das Trail Register – eigentlich hatte ich ein ledergebundenes, irgendwie prächtiges Buch erwartet –, und es war vollgekritzelt mit hoffnungsfrohen Einträgen, fast alle in jugendlicher Handschrift. Seit dem ersten Januar gab es etwa 25 Einträge, allein acht am heutigen Tag. Die meisten waren in Eile hingeworfen und klangen munter – »2. März. Da sind wir! Ganz schön kalt hier! Man sieht sich auf dem Katahdin. Jamie und Spud.« Ungefähr ein Drittel war länger und besinnlicher, versehen mit Botschaften wie dieser: »Da bin ich endlich auf dem Springer. Ich weiß nicht, was mir die kommenden Wochen noch bescheren werden, aber mein Glaube an Gott ist stark, und ich weiß die Liebe und Hilfe meiner Familie hinter mir. Mom und Pookie, diese Wanderung mach ich für euch«, und so weiter.

Ich wartete eine Dreiviertelstunde lang auf Katz, dann machte ich mich auf die Suche nach ihm. Das Licht schwand bereits, und in die Luft mischte sich abendliche Kühle. Ich lief und lief den Hang hinunter, durch die endlosen Waldungen, betrat wieder Boden, den ich für immer hinter mich gebracht zu haben glaubte. Ich rief mehrmals seinen Namen und lauschte, nichts. Ich ging weiter, über gestürzte Bäume, über die ich bereits Stunden zuvor geklettert war, Abhänge hinunter, an die ich mich kaum mehr erinnerte. Den Weg hätte meine Oma auch noch geschafft, dachte ich immer bei mir. Schließlich kam ich an eine Biegung, und da war er, torkelte mir entgegen, mit zerzaustem Haar, nur einem Handschuh, und kurz vor einem hysterischen Anfall, wie ich ihn noch nie bei einem erwachsenen Menschen erlebt hatte.

Es war nicht einfach, ihm die Geschichte als zusammenhängendes Ganzes zu entlocken, weil er so zornig war, aber aus dem, was er erzählte, konnte ich entnehmen, daß er in einem Anfall viele Sachen aus seinem Rucksack einen Abhang hinuntergeworfen hatte. Alles, was außen am Sack gebaumelt hatte, war weg.

»Was hast du denn über Bord geworfen?« fragte ich ihn, ohne meine Besorgnis allzu deutlich durchklingen zu lassen.

»Das schwere Zeug. Was sonst. Die Salami, den Reis, den braunen Zucker, das Büchsenfleisch, was weiß ich nicht alles. Eine ganze Menge. Scheißkram.« Katz versteifte sich richtig vor lauter Mißmut. Er führte sich auf, als hätte der Appalachian Trail ihn schmählich verraten. Ich vermute, er entsprach nicht dem, was er erwartet hatte.

Ich entdeckte seinen zweiten Handschuh etwa 30 Meter hinter ihm auf dem Boden und ging hin, um ihn aufzuheben.

»Na dann los«, sagte ich, »es ist sowieso nicht mehr weit.«

»Wie weit?«

»Ungefähr anderthalb Kilometer.«

»Scheiße«, sagte er verbittert.

»Gib mir deinen Rucksack.« Ich schnallte ihn mir auf den Rücken. Er war nicht gerade leer, aber er war entschieden leichter als vorher. Weiß der Himmel, was er alles rausgeworfen hatte.

Wir stapften in der sich ausbreitenden Dämmerung den Berg hinauf bis zum Gipfel. Ein paar hundert Meter unterhalb des Gipfels befanden sich auf einer großen freien Rasenfläche, vor einem finstern Wald ein Zeltplatz und eine Schutzhütte aus Holz. Es waren viele Leute da, mehr als ich zu Saisonbeginn erwartet hatte. Die Schutzhütte, eher ein Unterstand aus drei Seitenwänden und einem Schrägdach, war schon überfüllt, und auf dem Platz standen verstreut etwa zwölf Zelte. Überall hörte man das Zischen der kleinen Campingkocher, Rauchfäden stiegen auf, es roch nach Essen, und dazwischen bewegten sich junge, gelenkige Menschen.

Ich suchte uns eine Stelle am Rand der Lichtung, etwas abseits, fast unter den Bäumen.

»Ich weiß nicht, wie man ein Zelt aufschlägt«, sagte Katz in gereiztem Tonfall.

»Dann schlage ich es für dich auf.« Du weiches, schwabbliges Riesenbaby. Plötzlich war ich nur noch müde.

Katz saß auf einem Baumstamm und sah zu, wie ich sein Zelt aufstellte. Als ich fertig war, schob er seine Iso-Matte und den Schlafsack hinein und kroch dann selbst hinterher. Ich machte mich an mein eigenes Zelt und baute mir umständlich mein kleines Nest. Nach getaner Arbeit richtete ich mich auf und stellte fest, daß sich im Nachbarzelt nichts mehr rührte.

»Bist du schon im Bett?« fragte ich entgeistert.

»Mhm«, brummte er bestätigend.

»Und das war's? Ziehst dich einfach so zurück? Ohne Abendessen?«

»Mhm.«

Ich blieb minutenlang stehen, sprachlos, verwirrt, zu müde, um mich beleidigt zu fühlen, sogar zu müde, um meinen eigenen

Hunger zu spüren. Ich krabbelte in mein Zelt, holte eine Wasser-flasche und ein Buch aus dem Rucksack, legte mir zur nächtli-chen Verteidigung und Beleuchtung Messer und Taschenlampe bereit und streckte mich schließlich in meinem Schlafsack aus, dankbarer denn je, in der Waagerechten zu sein. Ich war nach we-nigen Sekunden weggetreten. Ich glaube, ich habe noch nie so gut geschlafen.

Als ich aufwachte, war es taghell. Die Innenseite meines Zeltes war mit einem merkwürdigen, flockigen Reif beschichtet, der, wie mir nach einiger Überlegung klar wurde, der Niederschlag meines nächtlichen Schnarchens sein mußte, kondensiert, gefro-ren und ans Zeltdach geklebt, wie in einem Tage- oder besser Nachtbuch der Atmungserinnerungen. Meine Wasserflasche war ebenfalls gefroren. Das schien mir etwas für echte Machos zu sein, und ich untersuchte sie interessiert, wie ein seltenes Stück Erz. Es war erstaunlich gemütlich in meinem Schlafsack, und ich hatte es wahrlich nicht eilig, die Torheit zu begehen, gleich wie-der Berge hochzukraxeln, deswegen blieb ich liegen, wie unter dem strengsten Befehl, mich nicht zu rühren. Nach einer Weile nahm ich wahr, daß Katz bereits draußen rumorte, leise stöh-nend, wie vor Schmerz, und irgend etwas machte, was sich un-wahrscheinlich geschäftig anhörte.

Nach ein, zwei Minuten kam er an und hockte sich neben mein Zelt, seine Gestalt fiel als dunkler Schatten auf die Zeltwand. Ohne mich zu fragen, ob ich wach sei oder nicht, erkundigte er sich mit leiser Stimme: »Sag mal, habe ich mich gestern abend wie ein Schwein benommen?«

»Das könnte man so sagen.«

Er war einen Moment lang still. »Ich koche Kaffee.« Ich glaube, das war seine Form der Entschuldigung.

»Das ist nett.«

»Ziemlich kalt hier draußen.«

»Hier drin auch.«

»Meine Wasserflasche ist gefroren.«

»Meine auch.«

Ich schlüpfte aus meinem Nylonbauch heraus und kroch mit knackenden Gelenken aus dem Zelt. Es war ein komisches Gefühl und sehr neuartig, mit langen Unterhosen draußen im Freien zu stehen. Katz beugte sich über den Kocher und hatte einen Topf Wasser aufgesetzt.

Anscheinend waren wir die ersten Camper, die wach waren. Es war kalt, aber doch eine Idee wärmer als gestern, und die niedrige Sonne, die zwischen den Bäumen hervorschimmerte, stimmte verhalten optimistisch.

»Wie geht es dir?« sagte er.

Ich beugte probeweise die Knie. »Eigentlich gar nicht so schlecht.«

»Mir auch.«

Er goß Wasser in den Filter. »Ich bin auch ganz lieb heute«, versprach er.

»Gut.« Ich sah ihm über die Schulter. »Gibt es einen Grund«, fragte ich, »warum du den Kaffee durch Klopapier filterst?«

»Ich …, ach …, ich habe die Filtertüten weggeworfen.«

Mir entwich ein mißglücktes Lachen. »Die können doch höchstens ein paar Gramm gewogen haben.«

»Ich weiß, aber man konnte so schön damit werfen. Sie flatterten durch die Luft.« Er goß ein bißchen Wasser nach.

»Mit Klopapier funktioniert es auch ganz gut.«

Wir sahen zu, wie das Wasser durchtröpfelte und waren irgendwie stolz. Unser erstes Selbstgekochtes in der Wildnis. Er reichte mir einen Becher Kaffee. Es schwammen reichlich Pulver und kleine, rosa Papierschnipsel drin herum, dafür war er siedend heiß, das war die Hauptsache.

Er sah mich entschuldigend an. »Den braunen Zucker habe ich auch weggeworfen, wir müssen unsere Haferflocken also ohne Zucker essen.«

Ach so. »Wir müssen unsere Haferflocken sogar ohne Haferflocken essen. Die habe ich nämlich in New Hampshire gelassen.«

»Wirklich?« sagte er und fügte hinzu, als wäre es nur fürs Protokoll: »Dabei esse ich Haferflocken so gerne.«

»Wie wär's mit etwas Käse zum Kaffee?«

Er schüttelte den Kopf. »Weggeworfen.«

»Erdnüsse?«

»Weggeworfen.«

»Büchsenfleisch?«

»Das habe ich erst recht weggeworfen.«

Die Sache nahm allmählich bedrohliche Ausmaße an. »Und die Mortadella?«

»Ach die? Die habe ich in Amicalola gegessen«, sagte er, als wäre das bereits Wochen her, und ergänzte dann in einem Tonfall, als mache er damit ein edelmütiges Zugeständnis: »Mir reichen eine Tasse Kaffee und ein paar Little Debbies.«

Ich verzog leicht das Gesicht. »Die Little Debbies habe ich auch zu Hause gelassen.«

Seine Augen weiteten sich. »Das kann nicht dein Ernst sein.«

Ich nickte reumütig.

»Alle?«

Ich nickte noch mal.

Er stöhnte schwer. Das war ein harter Schlag, eine ernste Herausforderung seines versprochenen Gleichmuts – wenn nicht mehr. Wir beschlossen eine Inventur vorzunehmen. Wir räumten eine kleine Fläche auf dem Zeltboden frei und warfen unsere Verpflegung zusammen. Sie war erschreckend dürftig – Nudeln, eine Packung Reis, Rosinen, Kaffee, Salz, diverse Schokoriegel und Klopapier. Das war alles.

Wir frühstückten ein Snickers, tranken unseren Kaffee aus, bauten unser Lager ab, hievten unsere Rucksäcke auf den Rücken – nicht ohne dabei zur Seite zu stolpern – und machten uns wieder auf den Weg.

»Ich fasse es nicht – da läßt der Kerl die Little Debbies zu Hause!« sagte Katz und war bereits nach wenigen Metern wieder zurückgefallen.

4. Kapitel

Der Wald ist nicht wie andere natürliche Räume. Zunächst einmal ist er kubisch, das heißt, die Bäume umgeben uns, überragen uns, bedrängen uns von allen Seiten. Der Wald versperrt uns die Sicht, er läßt uns orientierungslos, und er verwirrt uns. Er macht uns klein und verlegen und verletzlich, wie ein Kind, das sich in einer Menschenmenge, zwischen lauter fremden Beinen, verirrt hat. In der Wüste, in der Steppe wissen wir, daß wir uns in einem großen, offenen Raum befinden. Im Wald spüren wir diesen Raum nur. Der Wald ist ein riesiges, konturloses Nirgendwo. Und der Wald lebt.

Der Wald ist gespenstisch. Abgesehen davon, daß wilde Tiere in ihm hausen können und bewaffnete, genetisch gesehen unvollkommene Zweibeiner, die Zeke oder Festus heißen, ist ihm etwas Finsteres eigen, etwas Unbeschreibliches, das uns mit jedem Schritt eine Atmosphäre der Bedrohung spüren läßt und uns überdeutlich zu verstehen gibt, daß wir uns nicht in unserem Element befinden und besser die Ohren spitzen. Obwohl wir uns einreden, daß es absurd ist, werden wir das Gefühl nicht los, beobachtet zu werden. Wir sagen uns: Ruhig bleiben, es ist schließlich nur ein Wald, meine Güte, aber in Wirklichkeit sind wir fickriger als ein Bankräuber mit gezogener Pistole. Bei jedem plötzlichen Geräusch – dem krachenden Lärm eines herabfallenden Astes, dem Vorbeihuschen eines aufgescheuchten Rehs – geraten wir ins Rotieren und schicken ein Stoßgebet zum Himmel. Welcher Mechanismus im Körper auch immer für die Adrenalinproduktion verantwortlich ist, in diesem Moment funktioniert er wie geschmiert, noch nie war er so versessen darauf, einen heißen Schub dieses Saftes auszustoßen. Selbst im Schlaf sind wir angespannt wie ein Flitzbogen.

In Amerika hat der Wald die Menschen 300 Jahre lang eingeschüchtert. Der unsägliche Tugendbold und Langweiler Henry David Thoreau fand alle Natur prächtig, solange eine Stadt in der Nähe war, wo er Kuchen und Gerstensaft kaufen konnte, aber als er 1846 bei einem Ausflug auf den Katahdin einmal echte Wildnis erlebte, war es bis ins Mark erschüttert. Das war nicht die zahme Welt der verwunschenen Obstgärten im kleinen Vorort von Concord, Massachusetts, sondern es war das abschreckende, bedrückende, urzeitliche Land, »grimmig und wild ... primitiv und trüb«, nur für »Menschen gemacht, die Steinen und wilden Tieren verwandter sind als unsereinem«. Diese Erfahrung hat ihn, um mit den Worten eines Biographen zu sprechen, »an den Rand des Wahnsinns« gebracht.

Aber selbst hartgesottenere, dem Leben in der Wildnis angepaßtere Männer als Thoreau ließen sich von der eigentümlichen, fast greifbaren Bedrohung einschüchtern. Daniel Boone, der sich nicht nur Faustkämpfe mit Bären lieferte, sondern auch mit deren Weibchen anbändelte, beschreibt einige Gegenden in den südlichen Appalachen als »so wild und grauenhaft, daß man nicht ohne Erschauern davon berichten kann«. Und wenn schon Daniel Boone Muffensausen kriegt, sollte man sich besser vorsehen.

Als die ersten Europäer in die Neue Welt kamen, gab es in dem Gebiet, das später als die »Lower 48« bezeichnet wurde, also dem nordamerikanischen Kontinent mit Ausnahme von Alaska, knapp 385 Millionen Hektar bewaldete Fläche. Der Chattahoochee Forest, durch den Katz und ich gerade trotteten, gehörte zu einem riesigen geschlossenen Baumbestand, der vom südlichen Alabama bis nach Kanada reichte, und noch weiter, von der Atlantikküste bis zum fernen Grasland entlang des Missouri River.

Der größte Teil dieses Waldgebietes ist heute verschwunden, aber was geblieben ist, ist eindrucksvoll genug. Der Chattahoochee gehört zu einem 1,6 Millionen Hektar – 16.000 Quadratkilometer – großen Staatsforst, der sich bis zu den Great Smoky Mountains und über vier Bundesstaaten erstreckt. Auf einer

Karte der Vereinigten Staaten stellt er nur einen unbedeutenden grünen Fleck dar, erst zu Fuß erschließen sich seine kolossalen Ausmaße. In vier Tagen würden Katz und ich den nächsten Highway überqueren und erst in einer Woche wieder in eine Stadt kommen.

Und so wanderten wir los. Wir wanderten Berge hinauf, durch verlassene Senken, entlang einsamer Gebirgskämme, mit Aussicht auf noch mehr Gebirgskämme, über grasgrüne, kahle Bergkuppen, steinige, sich windende, nervenaufreibende Abstiege hinunter und Kilometer um Kilometer durch dunklen, tiefen, einsamen Wald, auf dem knapp einen halben Meter breiten Wanderpfad, der durch weiße, rechteckige Markierungen angezeigt wurde – ein Balken, fünf Zentimeter hoch, 15 Zentimeter lang –, die in regelmäßigen Abständen in die graue Borke der Bäume geschnitzt waren. Wir wanderten und wanderten.

Im Vergleich zu den meisten anderen Ländern der entwickelten Welt ist Amerika immer noch zu einem erstaunlichen Teil ein Land der Wälder. Ein Drittel der Landfläche des nordamerikanischen Kontinents, Alaska ausgenommen, ist mit Bäumen bewachsen, 295 Millionen Hektar insgesamt. Allein Maine hat über vier Millionen Hektar unbewohntes Land. Das sind mehr als 40.000 Quadratkilometer, ein Gebiet, das um einiges größer ist als Belgien, ohne einen einzigen Bewohner. Nur zwei Prozent der Vereinigten Staaten werden als baulich erschlossen eingestuft.

Etwa 97 Millionen Hektar der amerikanischen Wälder gehören dem Staat. Der größte Anteil davon, 77 Millionen Hektar, verteilt auf 155 Parzellen, wird vom U.S. National Forest Service unterhalten und steht je nachdem unter Verwaltung der National Forests, der National Grasslands oder der National Recreation Areas. Das hört sich an, als sei es unberührtes Land, ganz im Sinne der Ökologie, aber in Wahrheit sind weite Teile des Waldgebietes des Forest Service zur Mischnutzung ausgewiesen, was großzügig interpretiert wird und alle möglichen Aktivitäten erlaubt: Bergbau; Öl- und Gasgewinnung; Wintersport (137 Orte); Bau von Eigentumsanlagen; Schneemobil- und Geländewagenrennen und natürlich jede Menge Holzwirtschaft – lauter Dinge, die mit der Ruhe des Waldes eigentlich unvereinbar sind.

Der Forest Service ist wirklich eine höchst erstaunliche Institution. Viele Menschen sehen das Wort Forest im Namen und vermuten, dahinter verberge sich die Sorge um Bäume. Tatsächlich verhält es sich anders, obwohl die Pflege des Waldes der ursprüngliche Gedanke war. Vor 100 Jahren, als die Abholzung amerikanischer Wälder alarmierende Ausmaße annahm, wurde der Service als eine Art »Waldbank« eingerichtet, als dauerhaftes Depot für amerikanisches Nutzholz. Der Auftrag lautete: Nutzung und Schonung dieser Ressourcen für das Land. An Nationalparks war dabei nicht gedacht. Privatfirmen sollten die Genehmigung bekommen, Erze abzubauen und Holzwirtschaft zu betreiben, wurden aber angehalten, dies nur in begrenztem Umfang und auf intelligente und nachhaltige Weise zu tun.

Womit sich der Forest Service hauptsächlich beschäftigt, ist der Straßenbau. Das ist kein Witz! Durch die amerikanischen Staatsforste führen Straßen in einer Gesamtlänge von 608.315 Kilometern. Die Zahl sagt vielleicht nicht viel aus, aber man kann es auch so sehen: Das Netz ist achtmal so groß wie das gesamte amerikanische System der Interstate Highways. Es ist das größte Straßennetz der Welt, das in der Hand eines einzelnen Betreibers liegt. Der Forest Service beschäftigt im Vergleich zu allen anderen staatlichen Institutionen auf der Erde die zweitgrößte Anzahl an Straßenbauingenieuren. Die Aussage, daß diese Leute gerne Straßen bauen, hieße, das Maß ihrer Hingabe auf charmante Weise untertreiben. Zeigt man ihnen einen idyllischen Wald, ganz egal wo, werden sie ihn ausgiebig und nachdenklich in Augenschein nehmen und zum Schluß sagen: »Hier könnte man gut eine Straße bauen.« Es ist erklärtes Ziel des U.S. Forest Service, bis Mitte des nächsten Jahrhunderts weitere 933.400 Straßenkilometer durch Waldgebiet anzulegen.

Der Grund warum der Forest Service diese Straßen baut, abgesehen von der tiefen Befriedigung, die es den Männern bereitet, mit großen Maschinen möglichst viel Krach im Wald zu machen, liegt darin, daß der privaten Holzindustrie Zugang zu vorher unerreichbaren Baumbeständen verschafft werden soll. Von den 60 Millionen Hektar verwertbaren Waldgebiets des Forest Service sind zwei Drittel für die zukünftige Nutzung reserviert. Das übrige Drittel – 19 Millionen Hektar, eine Fläche, doppelt so groß wie Ohio – ist zur Rodung bestimmt. Das ermöglicht den Kahlschlag ganzer, geschlossener Waldgebiete. Das schließt, um nur ein besonders erschreckendes Beispiel zu nennen, auch 84 Hektar eines Bestands von tausendjährigen Redwoods im Umpqua National Forest in Oregon ein.

1987 gab der Forest Service bekannt, er werde der privaten Holzindustrie ab sofort erlauben, jährlich Hunderte Hektar Baumbestand aus der uralten grünen Lunge des Pisgah National Forest, gleich neben dem Great Smoky Mountains National Park, abzuholzen. Dies sollte zu 80 Prozent nach Methoden der »wissenschaftlichen Forstwirtschaft« geschehen, wie man es delikaterweise nannte. Gemeint ist damit Kahlschlag, was nicht nur eine Beleidigung fürs Auge, sondern ein brutaler Eingriff in die Landwirtschaft darstellt und große Überschwemmungen auslösen kann, die den Boden zerfurchen, ihm Nährstoffe entziehen und das ökologische Gleichgewicht weiter stromabwärts zerstören, manchmal auf eine Länge vom mehreren Kilometern. Das hat mit Wissenschaft nichts mehr zu tun. Das ist Waldfrevel.

Trotzdem schleift der Forest Service weiter. Ende der 80er Jahre – es ist so abwegig, daß man es kaum aussprechen mag – war er der einzige ernstzunehmende Vertreter der amerikanischen Holzindustrie, der schneller mit dem Abholzen war als mit der Wiederaufforstung. Und das mit einer grandiosen Ineffizienz. 80 Prozent seiner Leasingunternehmen machten Verluste, häufig riesige Summen. In einem typischen Fall verkaufte der Forest Service hundertjährige Murrays-Kiefern im Targhee National Forest in Idaho für zwei Dollar pro Stamm, nachdem er umgerechnet vier Dollar pro Stamm für Landvermessungen, Vertragsakquisition und – wie könnte es anders sein – Straßenbau ausgegeben hatte. Zwischen 1989 und 1997 verlor der Forest Service durchschnittlich 242 Millionen Dollar pro Jahr – nach den Berechnungen der Wilderness Society alles in allem fast zwei Milliarden Dollar. Das ist dermaßen niederschmetternd, daß ich es lieber dabei bewenden lassen und mich wieder unseren beiden, durch die verlorene Welt des Chattahoochee stapfenden, einsamen Helden widmen möchte.

Der Wald, den wir durchquerten, war eigentlich noch ein strammer Jüngling. 1890 kam ein Eisenbahn-Magnat namens Henry C. Bagley aus Cincinnati in diesen Teil von Georgia, sah die verschiedenen stattlichen, nordamerikanischen Fichten und Pappeln und war so tief berührt von ihrer Erhabenheit und Vielfalt, daß er den Entschluß faßte, sie alle zu fällen. Sie waren ihr Geld wert. Außerdem würden sie die Schornsteine seiner Lokomotiven zum Rauchen bringen, wenn er das Holz in seine Fabriken im Norden des Landes schaffte. Diese Radikalkur verwandelte fast alle Berge im nördlichen Georgia im Laufe der folgenden 30 Jahre in sonnenbeschienene Haine aus Baumstümpfen. Bis 1920 hatten die Waldarbeiter 36 Millionen Festmeter Holz geschlagen. Erst 1930, mit Gründung des Chattahoochee Forest, wurde der Natur wieder zu ihrem Recht verholfen.

In einem forstwirtschaftlich nicht genutzten Wald herrscht eine seltsame Atmosphäre der erstarrten Gewalt. Es schien so, als hätte jede Lichtung, jede Senke soeben eine grandiose Umwälzung erfahren. Alle 40 bis 50 Meter lagen umgestürzte Bäume quer über dem Weg, die meisten hatten riesige Krater um die ausgerissenen Wurzeln herum hinterlassen; auf den Abhängen lagen noch mehr Bäume, die langsam verrotteten, und jeder dritte oder vierte Baum, so kam es mir vor, lehnte sich steil an seinen Nachbarn. Es war, als könnten sie es nicht erwarten umzustürzen, als bestünde ihr einziger Zweck im Universum darin, groß genug zu werden, um mit einem richtig satten Krachen umzufallen, so daß die Späne nur so flogen. Immer wieder kam ich an Bäumen vorbei, die sich so bedenklich mit ihrem ganzen Gewicht über den Weg beugten, daß ich zuerst zögerte, dann drunterherhuschte, jedesmal befürchtend, den falschen Moment erwischt zu haben und erschlagen zu werden, und mir dann Katz vorstellte, der wenige Minuten später vorbeikommen, sich meine verdrehten Beine ansehen und sagen würde: »Scheiße, Bryson, was machst du denn da unten?« Aber es fielen keine Bäume um. Der Wald blieb ruhig, unnatürlich still, und so war es fast überall. Außer dem gelegentlichen Glucksen eines Wasserlaufs und dem leisen Rascheln der vom Wind über den Boden gepusteten Blätter gab es fast kein Geräusch.

Der Wald war deswegen so still, weil der Frühling noch nicht eingesetzt hatte. Normalerweise wären wir jetzt mitten durch die reizvolle Pracht spaziert, die der Frühling in den Bergen im Süden mit sich bringt: eine strahlende, fruchtbare, wie neugeborene Welt, erfüllt vom Schwirren der Insekten und dem Gezwitscher aufgeregter Vögel, eine Welt, gewürzt von frischer, bekömmlicher Luft und dem samtigen, die Lungen erweiternden Geruch von Chlorophyll, den man einatmet, wenn man durch niedriges, blattreiches Gehölz streift. Vor allem aber gäbe es Wildpflanzen in Hülle und Fülle, die sich tapfer durch die fruchtbare Streu auf dem Waldboden hindurch dem Licht entgegenstreckten, jeden Sonnenhang und jede Uferböschung in einen Teppich verwandelten – Wachslilie, kriechende Heide, Doppelsporn, Zeichenwurz, Alraune, Veilchen, Kornblume, Butterblume und Blutkraut, Zwerglilie, Akelei, Sauerklee und andere unzählige, wundervolle Pflanzen. Es gibt 1.500 verschiedene Wildpflanzen in den südlichen Appalachen, 40 seltene Arten allein im Norden von Georgia. Ihr Anblick erwärmt noch das kälteste Herz. In diesem grimmigen März jedoch war davon nichts zu sehen. Wir stapften durch eine kalte, stille Welt kahler Bäume, unter einem bleigrauen Himmel, über steinharten Boden.

Nach einigen Tagen stellte sich ein gewisser Rhythmus ein. Wir standen jeden Morgen beim ersten Tageslicht auf, bibbernd, wärmten uns, kochten Kaffee, bauten unsere Zelte ab, aßen ein paar Handvoll Rosinen und begaben uns auf den Weg durch den stillen Wald. Wir wanderten von halb acht bis etwa vier Uhr. Wir gingen selten zusammen, unser Schrittempo paßte einfach nicht zueinander, aber alle paar Stunden ließ ich mich auf einem Baumstamm nieder – nicht ohne vorher die Umgebung nach Bären und Wildschweinen abgesucht zu haben – und wartete ab, bis Katz aufgeholt hatte, um sicher zu sein, daß auch alles in Ordnung war. Manchmal überholten mich Wanderer und sagten mir, an welcher Stelle Katz gerade war und welche Fortschritte er machte, er war fast immer langsamer, aber gut aufgelegt. Der Trail war für ihn sehr viel beschwerlicher als für mich, aber zu seinen Gunsten muß ich sagen, daß er sich mit Meckern zurückhielt. Ich vergaß keine Sekunde lang, daß er ja nicht hätte mitkommen müssen.

Ich hatte gedacht, wir würden den Massen zuvorkommen, aber in der Region waren doch schon ziemlich viele Wanderer unterwegs – drei Studenten von der Rutgers University in New Jersey, ein erstaunlich sportliches älteres Ehepaar mit kleinen Tagesrucksäcken, das zur Hochzeit ihrer Tochter im fernen Virginia wollte, ein etwas unbedarftes Kerlchen namens Jonathan aus Florida – mit uns zusammen etwa ein Dutzend, die alle Richtung Norden zogen. Da jeder ein anderes Schrittempo hat und zu unterschiedlichen Zeiten Pausen einlegt, trifft man unweigerlich irgendwann auf einzelne oder auf alle Mitwanderer, besonders auf Berggipfeln mit Panoramablick, an Bächen mit sauberem Wasser und natürlich an den Schutzhütten, die in Abständen auf Lichtungen neben dem Trail stehen, angeblich, aber nicht unbedingt immer jeweils eine Tagesetappe voneinander entfernt. Auf diese Weise lernt man seine Mitwanderer kennen, wenigstens oberflächlich, noch besser natürlich, wenn man sie jeden Abend in den Schutzhütten wiedersieht. Man wird Teil eines bunt zusammengewürfelten Haufens, einer lockeren, verständnisvollen Gemeinschaft von Leuten aller Altersgruppen und sozialen Schichten, die jedoch alle gleichermaßen Wind und Wetter, den Widrigkeiten des Wanderlebens und der Landschaft ausgesetzt sind, angetrieben von dem gleichen Impuls, bis nach Maine zu gehen.

Selbst bei Hochbetrieb verschafft einem der Wald noch großartige Momente der Einsamkeit, und wenn ich stundenlang keine Menschenseele sah, spürte ich das erhebende Gefühl absoluten

Alleinseins. Häufig wartete ich auf Katz, und es kam kein anderer Wanderer vorbei. Dann ließ ich meinen Rucksack stehen und ging zurück, um ihn zu suchen, nach ihm zu sehen, was ihn immer beruhigte. Manchmal winkte er mir schon von weitem mit meinem Wanderstab, den ich an einem Baum abgestellt hatte, weil ich mir die Schuhe zugebunden oder die Tragegurte strammgezogen und ihn dann vergessen hatte. Wir sorgten füreinander. Das war wirklich schön. Ich kann es nicht anders sagen.

Gegen vier Uhr suchten wir uns regelmäßig eine Stelle zum Zelten. Einer ging los, um Wasser zu holen und es zu filtern, während der andere in einem Topf eine Pampe aus dampfenden Nudeln zubereitete. Manchmal redeten wir dabei, aber meistens verbrachten wir die Zeit in kameradschaftlichem Schweigen. Gegen sechs trieben uns die Dunkelheit, die Kälte und die Müdigkeit in unsere Zelte. Katz schlief jedesmal umgehend ein, soweit ich das beurteilen kann. Ich las immer noch ungefähr eine Stunde lang und hatte dafür die völlig untaugliche, kleine Stirnlampe aufgesetzt, deren Strahlen konzentrische Kreise auf die Buchseite warfen, wie eine Fahrradlampe. Weil ich das Buch schräg halten mußte, um das Licht einzufangen, wurde mir irgendwann an Schultern und Armen, die nicht im Schlafsack steckten, kalt, und sie wurden schwer. Ich blieb noch wach liegen und lauschte in der Finsternis den seltsam klaren, artikulierten Geräuschen des Waldes bei Nacht, dem Fegen und Seufzen des Windes, dem müden Stöhnen der sich wiegenden Äste, dem endlosen Gewese und Gemurmel, wie in einem Genesungsheim nach dem Lichtlöschen, bis ich selbst auch in einen tiefen Schlaf fiel. Morgens wachten wir bibbernd vor Kälte auf, wiederholten unsere kleinen Rituale, packten die Rucksäcke, setzten sie auf und wagten uns wieder in den großen undurchdringlichen Wald.

Am vierten Abend lernten wir jemanden kennen. Wir waren gerade auf einer hübschen Lichtung neben dem Trail angekommen, hatten die Zelte aufgeschlagen, mampften unsere Nudeln, genossen das exquisite Vergnügen, nichts zu tun und nur herumzusitzen, als eine pummelige Frau mit Brille und roter Jacke und dem unvermeidlichen überdimensionalen Rucksack des Weges kam. Sie musterte uns mit dem verkniffenen Blick eines Menschen, der entweder ständig konfus oder stark kurzsichtig ist. Wir grüßten einander und tauschten die üblichen Gemeinplätze über das Wetter und den ungefähren Standort aus. Dann kniff sie wieder die Augen zusammen, sah, daß die Dämmerung hereinbrach und verkündete, daß sie ihr Lager neben unserem aufschlagen werde.

Sie hieß Mary Ellen und kam aus Florida. Sie war, wie Katz sie später immer wieder in ehrfurchtsvollem Ton titulierte, »ein harter Brocken«. Sie redete ununterbrochen, außer wenn sie ihre Ohrtrompete reinigte, was häufig genug geschah. Zu diesem Zweck hielt sie sich die Nase zu und stieß kräftig Luft aus, was mit einem kräftigen und höchst alarmierenden Schnauben verbunden war, bei dem jeder Hund vom Sofa gesprungen und sich unter dem Tisch im Nebenzimmer verkrochen hätte. Ich weiß längst, daß Gott in seinem Plan für mich vorgesehen hat, ich solle jeweils etwas Zeit mit den dümmsten Menschen der Welt verbringen, und Mary Ellen war der Beweis dafür, daß ich diesem Schicksal auch in den Wäldern der Appalachen nicht entkommen konnte. Es war von der ersten Sekunde an klar, daß sie ein ganz besonders seltenes Exemplar dieser Gattung war.

»Na, was gibt's denn bei euch zu essen?« sagte sie, pflanzte sich auf einen freien Baumstamm und reckte den Hals, um einen Blick in den Topf werfen zu können. »Nudeln? Schwerer Fehler. Nudeln geben so gut wie keine Energie. Tendenz gegen Null.« Sie schnaubte wieder, um den Innendruck in den Ohren loszuwerden. »Ist das ein Zelt von Starship?«

Ich sah hinüber zu meinem Zelt. »Ich weiß es nicht.«

»Schwerer Fehler. Die haben dich bestimmt übers Ohr gehauen in dem Ausrüstungsladen. Wieviel hast du dafür bezahlt?«

»Ich weiß es nicht.«

»Auf jeden Fall zuviel. Du hättest dir ein Zelt besorgen sollen, das für drei Jahreszeiten geeignet ist.«

»Das Zelt ist für drei Jahreszeiten geeignet.«

»Entschuldige bitte, wenn ich das sage, aber es ist ausgesprochen dämlich, im März mit einem Zelt hierherzukommen, das nicht für drei Jahreszeiten geeignet ist.« Sie schnaubte wieder.

»Das Zelt ist für drei Jahreszeiten geeignet.«

»Du kannst von Glück sagen, daß du noch nicht erfroren bist. Geh zurück in den Laden und schlag den Kerl zusammen, der dir das angedreht hat, denn das war, sag ich mal, absolut unnötig, dir so'n Ding zu verkaufen.«

»Glaub mir, das Zelt ist für drei Jahreszeiten gedacht.«

Sie schnaubte und schüttelte ungeduldig den Kopf. »Das da ist ein Zelt für drei Jahreszeiten.« Sie zeigte auf das Zelt von Katz.

»Das ist haargenau das gleiche Zelt.«

Sie sah es sich nochmals an. »Ist ja auch egal. Wie viele Kilometer seid ihr heute gelaufen?«

»Ungefähr 16.« Eigentlich waren es nur dreizehneinhalb, aber dazu gehörten einige knifflige Steilabbrüche, unter anderem eine höllische Wand, Preaching Rock, die höchste Erhebung nach Springer Mountain, für die wir uns mit einem Bonus in Form von erlassenen Kilometern belohnt hatten, aus moralischen Gründen.

»16 Kilometer? Mehr nicht? Ihr müßt ja wirklich in ganz schön schlechter Verfassung sein. Ich bin 22 Komma acht Kilometer gelaufen.«

»Und wieviel hat dein Mundwerk zurückgelegt?« sagte Katz und schaute von seinem Teller Nudeln auf.

Sie fixierte ihn böse aus zusammengekniffenen Augen. »Genauso viel wie ich natürlich.« Sie sah mich verstohlen an, als wollte sie sagen: Tut dein Freund nur so doof, oder was soll das? Sie schnaubte wieder. »Ich bin in Gooch Gab losgegangen.«

»Wir auch. Das sind nur dreizehneinhalb Kilometer.«

Sie schüttelte heftig den Kopf, als wollte sie eine besonders hartnäckige Fliege loswerden. »22 Komma acht.«

»Nein, im Ernst, es sind nur dreizehneinhalb.«

»Entschuldigt bitte, aber ich bin schließlich den ganzen Weg zu Fuß gelatscht. Ich muß es ja wohl wissen.« Dann wechselte sie plötzlich das Thema. »Meine Güte, sind das Timberland-Schuhe? Megaschwerer Fehler. Wieviel hast du für die bezahlt?«

In dem Stil ging es weiter. Schließlich war ich es leid und stand auf, um unsere Teller zu spülen und den Vorratsbeutel aufzuhängen. Als ich wiederkam, bereitete sie ihr Essen zu, redete dabei aber ununterbrochen auf Katz ein.

»Weißt du was?« sagte sie. »Entschuldige, wenn ich kein Blatt vor den Mund nehme, aber du bist zu dick.«

Katz sah sie völlig verdattert an. »Wie bitte?«

»Du bist zu dick. Du hättest abnehmen sollen, bevor du losgingst. Ein bißchen Sport machen sollen, sonst kriegst du noch so eine, ähem, ich meine, so eine Herzsache.«

»Was für eine Herzsache?«

»Ja. Ich meine, wenn das Herz aufhört zu schlagen und man tot ist.«

»Meinst du einen Herzinfarkt?«

»Ja, genau.«

Dazu muß gesagt werden, daß Mary Ellen auch nicht gerade unter mangelnder Körperfülle litt und sich just in diesem Moment ungeschickterweise bückte, um etwas aus dem Rucksack zu holen und dabei ein breitwandiges Hinterteil präsentierte, auf das man ohne weiteres einen Kinofilm hätte projizieren können. Das stellte Katz auf eine harte Geduldsprobe. Er sagte nichts, sondern stand auf, um zu pinkeln und zischte mir im Vorbeigehen aus dem Mundwinkel ein passendes dreisilbiges Schimpfwort zu, das wie das Signal eines Güterzugs bei Nacht klang.

Am nächsten Tag standen wir wie immer durchgefroren und wie gerädert auf und machten uns an die Verrichtung unserer kleinen Pflichten, diesmal mit der zusätzlichen Qual, daß jede Bewegung beobachtet und bewertet wurde. Während wir unsere Rosinen aßen und unseren Kaffee mit Toilettenpapierschnipseln tranken, verschlang Mary Ellen ein mehrgängiges Frühstück bestehend aus Müsli, Honigpops, einem speziellen Energiemix für Wanderer, und einer Handvoll kleiner, rechteckiger Schokoladenstückchen, die sie neben sich auf dem Baumstamm aufreihte.

Wir sahen ihr wie zwei Waisenkinder auf der Flucht dabei zu, wie sie sich die Backen vollstopfte und uns über unsere Mängel in puncto Proviant, Ausrüstung und allgemeiner Virilität aufklärte.

Danach ging es wieder ab in den Wald, diesmal zu dritt. Mary Ellen ging manchmal neben mir her, manchmal neben Katz, aber immer mit einem von uns beiden. Es war augenscheinlich, daß sie trotz ihres ganzen aufgeblasenen Getues absolut unerfahren und wanderuntauglich war – zum Beispiel hatte sie nicht den leisesten Schimmer, wie man eine Karte las – und sich allein in der Wildnis nicht wohl fühlte. Irgendwie tat sie mir sogar ein bißchen leid, und außerdem fand ich sie allmählich auf komische Weise unterhaltsam. Sie hatte eine ungewöhnlich redundante Art, sich auszudrücken. Sie sagte zum Beispiel Sätze wie diesen: »Da drüben ist ein Wasserfluß«, oder »Wir haben jetzt zehn Uhr morgens.« Einmal, es ging um den Winter in Florida, informierte sie mich völlig ernstgemeint: »Normalerweise haben wir im Winter ein- bis zweimal Frost, aber dieses Jahr schon zweimal.« Katz litt unter ihrer Gesellschaft und stöhnte, weil sie ihn andauernd bedrängte, einen Schritt schneller zu gehen.

Endlich einmal war das Wetter freundlich – eher herbstlich als frühlingshaft, aber dafür erfreulich mild. Um zehn lag die Temperatur bei angenehmen 20 Grad. Zum ersten Mal seit Amicalola zog ich meine Jacke aus, und sofort bemerkte ich mit schwachem Erstaunen, daß ich keinen Platz hatte, um sie zu verstauen. Schließlich band ich sie mit einem Gurt am Rucksack fest und stapfte weiter.

Es ging 6,5 Kilometer bergauf, über den Blood Mountain, mit 1.359 Meter die höchste und schwierigste Erhebung auf dem Wegabschnitt in Georgia, danach folgte ein steiler Abstieg über drei Kilometer bis Neels Gap, der für Aufregung sorgte. Aufregung deswegen, weil sich in Neels Gap ein Laden befand, genauer gesagt, befand sich der Laden in einem Lokal, das sich Walasi-Yi Inn nannte und in dem man Sandwiches und Eiscreme kaufen konnte. Um halb eins etwa vernahmen wir ein neues Geräusch, Autoverkehr, und wenige Minuten später tauchten wir aus dem

Wald auf, und vor uns lag der U.S. Highway 19 beziehungsweise 129, eigentlich nur eine kleine Straße über einen hohen Paß mitten im bewaldeten Nirgendwo, obwohl sie zwei Nummern hat. Direkt gegenüber lag das Walasi-Yi Inn, ein beeindruckendes Gebäude aus Stein, das das Civilian Conservation Corps, eine Art Armee der Arbeitslosen, während der Zeit der Depression errichtet hatte und das heute eine Mischung aus Expeditionsausstatter, Lebensmittelgeschäft, Buchhandlung und Jugendherberge ist. Wir liefen über die Straße, rannten regelrecht hinüber und gingen hinein.

Es mag unglaubwürdig klingen, wenn ich sage, daß eine geteerte Straße, rauschender Autoverkehr und ein richtiges Haus nach fünf Tagen in der Waldeinsamkeit für Aufregung sorgen können und ungewohnt erscheinen, aber es war tatsächlich so. Allein durch eine Tür zu gehen, in einem Raum zu sein, umgeben von vier Wänden und einer Decke, war ein neues Gefühl. Und das Walasi-Yi Inn war wunderbar – ich weiß gar nicht, wo ich anfangen soll. Es gab einen einzigen, kleinen Kühlschrank, der vollgestopft war mit frischen Sandwiches, Mineralwasser, Obstsaft und verderblicher Ware wie Käse und anderem. Katz und ich glotzten minutenlang dumpf und wie gebannt auf die Regale. Langsam fing ich an zu begreifen, daß die wichtigste Erfahrung, die man auf dem Appalachian Trail macht, die der Entbehrung ist, daß der ganze Sinn und Zweck der Unternehmung darin besteht, sich so weit von den Annehmlichkeiten des Alltags zu entfernen, daß die gewöhnlichsten Dinge, Schmelzkäse, eine schöne mit Kondenswasserperlen besetzte Dose Limonade, den Menschen mit Staunen und Dankbarkeit erfüllen. Es ist ein berauschendes Erlebnis, Cola zu trinken, als wäre es das erste Mal, und beim Anblick von Toastbrot an den Rand eines Orgasmus zu geraten. Ich finde, das macht die ganzen Strapazen vorher erst richtig lohnenswert.

Katz und ich kauften je zwei Eiersalat-Sandwiches, Kartoffelchips, Schokoriegel und Limonade und setzten uns hinters Haus an einen Picknicktisch, wo wir unsere Köstlichkeiten unter Ausrufen des Entzückens gierig schmatzend verspeisten, dann kehrten wir wieder zum Kühlschrank zurück, um noch ein bißchen mehr zu staunen. Das Walasi-Yi, stellte sich heraus, bietet echten Wanderern noch einigen Service – Waschmaschinen, Duschen, Handtuchverleih –, und wir machten kräftig Gebrauch von diesen Einrichtungen. Die Dusche war schon ziemlich betagt und nur ein dünnes Rinnsal, aber das Wasser war heiß, und ich muß sagen, ich habe noch nie eine Körperreinigung so sehr genossen wie diese. Mit tiefer Befriedigung beobachtete ich, wie der Schmutz von fünf Tagen meine Beine hinunterrann und im Abfluß versickerte, und ich stellte selbstverliebt fest, daß mein Körper merklich schlankere Konturen angenommen hatte. Wir wuschen zwei Maschinenladungen Wäsche, spülten unsere Becher, Teller, Töpfe und Pfannen, kauften verschiedene Postkarten, riefen zu Hause an und füllten unseren Proviant mit frischen und haltbaren Lebensmitteln aus dem Laden auf.

Das Walasi-Yi wurde von einem Engländer namens Justin und seiner amerikanischen Frau Peggy geführt, mit denen wir im Laufe des Nachmittags, während wir ständig rein- und rausgingen, ins Gespräch kamen. Peggy erzählte uns, sie hätten seit dem ersten Januar bereits tausend Wanderer zu Besuch gehabt, dabei stehe die eigentliche Wandersaison erst noch bevor. Die beiden waren ein freundliches Paar, und ich hatte den Eindruck, daß besonders Peggy ihre Zeit hauptsächlich damit verbrachte, genervte Wanderer davon abzuhalten aufzugeben. Erst tags zuvor hatte ein junger Mann aus Surrey sie gebeten, ihm ein Taxi zu bestellen, das ihn nach Atlanta bringen sollte. Peggy hatte ihn fast dazu überredet durchzuhalten, es wenigstens noch eine Woche lang zu versuchen, aber zum Schluß war er zusammengebrochen, hatte still geweint und sie angefleht, ihn doch nach Hause gehen zu lassen.

Ich selbst verspürte dagegen zum ersten Mal den aufrichtigen Wunsch weiterzugehen. Die Sonne schien. Ich hatte mich frisch gemacht und eine Stärkung zu mir genommen, und wir hatten noch reichlich Proviant in unseren Rucksäcken. Ich hatte mit meiner Frau telefoniert, zu Hause war alles in Ordnung. Vor allem aber fühlte ich mich fit. Ich war mir sicher, daß ich einige Pfunde verloren hatte. Ich war bereit loszumarschieren. Katz strahlte ebenfalls vor Sauberkeit und sah auch schon etwas schmächtiger aus. Wir packten unsere Einkäufe auf der Terrasse zusammen, und im selben Moment fiel uns beiden zu unserer großen Freude und Erleichterung auf, daß Mary Ellen nicht mehr zu unserem Gefolge gehörte. Ich steckte noch mal den Kopf durch die Tür und fragte unsere Gastgeber, ob sie sie gesehen hätten.

»Ach die? Ich glaube, die ist vor einer Stunde gegangen«, sagte Peggy.

Die Sache wurde immer besser.

Es war nach vier Uhr, als wir endlich loszogen. Justin hatte uns gesagt, ungefähr eine Stunde Fußmarsch von hier gäbe es eine Wiese, die sich ideal zum Zelten eignete. Jetzt, im warmen Sonnenlicht des späten Nachmittags, sah der Trail einladend aus, die Bäume warfen lange Schatten, und man hatte einen weiten Blick über ein Flußtal hinweg auf wuchtige, anthrazitfarbene Berge. Die Wiese eignete sich tatsächlich ideal, um Station zu machen. Wir schlugen unsere Zelte auf und aßen die Sandwiches und Kartoffelchips und tranken die Säfte, die wir fürs Abendessen eingekauft hatten.

Dann holte ich stolz, als hätte ich ihn selbst gebacken, mehrere Päckchen Napfkuchen von Hostess hervor. Meine kleine Überraschung.

Katz' Gesicht hellte sich auf, wie bei dem Geburtstagskind auf einem Gemälde von Norman Rockwell.

»Oh, Mann!«

»Little Debbies hatten sie leider nicht«, sagte ich entschuldigend.

»He«, sagte er. »He.« Zu mehr war er nicht fähig. Katz liebte Kuchen.

Wir teilten uns drei Napfkuchen und legten den letzten auf einen Baumstamm, wo wir ihn für später aufhoben und solange bewundern konnten. Wir fläzten uns ins Gras, mit dem Rücken an den Baumstamm gelehnt, verdauten, rauchten, fühlten uns ausgeruht und zufrieden, unterhielten uns mal ausnahmsweise – kurzum, es war so, wie ich es mir zu Hause in meinen optimistischen Vorstellungen ausgemalt hatte –, als Katz plötzlich leise aufstöhnte. Ich folgte seinem Blick und sah Mary Ellen, die forschen Schrittes, aus der falschen Richtung, den Pfad entlang auf uns zukam.

»Ich habe mich schon gefragt, wo ihr beide abgeblieben seid«, schimpfte sie. »Ich muß sagen, ihr seid ja echt langsam. Wir hätten längst sieben Kilometer weiter sein können. Ich sehe schon, ich muß jetzt besser auf euch beide aufpassen. Ist das ein Napfkuchen von Hostess da vorne?« Bevor ich etwas sagen konnte und bevor sich Katz einen Stock geschnappt hatte, um ihr den Schädel einzuschlagen, sagte sie: »Ich darf doch, oder?« und verschlang ihn mit zwei Bissen. Es vergingen einige Tage, bis Katz wieder lächelte.

5. Kapitel

»Welches Sternzeichen bist du?« sagte Mary Ellen.

»Cunnilingus«, sagte Katz und sah zutiefst unglücklich aus.

Sie schaute ihn an. »Das kenne ich nicht.« Sie runzelte die Stirn, als wollte sie sagen: Ich freß' 'nen Besen, sagte aber statt dessen: »Dabei dachte ich, ich würde alle kennen. Ich bin Waage.« Sie wandte sich an mich. »Und du?«

»Weiß ich nicht.« Ich versuchte mir etwas auszudenken. »Nekrophilie.«

»Das kenne ich auch nicht. Wollt ihr mich vielleicht verarschen?«

»Erraten.«

Das war zwei Tage später. Wir campierten auf einem kleinen Plateau, Indian Grave Gap, zwischen zwei dumpfen Gipfeln – an den einen erinnerte ich mich nur noch schwach, der andere stand uns erst noch bevor. Wir hatten in 48 Stunden 35 Kilometer zurückgelegt, eine ansehnliche Strecke für unsere Verhältnisse, aber eine ausgeprägte Lustlosigkeit, ein Gefühl der Enttäuschung, eine gewisse Bergmüdigkeit hatte sich unserer bemächtigt. Wir verbrachten unsere Tage genauso, wie wir sie immer verbracht hatten und auch in Zukunft verbringen würden: immer der gleiche Wanderpfad, die gleichen Hügel und Berge, der gleiche endlose Wald. Die Bäume standen so dicht, daß man fast nie einen Ausblick genießen konnte, und wenn, dann wieder nur auf endlose Hügelketten und noch mehr Bäume. Ich war schwer enttäuscht, als ich merkte, daß ich schon wieder alles madig machte und ich mich nach Weißbrot sehnte. Mary Ellen und ihr unentwegtes, erschreckend geistloses Geplapper kamen erschwerend hinzu.

»Wann hast du Geburtstag?« fragte sie mich.

»Am 8. Dezember.«

»Also Jungfrau.«

»Nein, Schütze.«

»Ist ja auch egal.« Dann plötzlich: »Meine Güte, ihr beide stinkt zum Himmel.«

»Na ja, man schwitzt kein Rosenwasser beim Wandern.«

»Ich schwitze überhaupt nicht. Nie. Ich träume auch nicht.«

»Jeder Mensch träumt«, sagte Katz.

»Ich aber nicht.«

»Nur Menschen mit ungewöhnlich geringer Intelligenz träumen nicht. Das ist wissenschaftlich erwiesen.«

Mary Ellen sah ihn einen Moment lang ausdruckslos an, dann sagte sie plötzlich, ohne sich direkt an einen von uns zu wenden: »Habt ihr das schon mal geträumt? Also, man sitzt in der Klasse und so, und dann guckt man an sich runter und so, und man hat nichts an?« Sie schüttelte sich. »Das kann ich nicht ab.«

»Ich dachte, du träumst nicht«, sagte Katz.

Sie starrte ihn wieder lange an, als überlegte sie, wo sie ihm schon mal begegnet war. »Und Fallen«, fuhr sie gelassen fort. »Den Traum hasse ich auch. Wie wenn man in ein Loch fällt und so, und man fällt und fällt.« Sie schnaubte wieder geräuschvoll, um den Druck in den Ohren loszuwerden.

Katz musterte sie beiläufig interessiert. »Ich kenne jemanden, der hat das auch mal gemacht«, sagte er, »dabei ist ihm ein Auge rausgesprungen.«

Sie sah ihn fragend an.

»Es kullerte über den Wohnzimmerboden, und sein Hund hat es gefressen. Stimmt's, Bryson?«

Ich nickte.

»Das hast du dir nur ausgedacht.«

»Nein. Es ist über den Boden gekullert, und bevor er sich's versah, hatte der Hund es mit einem Happen verschlungen.«

Ich bestätigte das mit einem neuerlichen Nicken.

Sie dachte minutenlang darüber nach. »Was hat dein Freund wegen der Augenhöhle gemacht? Hat er sich ein Glasauge gekauft, oder was?«

»Das hatte er eigentlich vor, aber seine Familie war ziemlich arm. Er hatte sich einen Tischtennisball besorgt, eine Pupille draufgemalt und ihn als Auge benutzt.«

»Ihh«, sagte Mary Ellen leise.

»Deswegen würde ich an deiner Stelle nicht ständig so schnauben.«

Sie ließ sich das Gesagte wieder durch den Kopf gehen. »Ja, vielleicht hast du recht«, sagte sie und schnaubte.

In den wenigen Momenten, die wir für uns hatten, wenn sich Mary mal zum Pinkeln in die Büsche verzog, hatten Katz und ich heimlich beschlossen, morgen die 22,5 Kilometer nach Dicks Creek Gap zu laufen, wo ein Highway kreuzte, der in die Stadt Hiawassee führte, 17,7 Kilometer weiter nördlich. Wir würden bis zum Gap wandern, und wenn wir am Ende tot umfielen; von da aus würden wir nach Hiawassee trampen, um dort zu Abend zu essen und uns in einem Motel einzumieten. Plan Nummer zwei sah vor, Mary Ellen zu töten und sich an ihren Honigpops gütlich zu tun.

So kam es, daß wir am nächsten Tag wie die Soldaten marschierten, richtig marschierten, meine ich, und Mary Ellen mit unseren weit ausholenden Schritten in blankes Erstaunen versetzten. In Hiawassee sollte es ein Motel geben – Bettlaken! Dusche! Farbfernsehen! – und angeblich eine Auswahl von Restaurants. Dieser kleine Ansporn reichte, um uns einen Schritt schneller gehen zu lassen. Katz erlahmte nach einer Stunde, und ich war nachmittags todmüde, aber wir hielten entschlossen durch. Mary Ellen fiel immer weiter zurück, bis sie sogar hinter Katz zurückblieb. Ein wahres Wunder.

Um vier Uhr trat ich erschöpft und erhitzt und mit einem von sandigen Schweißbächen gezeichneten Gesicht aus dem Wald und stieg die breite Böschung zum U.S. Highway 76 hoch, einem Asphaltband mitten durch den Wald, und stellte befriedigt fest, daß die Straße mehrspurig war und wie eine wichtige Hauptverkehrsader aussah. Ein paar hundert Meter weiter befand sich eine kleine Lichtung und eine Auffahrt – Ausdruck von Zivilisation! –, bevor die Straße eine verlockende Kurve beschrieb. Mehrere Autos fuhren vorbei, als ich mich dort hinstellte.

Katz torkelte ein paar Minuten später zwischen den Bäumen hervor. Mit seinem irren Blick und den zerzausten Haaren sah er verwegen aus, und ich hetzte ihn trotz seines wortreichen Widerspruchs, er müsse sich auf der Stelle hinsetzen, über die Straße. Ich wollte unbedingt ein Auto anhalten, bevor Mary Ellen auftauchte und alles wieder vermasselte. Ich wußte nicht wie, ich wußte nur, daß sie es schaffen würde.

»Hast du sie gesehen?« fragte ich Katz besorgt.

»Ganz weit hinter mir. Sie saß auf einem Stein, hatte die Schuhe ausgezogen und rieb sich die Füße. Sie sah ziemlich erledigt aus.«

»Gut.«

Katz pflanzte sich auf seinen Rucksack, schmutzig und erschöpft wie er war, und ich stellte mich neben ihn an die Böschung, hielt den Daumen raus, versuchte, uns als ehrbare und anständige Menschen zu verkaufen und schickte jedem Auto und jedem Pick-up, die an uns vorbeifuhren, im stillen eine Schimpfkanonade hinterher. Ich war seit 25 Jahren nicht mehr getrampt, und es war eine etwas demütigende Erfahrung. Die Autos rasten vorbei, unglaublich schnell, wie wir fanden, die wir jetzt im Wald hausten, und die Fahrer würdigten uns nicht mal eines Blickes. Ganz wenige näherten sich etwas langsamer, immer saßen ältere Herrschaften in den Wagen – kleine, weiße, gerade über Fensterhöhe ragende Köpfchen –, die uns ohne Mitgefühl ausdruckslos anstarrten, wie eine Herde Kühe auf der Weide. Es kam mir unwahrscheinlich vor, daß irgend jemand für uns anhalten würde. Ich hätte auch nicht für uns angehalten.

Nachdem uns eine Viertelstunde lang ein Auto nach dem anderen verschmäht hatte, verkündete Katz verzagt: »Hier nimmt uns nie einer mit.«

Er hatte natürlich recht, aber es ärgerte mich, daß er immer so schnell aufgab. »Kannst du nicht mal etwas mehr Optimismus ausstrahlen?« bat ich ihn.

»Na gut, bin ich eben optimistisch. Aber ich bin absolut davon überzeugt, daß uns hier kein Mensch mitnimmt. Sieh uns doch nur an.« Er schnüffelte angeekelt unter seinen Achselhöhlen. »Ich stinke wie faule Eier.«

Es gibt ein Phänomen, das sich »Trail Magic« nennt, das bei allen Wanderern des Appalachian Trail bekannt ist und von dem mit Ehrfurcht gesprochen wird. Man könnte es auch das Wunder des Zufalls nennen, jedenfalls besagt es, daß häufig dann, wenn es besonders finster aussieht, irgend etwas passiert, das einen wieder Licht am Ende des Tunnels sehen läßt. Bei uns war es ein kleiner Pontiac Trans Am, der vorbeiflog und dann 100 Meter weiter mit quietschenden Reifen und in eine Staubwolke gehüllt am Straßenrand zum Stehen kam. Es war so weit weg von der Stelle, wo wir standen, daß wir kaum glauben konnten, das Auto hielte wegen uns, aber dann wurde der Rückwärtsgang eingelegt, und es kam auf uns zu, fuhr halb auf der Böschung, halb auf der Straße, sehr schnell und in Schlangenlinien. Ich stand wie festgenagelt. Am Tag davor hatten uns ein paar erfahrene Wanderer berichtet, daß sich die Leute im Süden manchmal einen Spaß daraus machten, auf Tramper, die vom Appalachian Trail kamen, zuzurasen, um im letzten Moment auszuweichen, oder ihre Rucksäcke zu überfahren, und ich hatte plötzlich den Verdacht, daß es sich hierbei um solche Leute handelte. Ich wollte gerade in Deckung springen, und selbst Katz machte schon Ansätze, sich zu erheben, als das Auto röhrend und wieder mit viel aufgewirbeltem Staub ein paar Meter vor uns stehenblieb und eine junge Frau den Kopf aus dem Fenster der Beifahrertür steckte.

»Wollta mitkomm'?« rief sie.

»Klar, und wie«, sagten wir und benahmen uns wie zwei brave Kinder.

Wir rannten mit unseren Rucksäcken zu dem Wagen, schauten durch die Fenster und sahen ein sehr hübsches, sehr glückliches, sehr betrunkenes junges Pärchen. Die beiden waren höchstens 18 oder 19 Jahre alt. Die Frau goß aus einer zu drei Viertel leeren Fla-

sche Wild-Turkey-Whiskey zwei Plastikbecher randvoll. »Hi!«
sagte sie. »Kommt rein.«

Wir zögerten. Der Wagen war fast bis unter die Decke mit
Zeug vollgepackt, Koffer, Kartons, Plastiktüten, stapelweise
Kleider auf Bügeln. Es war ohnehin ein kleines Auto – und schon
für die beiden ziemlich eng.

»Mach mal ein bißchen Platz für die Herren, Darren«, befahl
die junge Frau, und fügte dann erklärend hinzu: »Das ist Darren.«

Darren stieg aus, begrüßte uns grinsend, machte den Koffer-
raum auf und stierte mit leerem Blick hinein, bis sich allmählich
die Erkenntnis in seinem Gehirn breitgemacht hatte, daß er
ebenfalls picke packe voll war. Darren war dermaßen betrunken,
daß ich für einen Augenblick dachte, er würde im Stehen einschlafen, aber er kam wieder zu sich, fand ein Stück Schnur und
band unsere beiden Rucksäcke geschickt aufs Dach. Dann schob
er, die energischen Ratschläge und Proteste seiner Freundin über-
hörend, das Zeug auf dem Rücksitz ein bißchen zusammen, bis
ein schmaler Hohlraum geschaffen war, in den Katz und ich uns
quetschten, während wir unter Geächz und Gestöhn Entschul-
digungen und Gefühle größter Dankbarkeit zum Ausdruck
brachten.

Die junge Frau hieß Donna, und die beiden waren unterwegs
zu irgendeinem Ort mit einem gräßlichen Namen – Turkey Balls
Falls oder Coon Slick oder so ähnlich, ungefähr achtzig Kilometer von hier, aber sie würden uns in Hiawassee absetzen, wenn
wir vorher nicht alle tot im Straßengraben landeten. Darren raste
mit 200 Stundenkilometern, nur einen Finger am Steuer, wippte
dabei mit dem Kopf zu irgendeinem Rhythmus, während Donna
sich umdrehte, um sich mit uns zu unterhalten. Sie war umwerf-
end hübsch, hinreißend hübsch.

»Ihr müßt schon entschuldigen. Wir beide feiern gerade.« Sie
hob ihren Plastikbecher hoch, wie um uns zuzuprosten.

»Was wird denn gefeiert?« fragte Katz.

»Wir wolln morgen heiraten«, verkündete sie stolz.

»Nicht möglich«, sagte Katz. »Meinen Glückwunsch.«

»Ja, ja. Darren macht eine anständige Frau aus mir.« Sie wuschelte in seinem Haar, beugte sich dann spontan zur Seite und gab ihm einen Kuß auf die Wange, der immer ausdauernder wurde, dann eindringlicher, dann eindeutig lüstern und seinen krönenden Abschluß in einem ruckartigen Vorstoß ihrer Hand an eine gewagte Stelle fand – jedenfalls vermuteten wir das, denn Darren stieß mit dem Kopf an die Decke und machte einen kurzen, nervenaufreibenden Ausflug auf die Gegenfahrbahn. Donna drehte sich daraufhin mit einem verträumten, unverfroren anzüglichen Grinsen zu uns um, als wollte sie sagen: Wer will als nächster? Es sah so aus, überlegten wir uns später, als hätte Darren alle Hände voll zu tun gehabt in dem Moment, aber wahrscheinlich lohnte sich die Mühe.

»Wollt ihr was trinken?« bot sie plötzlich an, griff die Flasche am Hals und suchte den Boden nach Bechern ab.

»Nein, danke«, sagte Katz. Es war eine Versuchung für ihn.

»Komm schon«, ermunterte sie ihn.

Katz hielt abwehrend die Hand hoch. »Ich bin geheilt.«

»Wirklich? Wie schön für dich. Trink einen drauf.«

»Nein, danke. Ich möchte nicht.«

»Was ist mit dir?« sagte sie zu mir.

»Nein, nein. Danke.« Ich hätte meine eingequetschten Arme sowieso nicht frei bekommen, selbst wenn ich gewollt hätte. Sie baumelten vor mir wie zwei schlaffe Gliedmaßen von einem Tyrannosaurus.

»Du bist aber nicht geheilt, oder?«

»Irgendwie schon.« Ich hatte beschlossen, für die Dauer unserer Tour aus Solidarität dem Alkohol zu entsagen.

Sie sah uns an. »Seid ihr Mormonen oder so?«

»Nein, nur Wanderer.«

Sie nickte bedächtig, gab sich damit zufrieden und trank einen Schluck. Dann brachte sie Darren wieder an die Decke.

Sie setzten uns vor Mull's Motel in Hiawassee ab, einem altertümlichen, nichtssagenden Haus, das offenkundig keiner Hotelkette angeschlossen war und das an einer Straßenecke unweit des Stadtzentrums lag. Wir dankten den beiden überschwenglich, machten ein bißchen Getue wegen dem Benzingeld, das wir ihnen geben wollten, das sie aber hartnäckig ablehnten, und sahen ihnen hinterher, als Darren, wie von einem Raketenwerfer abgefeuert, auf die befahrene Straße glitt. Ich bildete mir ein, daß er sich gerade wieder den Kopf an der Decke stieß, als das Auto hinter einer kleinen Anhöhe verschwand.

Dann standen wir mit unseren Rucksäcken allein da, auf dem leeren Parkplatz des Motels, in einer staubigen, verlorenen, sonderbaren Stadt im Norden von Georgia. Das Wort, das jedem Wanderer in den Sinn kommt, wenn er an Georgia denkt, heißt *Deliverance (Beim Sterben ist jeder der Erste)*, der Titel des Romans von James Dickey, der später in Hollywood verfilmt wurde. Es geht darin, wie Sie sich vielleicht erinnern, um vier Männer in den besten Jahren aus Atlanta, die übers Wochenende eine Kanufahrt auf dem fiktiven Cahulawassee River machen (dessen Vorbild, der Fluß Chattooga, verläuft in der Nähe) und völlig aus der Bahn geworfen werden. »Hier hat jeder, den ich kennengelernt habe, in seiner Familie mindestens einen Verwandten im Gefängnis sitzen«, sagt eine der Figuren ahnungsvoll während der Hinfahrt. »Einige wegen Schwarzbrennerei, andere, weil sie das Zeug verhökern, aber die meisten sind wegen Mordes drin. Ein Menschenleben ist hier nicht viel wert.« Das erweist sich dann natürlich als zutreffend: Das muntere Quartett aus der Metropole wird nacheinander in den Arsch gefickt, von verrückten Hinterwäldlern gejagt und dann umgebracht.

Am Anfang des Romans gibt es eine Stelle, da halten die vier unterwegs an und fragen »in einer verschlafenen, von einer seltenen Krankheit befallenen, häßlichen Stadt« nach dem Weg. Diese Stadt hätte gut und gern Hiawassee sein können. Das Buch spielt jedenfalls in diesem Teil des Bundesstaates, und der Film wurde auch in dieser Gegend gedreht. Der berühmte Banjo spielende Albino, der in dem Film »Dueling Banjos« anstimmt, wohnt angeblich in Clayton, das nicht weit weg liegt.

Dickeys Buch hat bei seinem Erscheinen erwartungsgemäß heftige Kritik im Staat Georgia ausgelöst – ein Journalist meinte, es sei »die niederträchtigste Charakterisierung der Bergbewohner des Südens in der gesamten modernen Literatur«, was noch eine Untertreibung ist –, aber es läßt sich nun einmal nicht leugnen, daß die Menschen seit 150 Jahren von den Bewohnern des nördlichen Georgia geradezu entsetzt sind. Ein Chronist des 19. Jahrhunderts beschreibt die Leute als »groß gewachsene, hagere, leichenähnliche Kreaturen, melancholisch und träge wie gekochter Kabeljau«. Andere machen großzügigen Gebrauch von Wörtern wie »verdorben«, »grob«, »unzivilisiert« und »zurückgeblieben«, um das abgeschiedene, ungebildete Völkchen in den tiefen, finsteren Wäldern und hoffnungslosen Städtchen Georgias zu beschreiben. Dickey, der selbst aus Georgia stammte und die Gegend gut kannte, schwor Stein und Bein, daß es sich um eine zutreffende Beschreibung handelte.

Vielleicht lag es an dem nachhaltigen Eindruck, den das Buch hinterlassen hatte, vielleicht einfach an der Tageszeit, vielleicht auch daran, daß es ungewohnt war, wieder in einer Stadt zu sein, jedenfalls hatte Hiawassee etwas spürbar Merkwürdiges und Beunruhigendes an sich. Es war ein Ort, in dem es einen nicht sonderlich erstaunt hätte, an einer Tankstelle das Benzin von einem Zyklopen gezapft zu bekommen. Wir betraten den Empfangsraum des Motels, der mich eher an ein kleines schmuddeliges Wohnzimmer und nicht an ein Büro erinnerte, und fanden eine alte Frau vor, mit wuscheligem, weißen Haar und einem hellen Baumwollkleid, die auf einem Sofa neben der Tür saß. Sie schien sich über unseren Besuch zu freuen.

»Hi«, sagte ich. »Wir hätten gern ein Zimmer.«

Die Frau grinste und nickte.

»Eigentlich zwei Zimmer, wenn's geht.«

Die Frau grinste und nickte wieder. Ich wartete darauf, daß sie aufstand, aber sie rührte sich nicht.

»Für heute«, sagte ich aufmunternd. »Sie vermieten doch Zimmer, oder nicht?« Ihr Grinsen erweiterte sich zu einem Strahlen, und sie nahm meine Hand und hielt sie fest, ihre Finger fühlten sich knochig und kalt an. Sie sah mir erwartungsvoll und eindringlich in die Augen, als hoffe sie, daß ich gleich ein Stöckchen werfen würde, das sie holen sollte.

»Sag ihr, wir kämen aus der Wirklichkeit«, flüsterte mir Katz ins Ohr.

Im selben Moment öffnete sich mit Schwung eine Tür, und eine grauhaarige Frau, die ihre Hände an einer Schürze abtrocknete, kam herein.

»Es hat keinen Zweck, mit ihr zu reden«, sagte sie in freundlichem Tonfall. »Sie versteht nichts, und sie spricht nicht. Laß die Hand von dem Mann los, Mutter.« Die alte Frau strahlte sie an. »Du sollst die Hand von dem Mann loslassen!«

Meine Hand wurde freigegeben, und wir mieteten zwei Zimmer. Wir zogen mit den Schlüsseln los und vereinbarten, uns in einer halben Stunde wieder zu treffen. Mein Zimmer war schlicht und schäbig, jede nur denkbare Oberfläche, einschließlich Toilettenbrille und Türschwelle, verzierten Brandlöcher, und Wände und Decke waren übersät mit Flecken, was den Gedanken nahelegte, daß hier ein Streit stattgefunden hatte, bei dem es offenbar um Leben und Tod gegangen war und Unmengen heißen Kaffees eine Rolle gespielt haben mußten. Für mich jedenfalls war es das Paradies. Ich rief Katz an, aus purer Lust, mal wieder ein Telefon zu benutzen, und ich erfuhr, daß sein Zimmer noch schlimmer aussah. Wir waren hochzufrieden.

Wir duschten, zogen die letzten frischen Klamotten an, die wir hatten und begaben uns erwartungsvoll in ein beliebtes, nahegelegenes Bistro, das sich Georgia Mountain Restaurant nannte. Auf dem Parkplatz standen lauter Pick-up-Trucks, und drinnen saßen lauter Fleischklöpse mit Baseballmützen auf dem Kopf. Wenn ich in die Menge gerufen hätte: »Telefon für dich, Bubba!« es wäre bestimmt jeder zweite aufgesprungen. Das Georgia Mountain verfügte nicht gerade über eine Küche, für die sich eine Anreise gelohnt hätte, nicht mal innerhalb der Stadtgrenzen von Hiawassee, aber dafür war das Essen einigermaßen billig. Für

5,50 Dollar bekam man »Fleisch plus drei« – die Zahl bezog sich auf die Beilagen –, einen Gang ans Salatbüffet und Nachtisch. Ich bestellte gebratenes Hühnchen, Erbsen, Röstkartoffeln und »Ruterbeggars« (gelbe Kohlrüben, die korrekterweise »Rutabagas« geschrieben werden wie auf der Speisekarte zu lesen war). Die hatte ich noch nie probiert und werde sie wohl auch so schnell nicht wieder probieren. Wir aßen schmatzend und mit Lust und bestellten viel Eistee zum Runterspülen.

Der Nachtisch war natürlich der Höhepunkt. Jeder Wanderer auf dem Trail träumt unterwegs von irgendeinem Gericht, meist etwas Süßem, Klebrigem. Die Phantasie, die mich am Laufen hielt, rankte sich um ein überdimensionales Stück Kuchen. Es hatte mich tagelang beschäftigt, und als die Kellnerin jetzt kam, um unsere Bestellung aufzunehmen, bat ich sie mit einem flehenden Blick, wobei ich meine Hand auf ihren Unterarm legte, mir das größte Stück Kuchen zu bringen, das sie mir abschneiden konnte, ohne ihren Job zu riskieren. Sie brachte mir ein riesiges, pappiges, kanariengelbes Stück Zitronenkuchen. Es war ein wahres Monument der Lebensmittelindustrie, so knallgelb, daß man vom Anblick allein Kopfschmerzen bekam, so süß, daß es einem die Augäpfel in die Stirnhöhlen trieb – kurzum, es bot alles, was man von einem Kuchen dieser Sorte erwartete, solange man Geschmack und Qualität als Bewertungskriterien vernachlässigte. Ich wollte gerade herzhaft reinbeißen, als Katz sein langes Schweigen brach und mit großer Nervosität in der Stimme sagte: »Weißt du, was ich die ganz Zeit mache? Ich gucke alle paar Minuten zur Tür, um zu sehen, ob Mary Ellen hereinkommt.«

Ich hörte auf zu essen, die Gabel mit der fettglänzenden Masse auf halbem Weg zum Mund, und stellte mit beiläufigem Staunen fest, daß sein Nachtischteller bereits leer war. »Du willst mir doch nicht weismachen, daß sie dir fehlt, Stephen?« sagte ich und schob die Gabel dahin, wo sie hingehörte.

»Nein«, sagte er sauer. Er fand meine Frage überhaupt nicht komisch. Er rang nach Worten, um seinen komplizierten Gefühlen Ausdruck zu geben. »Ich finde, wir haben sie irgendwie sitzengelassen«, platzte er schließlich heraus.

Ich ließ mir den Vorwurf durch den Kopf gehen. »Eigentlich haben wir sie nicht irgendwie sitzengelassen. Wir haben sie sitzengelassen. Ganz einfach.« Ich war absolut nicht seiner Meinung. »Na und?«

»Ich habe irgendwie ein schlechtes Gefühl – nur irgendwie –, weil wir sie allein, auf sich gestellt, im Wald zurückgelassen haben.« Dann verschränkte er die Arme, als wollte er damit sagen: So, jetzt ist es raus.

Ich legte die Gabel beiseite und überlegte. »Sie ist doch auch allein losgegangen«, sagte ich. »Wir sind nicht für sie verantwortlich. Wir haben keinen Vertrag abgeschlossen, nach dem wir uns um sie zu kümmern hätten.«

Noch während ich das sagte, wurde mir mit schrecklicher, zunehmender Deutlichkeit klar, daß er recht hatte. Wir hatten Mary Ellen abgehängt und sie den Bären, Wölfen und geil lechzenden Bergbewohnern überlassen. Ich war dermaßen mit meiner eigenen wilden Gier nach Essen und einem richtigen Bett beschäftigt gewesen, daß mir nicht in den Sinn gekommen war, was unser plötzliches Verschwinden für sie bedeuten würde – eine Nacht allein zwischen rauschenden Bäumen, umgeben von Finsternis, die Ohren gezwungenermaßen gespitzt, auf das vielsagende Knacken eines Astes oder Zweiges unter einem schweren Fuß oder einer Tatze lauschend. So etwas gönnte ich keinem Menschen. Mein Blick fiel auf meinen Kuchen, und ich merkte, daß mir der Appetit vergangen war. »Vielleicht hat sie jemand anderen gefunden, mit dem sie ihr Lager teilen kann«, erwiderte ich lahm und schob den Teller von mir weg.

»Bist du heute unterwegs irgend jemandem begegnet?«

Er hatte recht. Wir hatten fast keine Menschenseele gesehen.

»Wahrscheinlich ist sie jetzt immer noch unterwegs«, sagte Katz mit einer Spur plötzlicher Aufregung. »Und fragt sich, wo wir beide bloß abgeblieben sind. Scheißt sich vor Angst in ihren Breitwandarsch.«

»Hör auf«, bat ich ihn mißgelaunt und schob den Teller mit dem Kuchen zerstreut noch ein Stück weiter von mir.

Er nickte, ein nachdrückliches, eifriges, selbstgerechtes Nikken und sah mich mit einer seltsam strahlenden Miene an, die besagte: Und wenn sie stirbt, dann geht das auf deine Kappe. Er hatte recht. Ich war der Rädelsführer in dieser Sache gewesen. Es war meine Schuld.

Dann beugte er sich weiter vor und sagte in einem völlig veränderten Tonfall: »Wenn du den Kuchen nicht mehr ißt – darf ich ihn dann haben?«

Am nächsten Morgen frühstückten wir gegenüber bei Hardees und ließen uns danach von einem Taxi an den Trail fahren. Von Mary Ellen war nicht mehr die Rede, wir redeten überhaupt nicht viel. Wenn wir einen Tag lang die Annehmlichkeiten einer Stadt genossen hatten, waren wir bei der Rückkehr zum Appalachian Trail immer mundfaul.

Es erwartete uns gleich ein steiler Anstieg, und wir gingen langsam, fast behutsam. Der erste Tag nach einer längeren Unterbrechung war immer schrecklich für mich. Für Katz dagegen war jeder Tag schrecklich. Mochte ein Stadtbesuch noch so erholsame Wirkung zeitigen, unterwegs verflüchtigte sie sich erstaunlich schnell. Nach zwei Minuten war es, als wären wir nie weg gewesen – eigentlich sogar noch schlimmer, weil man an einem normalen Wandertag nicht mit einem schweren, fettreichen Hardees-Frühstück im Bauch einen steilen Berg hinaufkraxeln würde, das einem jederzeit aus dem Gesicht zu fallen drohte.

Wir waren etwa eine halbe Stunde unterwegs, als uns ein Wanderer entgegenkam, ein ziemlich sportlicher Mann mittleren Alters. Wir erkundigten uns, ob er einer Frau namens Mary Ellen begegnet sei, rote Jacke, etwas lautes Stimmorgan.

Er zog ein Gesicht, als könnte er sich an eine solche Person erinnern, und sagte: »Ist das die Frau – ich will nicht unhöflich erscheinen – aber macht die immer so?« und er hielt sich die Nase zu und schnaubte ein paarmal hintereinander geräuschvoll.

Heftiges Kopfnicken unsererseits.

»Ja. Ich habe gestern abend mit ihr und noch zwei anderen Männern in der Plumorchard-Gap-Schutzhütte übernachtet.« Er sah uns mißtrauisch von der Seite an. »Ist das eine Freundin von euch?«

»Nein, nein«, erwiderten wir, verleugneten sie nach Kräften, was jeder vernünftige Mensch getan hätte. »Sie hatte sich uns für ein paar Tage angeschlossen.«

Er nickte verständnisvoll, dann grinste er. »Sie ist ein harter Brocken, was?«

Wir grinsten ebenfalls. »War es so schlimm?« sagte ich.

Er zog ein Gesicht, das höllische Qualen ausdrückte, dann schaute er plötzlich so, als würde er sich einen Reim auf etwas machen. »Ach, dann seid ihr die beiden, über die sie gesprochen hat.«

»Hat sie wirklich über uns gesprochen?« sagte Katz. »Was hat sie denn gesagt?«

»Ach, nichts weiter«, antwortete er und verkniff sich ein Lachen, das einem die nächste Frage abnötigte. »Was hat sie gesagt?«

»Nichts. Es war nichts.« Er lachte immer noch.

»Was denn nun?«

Er war unschlüssig. »Na gut. Sie hat gesagt, ihr beide wärt zwei fettleibige Nieten, die keine Ahnung vom Wandern hätten, und daß sie keine Lust mehr hätte, euch an die Hand zu nehmen.«

»Das hat sie gesagt?« fragte Katz empört nach.

»Ich glaube, sie hat euch sogar Schlappschwänze genannt.«

»Schlappschwänze?« wiederholte Katz. »Jetzt hätte ich erst recht Lust, sie umzubringen.«

»Es dürfte kein Problem sein, dafür Helfer zu finden«, sagte der Mann geistesabwesend, betrachtete kritisch den Himmel und fügte noch hinzu: »Es soll Schnee geben.«

Ich stöhnte kurz auf. Das hatte uns gerade noch gefehlt. »Wirklich? Viel?«

Er nickte. »15 bis 20 Zentimeter. Aber nur in den oberen

Kammlagen.« Er zog gleichmütig die Augenbrauen hoch, wie zur Bestätigung meiner genervten Reaktion. Schnee war nicht nur abschreckend, Schnee war gefährlich.

Er hing einen Augenblick der trüben Aussicht nach, dann sagte er: »Dann wollen wir mal wieder. Immer in Bewegung bleiben.« Ich nickte verständnisvoll. Dazu waren wir ja in den Bergen, um weiterzugehen, immer in Bewegung zu bleiben. Ich sah ihm nach und wandte mich Katz zu, der kopfschüttelnd dastand.

»Stell dir vor, so was sagt die über uns, nach allem, was wir für sie getan haben«, meinte er. Dann merkte er, daß ich ihn wütend anstarrte, und er preßte sich ein mühsames »Was ist?« heraus, und dann noch gepreßter: »Was ist?«

»Wehe, du vermiest mir noch einmal ein Stück Kuchen. Dann kannst du was erleben.«

Er zuckte mit den Schultern. »Na gut, in Ordnung. Meine Güte«, sagte er und trottete weiter.

Ein paar Tage später erfuhren wir, daß Mary Ellen aus dem Rennen war. Sie hatte sich bei dem Versuch, 56 Kilometer in zwei Tagen zurückzulegen, Blasen gelaufen. Schwerer Fehler.

6. Kapitel

Geht man zu Fuß durch die Welt, nimmt man Entfernungen vollkommen anders wahr. Ein Kilometer ist ein Spaziergang, zwei Kilometer sind ein weiter Weg, zehn Kilometer ein ordentlicher Marsch, und 50 Kilometer liegen fast jenseits der Vorstellungskraft. Die Welt wird, das merkt man schnell, zu einem Riesenreich, das nur Sie und die kleine Schar Ihrer Mitwanderer kennen. Globales Denken heißt Ihr kleines Geheimnis.

Außerdem ist das Leben einfach und geregelt. Zeit hat nicht die geringste Bedeutung mehr. Wenn es dunkel wird, legt man sich schlafen, wenn es hell wird, steht man auf, und alles, was dazwischen liegt, ist das, was dazwischen liegt. Mehr nicht. Es ist herrlich. Wirklich, glauben Sie mir. Man hat keine Termine, keine Bindungen, keine Verpflichtungen und keine Aufgaben, man hat auch keine besonderen Ambitionen, man hat nur die kleinsten, schlichtesten Wünsche, die sich leicht erfüllen lassen. Man existiert in einem Zustand der gelassenen Langeweile, der keine Aufgeregtheit etwas anhaben kann, »endlos fern von den Stätten des Streits«, wie es einer der früheren Forscher und Pflanzenkundler, William Bartram, ausdrückte. Das einzige, was einem abverlangt wird, ist die Bereitschaft weiterzutrotten.

Eile ist völlig fehl am Platz, weil man nirgendwo hin muß. Egal, wie weit oder lange man wandert, man ist immer am gleichen Ort, im Wald. Da war man gestern, und da wird man morgen wieder sein. Der Wald ist grenzenlos in seiner Einzigartigkeit. Hinter jeder Wegbiegung eröffnet sich ein Ausblick, der sich von allen vorherigen nicht unterscheidet, und ein Blick in die Baumkronen bietet immer das gleiche Gewirr. Es könnte passieren, daß man sinnlos im Kreis geht, man würde es nicht merken. Aber eigentlich wäre das auch egal.

Es gibt Momente, da ist man sich fast sicher, diesen einen Hügel vor drei Tagen schon mal hinaufgekraxelt zu sein, jenen Bach gestern schon mal überquert zu haben, und über diesen gestürzten Baum heute mindestens schon zweimal gestiegen zu sein. Aber meistens kommt man gar nicht zum Denken. Es hat keinen Sinn. Statt dessen befindet man sich in einem Zustand, den man als Zen der Bewegung bezeichnen könnte. Der Verstand ist wie ein Fesselballon mit Seilen angebunden und begleitet den restlichen Körper nur, ist aber kein Teil von ihm. Das stundenlange, kilometerweite Gehen wird zu einer automatischen Angelegenheit, es geschieht fast ohne daß man es bemerkt, wie das Atmen. Am Ende des Tages denkt man nicht: »Mensch, heute habe ich 25 Kilometer geschafft«, genauso wenig wie man denkt: »Heute habe ich achttausendmal ein- und ausgeatmet.« Man macht es einfach. Punkt.

Und so marschierten wir also, Stunde um Stunde, über Hügel und Berge, wie auf einer Achterbahn, messerscharfe Kämme entlang und über grasbewachsene Kuppen, durch unermeßlich tiefe Wälder – Eiche, Esche, Kastanie und Fichte. Der Himmel wurde düsterer und die Luft kühler, aber erst am dritten Tag setzte der Schneefall ein. Es fing morgens an, mit einzelnen hauchzarten Flocken, kaum wahrnehmbar. Dann kam Wind auf, und noch mehr Wind, bis er mit einer das Weltende ankündigenden Macht wehte, die selbst die Bäume in Angst und Schrecken versetzte. Mit dem Wind kam der Schnee, riesige Mengen. Um die Mittagszeit mußten wir gegen einen kalten, scharfen, wütenden Sturm ankämpfen, und kurz danach gelangten wir an ein schmales Gesims, über das der Weg eine Felswand entlang führte, Big Butt Mountain.

Selbst bei idealen Wetterbedingungen erfordert der Pfad um den Big Butt viel Vorsicht und Geschick. Er sieht aus wie eine Fensterbank an einem Hochhaus, ist knapp 40 Zentimeter breit, an manchen Stellen bröckelig, zur einen Seite tut sich ein jäher Abgrund von etwa 25 Meter auf, zur anderen ragt eine bedrohlich steile Granitwand auf. Ein paarmal trat ich fußgroße Steinbrocken los und sah mit lähmendem Entsetzen, wie sie in die tiefsten Tiefen hinunterkrachten, ihren ewigen Ruhestätten entgegen. Der Pfad war mit Steinen gepflastert, durchwirkt von mäandernden Baumwurzeln, gegen die man fortwährend stieß oder über die man stolperte, und die, verdeckt unter einer Schicht Pulverschnee, von einer spiegelblanken Eisschicht überzogen waren. In häufigen, ermüdenden Abständen wurde der Weg von tiefen Bächen mit steinigem Grund gekreuzt, die zugefroren und vom Eis wie geriffelt waren und die man nur auf allen vieren überqueren konnte. Während der ganzen Zeit, in der wir diese irrsinnig schmale, gefährliche Kante entlanggingen, waren wir vom Schneegestöber wie geblendet und wurden von Windböen, die zwischen den schwankenden Bäumen pfiffen und uns an den Rucksäcken packten, beinahe umgestoßen. Das war kein Schneesturm, das war ein Schneegewitter. Wir kamen nur mit äußerster Behutsamkeit vorwärts, setzten den führenden Fuß erst ganz auf, bevor wir den hinteren hoben. Dennoch stieß Katz zweimal aus tiefster Seele comichafte Schreckenslaute von sich – Neihhhn! und Buahhh! –, als er nämlich den Halt verlor und ich mich umdrehte und sah, daß er mit angstgeweiteten Augen einen Baum umklammert hielt und mit strampelnden Füßen halb in der Luft hing.

Es war nervenaufreibend. Wir brauchten zwei Stunden für 100 Meter. Als wir endlich wieder festen Boden unter den Füßen hatten, in Bearpen Gap, lag der Schnee über zehn Zentimeter hoch, und es schneite immer noch. Die ganze Welt war weiß und voller münzengroßer Flocken, die schräg zur Erde fielen, bevor sie vom Wind aufgewirbelt und in alle Richtungen verweht wurden. Die Sichtweite betrug knapp fünf Meter, häufig nicht einmal das.

Der Pfad kreuzte eine Forststraße und führte dann direkt den Albert Mountain hinauf, einem steinigen Gipfel, 1.600 Meter über dem Meeresspiegel. Unten wehte ein heftiger und wütender Wind, der mit ohrenbetäubendem Sausen auf den Berg traf, so daß wir uns anbrüllen mußten, um uns zu verständigen. Wir kletterten ein Stück weit hinauf und zogen uns schleunigst wieder zurück. Mit einem schweren Rucksack hat man bestenfalls keinen richtigen Schwerpunkt, aber wir wurden hier beinahe im wahrsten Sinne des Wortes vom Winde verweht. Verwirrt standen wir am Fuß des Gipfels und sahen uns an. Es war wirklich eine prekäre Lage. Wir saßen fest zwischen einem Berg, den wir nicht erklimmen konnten, und einem Sims, über das wir auf keinen Fall zurückgehen wollten. Die einzige Möglichkeit, die uns blieb, war, unsere Zelte aufzuschlagen – wenn das bei dem Wind überhaupt möglich war –, hineinzukriechen und das Beste zu hoffen. Ich will nicht übertreiben, aber es sind schon Menschen unter weniger dramatischen Umständen umgekommen.

Ich setzte meinen Rucksack ab und suchte die Wanderkarte. Die Karten für den Appalachian Trail sind dermaßen unbrauchbar, daß ich längst aufgegeben hatte, sie zu Rate zu ziehen. Es gibt Unterschiede, aber die meisten sind unergründlicherweise im Maßstab 1 : 100.000 gezeichnet, wodurch 1.000 Meter im Gelände auf der Karte zu einem einzigen Zentimeter schrumpfen. Stellen Sie sich einen Quadratkilometer Landschaft vor, und dazu alles, was sich auf dem Gebiet befindet – Forstwege, Bäche, ein oder zwei Gipfel, vielleicht ein Feuerwachturm, eine Kuppe, eine grasbewachsene kahle Erhebung, der Appalachian Trail, und möglicherweise noch ein oder zwei Nebenwanderwege –, und nun versuchen Sie mal, diese ganze Information auf einer Fläche von der Größe eines Fingernagels unterzubringen. So sind die Karten für den AT.

Eigentlich ist es sogar noch schlimmer, denn die AT-Karten sind aus mir völlig unverständlichen Gründen viel unvollständiger in den Details, als nach dem ohnehin dürftigen Maßstab nötig wäre. Von den zwölf oder noch mehr Gipfeln, die man auf zehn bis 15 Kilometern des Weges überquert, benennt die Karte vielleicht gerade mal drei. Täler, Seen, Schluchten, Bäche und andere wichtige, möglicherweise lebenswichtige topographische Merkmale bleiben notorisch unbezeichnet. Die Straßen und Wege des Forest Service sind oft nicht eingezeichnet, und wenn doch, dann sind sie uneinheitlich dargestellt. Selbst Nebenwege werden häufig ausgelassen. Es gibt keine Koordinaten und somit keine Möglichkeit, im Notfall Retter an eine bestimmte Stelle zu dirigieren, und es finden sich keine Hinweise auf Städte, die unmittelbar jenseits des Kartenrandes liegen. Mit einem Wort, die AT-Karten sind absolut untauglich.

Unter normalen Umständen wäre das nur ärgerlich. Jetzt aber, in einem Schneesturm, grenzte es an Fahrlässigkeit. Ich zerrte die Karte aus meinem Rucksack und mußte schwer gegen den Wind ankämpfen, um einen Blick auf sie werfen zu können. Der Weg war als rote Linie eingezeichnet. In ihrer Nähe befand sich eine dicke schwarze Linie, die nach meiner Einschätzung der Forstweg des Forest Service sein mußte, neben dem wir standen, aber das ließ sich nicht mit letzter Sicherheit sagen. Nach der Karte zu urteilen, fing der Forstweg, wenn es denn einer war, mitten im Wald an und endete nach ungefähr zehn Kilometern ebenfalls mitten im Wald, was nun wirklich eindeutig unsinnig war, ja unmöglich. Eine Straße kann schlecht mitten im Nichts anfangen, die Straßenbaumaschinen fallen ja nicht vom Himmel. Und selbst wenn man eine Straße baute, die ins Nichts führte – wieso? Irgend etwas war faul an dieser Karte.

»Hat mich elf Dollar gekostet«, sagte ich zu Katz und wedelte ihm dabei wütend mit der Karte vor der Nase herum, faltete sie dann wieder einigermaßen flach zusammen und steckte sie in die Tasche.

»Was sollen wir machen?« fragte er.

Ich seufzte unsicher, zog dann wieder die Karte hervor und studierte sie noch mal. Ich schaute von der Karte hoch auf den Forstweg und wieder zurück. »Es sieht so aus, als würde der Forstweg um den Berg herumführen und auf der anderen Seite wieder auf den Wanderweg stoßen. Wenn das stimmt – und wenn wir ihn finden, dann könnten wir zu der Schutzhütte gehen, die sich an der Stelle befindet. Und wenn wir nicht auf den Weg stoßen – ich weiß nicht – ich finde, dann sollten wir den Forstweg lieber bergab gehen und uns auf niedrigerer Höhe einen windgeschützten Platz zum Zelten suchen.« Ich zuckte hilflos mit den Achseln. »Ich weiß auch nicht. Was meinst du?«

Katz sah in den Himmel, beobachtete die tanzenden Schneeflocken. »Also wenn du mich fragst«, sagte er nachdenklich, »ich würde mich jetzt gern lange und ausgiebig in einem Whirlpool rekeln. Danach hätte ich gern ein saftiges Steak, dazu eine Folienkartoffel mit viel Sahnesoße, becherweise Sahnesoße, und dann eine heiße Nacht mit den Cheerleadern der Dallas Cowboys auf einem Tigerfell vor einem knisternden Kaminfeuer, so einem riesigen Kamin aus Stein, wie sie immer in den Skihotels stehen. Weißt du, welche ich meine?« Er sah mich fragend an. Ich nickte. »Also, das würde ich jetzt machen. Aber wenn du meinst, das, was du vorschlägst, würde mehr Spaß machen, bin ich gerne bereit, darauf einzugehen.« Er zupfte sich eine Schneeflocke von der Augenbraue. »Außerdem wäre es schade, wenn wir diesen ganzen herrlichen Schnee verpassen würden.« Er stieß ein kurzes, bitteres Lachen aus und wandte sich wieder dem irren Schneetreiben zu. Ich setzte meinen Rucksack auf und folgte ihm.

Wir stapften den Forstweg hoch, tiefer gebeugt, vom Wind gepeitscht. An den Stellen, wo der Schnee liegenblieb, war er naß und schwer und türmte sich immer höher, so daß es bald unmöglich sein würde weiterzugehen und wir Schutz suchen mußten, ob wir wollten oder nicht. Es gab nichts, wo man ein Zelt hätte aufschlagen können, bemerkte ich mit Besorgnis, zu beiden Seiten nur steiler, bewaldeter Hang. Über eine lange Strecke, länger als er laut Karte sein sollte, verlief der Forstweg schnurgerade. Selbst wenn er weiter vorn auf den Wanderweg abbog, gab es keine Gewißheit – nicht mal eine Wahrscheinlichkeit –, daß wir den Trail auch tatsächlich finden würden. Mitten im Wald und bei dem Schnee konnte man wenige Meter neben dem Trail stehen und ihn trotzdem nicht sehen. Es wäre der reine Wahnsinn gewesen, den Forstweg zu verlassen und den Wanderweg zu suchen. Andererseits war es wahrscheinlich genauso wahnsinnig, dem Forstweg bei Schneesturm bis in höchste Lagen zu folgen.

Ganz allmählich, und schließlich deutlich erkennbar, fing der Weg an, um den Berg herum zu führen. Nachdem wir uns ungefähr eine Stunde lang schwerfällig durch immer tieferen Schnee vorgearbeitet hatten, kamen wir an eine flache Stelle, wo der Wanderweg – jedenfalls irgendein Wanderweg – auf der Rückseite des Albert Mountain auftauchte und weiter in ein ebenes Waldgebiet führte. Ich sah verdutzt und wütend auf meine Karte. Sie enthielt keinerlei Hinweis auf diese Stelle, aber dann entdeckte Katz eine weiße Markierung 15 Meter weiter zwischen den Bäumen, und wir schrien vor Freude. Wir hatten den Appalachian Trail wiedergefunden. Nur ein paar hundert Meter weiter befand sich eine Schutzhütte. Der Wandergott war uns noch einmal gnädig gewesen.

Der Schnee reichte uns schon bis zu den Knien, und wir waren müde. Wir staksten durch die weiße Pracht, so gut es ging, und Katz schrie noch einmal vor Freude auf, als wir an ein Hinweisschild kamen, das an einem Ast befestigt war und auf einen Weg zum *Big Spring Shelter* hinwies. Die Schutzhütte, eine einfache Holzkonstruktion, zu einer Seite offen, stand auf einer verschneiten Lichtung, einem traumhaften Winterwunderland, gut 100 Meter neben dem Hauptwanderweg. Selbst aus der Entfernung konnten wir erkennen, daß die offene Seite dem Wind zugekehrt war und daß eine Schneewehe bis zum Rand des Schlafpodestes reichte. Wenn schon nicht mehr, dann bot die Hütte wenigstens eine Zuflucht.

Wir überquerten die Lichtung, setzten unsere Rucksäcke auf dem Podest ab und sahen im selben Moment, daß noch zwei andere Menschen da waren – ein Mann und ein etwa 14 Jahre alter Junge. Jim und Heath, Vater und Sohn, kamen aus Chattanooga, und die beiden waren gutgelaunt, freundlich und ließen sich nicht im mindesten von dem Wetter abschrecken. Sie seien nur für eine Wochenendtour hergekommen, sagten sie uns (ich hatte gar nicht gemerkt, daß Wochenende war), und wußten, daß das Wetter schlimm werden würde, deswegen waren sie entsprechend ausgerüstet. Jim hatte eine große Plastikfolie gekauft, mit der sonst

Maler den Boden auslegen, und versuchte gerade, damit die offene Vorderfront abzudichten. Katz eilte zur Hilfe, was ganz untypisch für ihn war. Die Plastikfolie reichte nicht, aber dann fanden wir heraus, daß sie, verknüpft mit einem unserer Zeltböden, doch die gesamte Front abdeckte. Der Wind brauste hart gegen die Folie, und gelegentlich riß sie sich teilweise los, dann flatterte und knatterte sie, klatschte zurück, was sich wie ein Pistolenschuß anhörte, bis einer von uns aufsprang und sie unter Mühen wieder festband. Die ganze Schutzhütte war sowieso unglaublich zugig, in den seitlichen Holzplanken und den Bodendielen waren Risse, durch die eisiger Wind pfiff und ab und zu eine Schneeböe; trotzdem war es natürlich viel gemütlicher als draußen.

Wir schufen uns ein kleines Zuhause, breiteten unsere Isomatten und Schlafsäcke aus, zogen alle Ersatzkleider an, die wir dabeihatten und bereiteten unser Essen im Liegen zu. Sehr bald setzte die Dämmerung ein, die die Wildnis draußen noch undurchdringlicher erscheinen ließ. Jim und Heath hatten Schokoladenkuchen dabei, den sie mit uns teilten (ein himmlisches Vergnügen), danach richteten wir vier uns auf eine lange, kalte Nacht auf hartem Holzboden ein und lauschten dem geisterhaften Wind und seinem wütenden Zerren an den Ästen.

Als ich aufwachte, herrschte reine Stille um mich herum, eine Stille, die einen zwingt, sich aufzurichten und sich erstmal zu orientieren. Die Plastikfolie vor mir war ungefähr ein Fußbreit hochgeschlagen, und ein schwaches Licht erfüllte den Raum dahinter. Der Schnee reichte fast bis zum Podest und lag am Fußende meines Schlafsacks ein paar Zentimeter hoch. Ich bewegte die Beine und schüttelte ihn damit ab. Jim und Heath rumorten bereits. Katz schlief noch tief und fest, einen Arm quer über der Stirn, den Mund weit aufgerissen, wie ein großes Loch. Es war noch keine sechs Uhr.

Ich beschloß aufzustehen und das Gelände zu erkunden, um zu sehen, ob wir nicht etwa in einer Falle saßen. Am Rand des Podestes zögerte ich, dann sprang ich hinunter in die Schneeverwehung – sie reichte mir bis zur Taille, und meine Augen weiteten sich vor Schreck, als der Schnee ins Hosenbein geriet und auf die nackte Haut kam – und kämpfte mich vor bis zur Lichtung, wo der Schnee nicht ganz so tief war. Selbst an geschützten Stellen, unter einem Dach aus Nadelbäumen, lag der Schnee kniehoch, und es war mühsam, sich einen Weg zu bahnen. Der Anblick war trotzdem überwältigend. Jeder Baum trug einen dicken weißen Pelz, jeder Stumpf und Stein ein flottes Schneehütchen, und es herrschte jene phantastische Stille, die sich nur in einem großen verschneiten Wald einstellt. Hier und da plumpsten Schneeklumpen von den Zweigen, aber sonst gab es kein Geräusch und keine Bewegung. Ich folgte dem Seitenweg unter den schwer beladenen, tiefhängenden Ästen bis zu der Kreuzung, an der er auf den Trail traf. Der AT lag unter einer dicken Schneedecke, rundlich und bläulich, ein langes, schummriges Gewölbe aus Rhododendren. Das sah nach einem höchst beschwerlichen Weg aus. Ich stapfte ein paar Meter vor, um zu testen, wie es sich ging. Es sah nicht nur so aus, es war tatsächlich ein höchst beschwerlicher Weg.

Als ich wieder zur Hütte kam, war Katz aufgestanden, bewegte sich langsam, gab sich dem allmorgendlichen Stöhnen und Räkeln hin. Jim studierte seine Karten, die viel genauer waren als meine. Ich hockte mich neben ihn, und er machte Platz, damit ich auch etwas sehen konnte. Bis Wallace Gap und zu einer asphaltierten Straße, der alten U.S. 64, waren es 9,8 Kilometer. Anderthalb Kilometer weiter die Straße entlang lag der Rainbow Spring Campground, ein Campingplatz mit Duschen und einem Laden. Ich hatte keine Ahnung, wie schwierig es sein würde, zehn Kilometer durch den tiefen Schnee zu wandern, und ich konnte auch nicht darauf bauen, daß der Platz zu dieser Jahreszeit bereits geöffnet war. Dennoch war klar, daß diese Schneemassen in den kommenden paar Tagen nicht schmelzen würden, und irgendwann mußten wir ja sowieso gehen, warum dann nicht gleich jetzt, wo es noch hübsch und ruhig war. Wer weiß, was passieren würde, wenn ein neuer Schneesturm einsetzte und wir dann erst recht aufgeschmissen wären.

Jim hatte beschlossen, daß er und Heath uns die ersten paar Stunden begleiten und dann auf einen Nebenwanderweg abbiegen würden, den Long Branch, der auf 2,7 Kilometern steil in eine Schlucht hinabführte und an einem Parkplatz endete, auf dem sie ihren Wagen abgestellt hatten. Jim war den Long Branch Trail bereits mehrere Male entlanggewandert und wußte, was auf ihn zukam. Trotzdem gefiel mir schon der Name nicht, und ich fragte Jim zögerlich, ob es wirklich gut sei, einen wenig benutzten Nebenweg zu gehen, unter wer weiß was für Bedingungen, wo niemand sie finden würde, wenn er und sein Sohn in Gefahr gerieten. Katz pflichtete mir zu meiner Erleichterung bei. »Auf dem AT sind wenigstens immer noch andere Leute«, sagte er. »Auf den Nebenwegen weiß man nie, was einem passieren kann.« Jim überlegte kurz und sagte, sie würden zurückkommen, wenn es zu brenzlig werden würde.

Katz und ich gönnten uns zwei Tassen Kaffee, um warm zu werden, und Jim und Heath gaben uns von ihren Haferflocken ab, was Katz in Hochlaune versetzte. Dann machten wir uns alle vier auf den Weg. Es war kalt, und das Gehen fiel schwer. Das Gewölbe aus tiefhängenden Rhododendronbüschen, das sich über lange Wegstrecken hinzog, war zwar ausnehmend hübsch anzusehen, aber wenn der Rucksack die Zweige streifte, entluden sich Schneemassen auf unsere Köpfe und rutschten in den Nacken hinunter. Die drei Erwachsenen gingen abwechselnd voran, denn die erste Person bekam immer das meiste ab und mußte zudem noch die Spur im Schnee austreten, was ziemlich anstrengend war.

Der Long Branch Trail führte steil zwischen Fichten bergab, für mein Empfinden zu steil, um ihn wieder hochzuklettern, wenn sich der Weg als unpassierbar erwies, und so sah er aus. Katz und ich bedrängten Jim und Heath, sich die Sache noch einmal zu überlegen, aber Jim meinte, der Weg ginge nur bergab und sei gut markiert und er sei sicher, daß nichts passieren werde. »Wißt ihr, was heute für ein Tag ist?« sagte Jim plötzlich und lieferte auch gleich die Antwort, als er unsere fragenden Mienen sah. »Der 21. März.«

Unsere Mienen blieben unverändert.

»Frühlingsanfang«, sagte er.

Wir mußten über diese Ironie des Schicksals lachen, dann gaben wir uns die Hand, wünschten uns gegenseitig gutes Gelingen und trennten uns. Katz und ich stiefelten noch drei Stunden schweigsam durch den kalten, verschneiten Wald und wechselten uns beim »Schneepflügen« ab. Gegen ein Uhr kamen wir schließlich an die alte U.S. 64, eine abgeschiedene, stillgelegte zweispurige Straße quer durch die Berge. Sie war nicht geräumt worden, und man sah keine Reifenspuren. Es fing wieder an zu schneien, und die Flocken fielen ganz gleichmäßig, was sehr hübsch aussah. Wir folgten der Straße Richtung Campingplatz und waren gerade einige hundert Meter weit gegangen, als wir hinter uns das knirschende Geräusch eines schweren Kraftfahrzeuges vernahmen, das sich vorsichtig seinen Weg durch den Schnee bahnte. Wir drehten uns um und sahen ein großes jeepähnliches Gefährt auf uns zurollen. Das Fenster an der Fahrertür glitt herunter. Es waren Jim und Heath. Sie wollten uns nur Bescheid geben, daß sie es geschafft hatten, und sie wollten wissen, wie es uns ergangen sei. »Wir können euch zum Campingplatz mitnehmen, wenn ihr möchtet«, sagte Jim.

Wir stiegen dankbar ein, verschmutzten das schöne Auto mit reichlich Schnee und fuhren zum Campingplatz. Jim sagte uns, daß sie auf der Hinfahrt an dem Platz vorbeigekommen seien und daß es so ausgesehen habe, als sei geöffnet, aber daß sie uns bis zur nächsten Stadt, Franklin, bringen würden, wenn er geschlossen wäre. Sie hatten schon den Wetterbericht gehört. Für die nächsten Tage war noch mehr Schnee angekündigt.

Die beiden setzten uns am Campingplatz ab – er war tatsächlich geöffnet – und winkten zum Abschied. Rainbow Springs war ein kleiner privater Platz mit mehreren Hütten zum Übernachten, einem Waschraum und einigen Nebengebäuden, die verstreut um einen größeren, ebenen, offenen Platz herum gruppiert waren, der wohl für Campingbusse und Wohnmobile gedacht war. In einem alten weißen Haus am Eingang war das Büro untergebracht, das gleichzeitig Haushaltswarenladen und Lebensmittelgeschäft war. Wir traten ein und stellten fest, daß alle Wanderer, denen wir auf den letzten 30 Kilometern begegnet waren, sich bereits eingefunden hatten; die meisten hockten um einen großen Holzofen herum, wärmten sich, aßen Chili oder leckten Eis, hatten rote Backen und sahen proper aus. Drei oder vier von ihnen kannten wir schon. Die Betreiber des Campingplatzes waren Buddy und Jensine Crossman, die einen angenehmen und freundlichen Eindruck machten, und wenn es nur daran lag, daß die Geschäfte im Monat März selten so gut liefen wie in diesem Jahr. Ich erkundigte mich nach einer Hütte.

Jensine drückte ihre Zigarette aus und lachte über meine naive Frage, was gleich einen kleinen Hustenanfall bei ihr auslöste. »Die Hütten sind seit zwei Tagen ausgebucht, mein Lieber. In der Schlafbaracke sind noch zwei Plätze frei. Alle, die danach kommen, müssen auf dem Boden schlafen.«

Schlafbaracke ist kein Wort, das man in meinem Alter besonders gern hört, aber uns blieb keine andere Wahl. Wir trugen uns ins Gästebuch ein, bekamen zwei sehr kleine, bretthbarte Handtücher und stapften über den Platz unserem Quartier entgegen, gespannt, was man für elf Dollar erwarten durfte. Die Antwort lautete: am besten gar nichts.

Das Barackenlager war so spartanisch und häßlich, daß einem gruselte. Der Raum wurde beherrscht von zwölf schmalen Schlafkojen aus Holz, jeweils drei übereinander. Auf jeder Koje lag eine dünne, nackte Matratze und ein schmuddeliges, mit Schaumstoffschnipseln gefülltes Kissen ohne Bezug. In einer Ecke stand ein leise vor sich hin zischender Kanonenofen, von einem Halbkreis ausgelatschter Wanderschuhe umstellt und mit nassen Wollsocken behängt, von denen üble Dämpfe aufstiegen. Ein kleiner Holztisch und zwei kaputte Sessel, aus denen die Polsterung hervorquoll, vervollständigten das Mobiliar. Überall lagen Sachen herum – Zelte, Kleider, Rucksäcke, Regenhauben – zum Trocknen aufgehängt, träge tropfend. Der Boden war aus nacktem Beton, die Wände aus nicht isolierten Spanplatten. Es war das Gegenteil von einladend, etwa so, als würde man in einer Garage campen.

»Willkommen im Gulag«, sagte ein Mann mit einem ironischen Grinsen und britischem Akzent. Er hieß Peter Fleming, war Dozent in New Brunswick und für eine Woche zum Wandern in den Süden gekommen, aber dann, wie wir alle, vom Schnee überrascht worden. Er stellte uns die anderen vor – jeder grüßte mit einem freundlichen, aber abwesenden Nicken – und deutete auf die beiden freien Betten, eins ganz oben, fast unter der Decke, das andere ganz unten, am anderen Ende des Raums.

»Rot-Kreuz-Päckchen werden jeden letzten Freitag im Monat ausgegeben, und heute abend um 19 Uhr trifft sich das Ausbruchskomitee zur Lagebesprechung. Mehr braucht ihr vorerst nicht zu wissen.«

»Und bestellt bloß nicht das Philly-Sandwich, wenn ihr nicht die ganze Nacht kotzen wollt«, tönte eine schwache, aber aufrichtige Stimme von einer finsteren Koje in der Ecke.

»Das ist Tex«, erklärte Fleming. Wir nickten.

Katz suchte sich das oberste Bett aus und begab sich an die langwierige, herausfordernde Aufgabe, es zu erklimmen. Ich ging zu meiner eigenen Koje und untersuchte sie fasziniert und angewidert zugleich. Nach den Flecken auf der Matratze zu urteilen, hatte der letzte Benutzer nicht an Inkontinenz gelitten, sondern sich vielmehr ihrer erfreut. Offenbar hatte er das Kissen in seine Freuden mit einbezogen. Ich nahm es in die Hand und roch daran, was ich lieber hätte bleiben lassen sollen. Ich breitete meinen Schlafsack aus, hängte ein Paar Socken über den Ofen und noch ein paar andere Sachen zum Trocknen auf, setzte mich dann auf die Bettkante und verbrachte eine gemütliche halbe Stunde gemeinsam mit dem Rest der Stube damit, Katz bei seinem verbissenen Kampf, in die Koje zu gelangen, zuzuschauen. Es wurde alles geboten, tiefes Grunzen, zappelnde Beine, Flüche und Aufforderungen an die Zuschauer, sie könnten ihn gefälligst mal am Arsch lecken. Ich konnte von meinem Platz aus allerdings nur seinen enormen Hintern und seine Gliedmaßen erkennen.

Seine Haltung ließ an einen Schiffbrüchigen denken, der sich an einem in der rauhen See treibenden Wrackteil festhielt, oder an jemanden, der von einem Wetterballon, den er gerade hatte starten wollen, unerwarteterweise in die Luft hochgehoben worden war – auf alle Fälle an jemand, der sich in einer gefährlichen Situation ans Leben klammerte. Ich packte mein Kissen, ging zu ihm und fragte ihn, warum er nicht einfach mein Bett nahm.

Sein Gesicht war erhitzt und zerfurcht, ich bin mir nicht einmal sicher, ob er mich in diesem Moment erkannte. »Weil Wärme nach oben steigt, deswegen«, sagte er, »und wenn ich oben bin – falls es je dazu kommen sollte –, dann lasse ich mich schön rösten.« Ich nickte zustimmend – wenn Katz aus der Puste war oder sich in etwas verbissen hatte, war es sinnlos, vernünftig mit ihm zu diskutieren – und nutzte die Gelegenheit, heimlich unsere Kissen zu tauschen.

Als das Bild des Jammers einfach nicht mehr zu ertragen war, schubsten wir Katz zu dritt hoch. Er plumpste schwer auf, wobei die Holzbretter beängstigend knackten, was den armen stillen Mann in der Koje darunter in Panik versetzte. Dann verkündete Katz, er werde sich so lange nicht vom Fleck rühren, bis aller Schnee geschmolzen sei und der Frühling in den Bergen Einzug gehalten habe. Damit kehrte er uns den Rücken zu und schlief ein.

Ich stapfte durch den Schnee hinüber in den Waschraum, aus purer Lust, in eisiges Wasser zu patschen, begab mich dann zu dem Laden und lungerte mit einem halben Dutzend anderer Leute um den Ofen herum. Was sollte man sonst machen? Ich verdrückte zwei Teller Chili, die Spezialität des Hauses, und lauschte der allgemeinen Unterhaltung. Sie wurde zwar hauptsächlich von Buddy und Jensine bestritten, die über die Gäste des Vortags meckerten, aber es tat gut, mal andere Stimmen als die von Katz zu hören.

»Die hättet ihr mal sehen sollen«, sagte Jensine angewidert und zupfte sich einen Tabakkrümel von der Lippenspitze. »Kein Bitte, kein Danke. Nicht wie ihr, Leutchen. Ihr seid ja die reinste

Frischzellenkur dagegen, könnt ihr mir glauben. Und die Schlafbaracke haben sie in einen regelrechten Schweinestall verwandelt. Stimmt's, Buddy?« Sie gab das Kommando an Buddy weiter.

»Hat mich eine Stunde Saubermachen heute morgen gekostet«, sagte er verbittert. Die Bemerkung verblüffte mich, denn die Schlafbaracke sah aus, als hätte sie in den letzten 100 Jahren keinen Besen gesehen. »Auf dem Boden waren überall Pfützen, und einer, ich weiß nicht wer, hat ein verdrecktes altes Baumwollhemd dagelassen, das einfach ekelhaft war. Und obendrein haben sie alles Brennholz verbraucht. Gestern habe ich das Holz von drei Tagen Holzhacken reingeschafft, und die haben alle Scheite verbrannt.«

»Wir waren heilfroh, als sie abgehauen sind«, sagte Jensine. »Heilfroh. Die waren nicht wie ihr, Leutchen. Ihr seid ja die reinste Frischzellenkur dagegen, könnt ihr mir glauben.« Dann zog sie von dannen, weil das Telefon klingelte. Ich saß neben einem der drei Studenten von der Rutgers University, denen wir seit dem zweiten Tag immer wieder über den Weg gelaufen waren. Sie hatten jetzt eine Hütte für sich, aber die Nacht davor hatten sie in der Schlafbaracke verbracht. Er beugte sich zu mir herüber und raunte mir im Flüsterton zu: »Das gleiche hat sie gestern über die Leute gesagt, die vorgestern hier waren. Und morgen sagt sie das gleiche über uns. Gestern abend waren wir 15 in der Schlafbaracke.«

»15?« wiederholte ich entgeistert. Mit zwölf war es ja schon kaum noch erträglich. »Wo haben denn die überzähligen drei gepennt?«

»Auf dem Boden. Und mußten trotzdem die elf Dollar abdrücken. Wie schmeckt dir das Chili?«

Ich sah auf meinen Teller, als hätte ich mir noch keine Gedanken darüber gemacht, und es stimmte, ich hatte mir tatsächlich noch keine Gedanken über das Essen gemacht. »Eigentlich grauenvoll.«

Er nickte. »Warte ab, wenn du es erstmal zwei Tage hintereinander gegessen hast.«

Auf dem Weg zurück zur Schlafbaracke schneite es immer noch, allerdings nicht mehr so heftig. Katz war wach und schwer beschäftigt, rauchte eine geschnorrte Zigarette und bat die Leute, ihm verschiedene Sachen – Schere, Halstuch, Streichhölzer – heraufzureichen, wenn er sie brauchte, und sie ihm wieder abzunehmen, wenn er fertig war. Drei Leute standen am Fenster und sahen hinaus in den Schnee. Die Unterhaltung drehte sich ausschließlich ums Wetter. Schwer zu sagen, wann wir hier herauskämen. Es war unmöglich, sich nicht wie ein Gefangener zu fühlen.

Wir verbrachten eine miserable Nacht auf unseren Kojen, beim schwachen Licht der flackernden Glut im Ofen, den der schüchterne Mensch eifrig fütterte – er konnte oder wollte wegen der sich hin und her wälzenden Körpermasse von Katz, der die Bretter direkt über seinem Kopf durchbog, nicht schlafen. Man war eingelullt von einer Gemeinschaftssymphonie aus nächtlichen Geräuschen, Seufzern, müdem Ausatmen, schepperndem Schnarchen, dem ununterbrochenen Todesröcheln des Mannes, der das Philly-Sandwich mit Bratenaufschnitt und Käse gegessen hatte, und dem eintönigen Zischen des Ofens. Es war wie der Soundtrack zu einem alten Film. Wir wachten steif und unausgeschlafen bei einem trüben Tagesanbruch auf. Es schneite, und uns blieb nur die entmutigende Aussicht auf einen sehr langen Tag, an dem man nichts anderes machen konnte, als sich im Laden die Zeit zu vertreiben oder auf seiner Koje zu liegen und alte Ausgaben von *Reader's Digest* zu lesen, die ein kleines Regal neben der Tür füllten. Dann hieß es plötzlich, daß ein beflissener junger Mann namens Zack aus einer der Hütten sich irgendwie nach Franklin durchgeschlagen und einen Minibus gemietet hatte und anbot, uns für fünf Dollar pro Nase in die Stadt zu bringen. Es setzte eine regelrechte Massenflucht ein. Zum Leidwesen von Buddy und Jensine zahlten fast alle Gäste und brachen auf. 14 Leute quetschten sich in den Minibus und begaben sich auf die lange Fahrt nach Franklin, das tief unten in einem schneefreien Tal lag.

So kamen wir zu einem Kurzurlaub in Franklin, einem kleinen, trostlosen Ort, darauf bedacht, möglichst reizlos zu erscheinen, einem Ort, an dem man aus Mangel an anderer Zerstreuung die Männer im Sägewerk beim Verladen von Holzstämmen mit dem Gabelstapler beobachtet. Es gab nichts, aber auch gar nichts, keinen Laden, in dem man ein Buch hätte kaufen können, geschweige denn eine Zeitschrift, die nicht von Rennbooten, aufgemotzten Autos oder Waffen und Munition handelte. In dem Städtchen wimmelte es von Wanderern, die, genau wie wir, aus den Bergen vertrieben worden waren und nichts anderes zu tun hatten, als lustlos im Diner oder im Waschsalon herumzuhängen und zwei- bis dreimal am Tag ans andere Ende der Main Street zu pilgern und einen verzweifelten Blick auf die fernen, schneebedeckten und offenkundig unpassierbaren Berge zu werfen. Die Aussichten standen nicht gut. Das Gerücht machte die Runde, in den Smokies gäbe es zwei Meter hohe Schneeverwehungen. Es würde Tage dauern, bis der Weg wieder frei wäre.

Ich verfiel dadurch in eine Art unruhige Niedergeschlagenheit, die sich noch verschlimmerte, als ich merkte, daß Katz bei der Aussicht, sich mehrere Tage ohne einen bestimmten Zweck, frei von Strapazen, in der Stadt herumtreiben und verschiedene Möglichkeiten der Zerstreuung ausprobieren zu können, im siebten Himmel schwebte. Zu meinem Verdruß hatte er sich bereits eine Fernsehzeitung besorgt, um seinen Fernsehkonsum in den nächsten Tagen effektiver zu planen.

Ich wollte nur noch zurück auf den Trail, Kilometer fressen. Deswegen waren wir hergekommen. Außerdem langweilte ich mich schrecklich. Es war eine Langeweile jenseits von Gut und Böse. Ich vertrieb mir mittlerweile schon die Zeit mit der Lektüre der Platzdeckchen in den Restaurants, danach drehte ich sie um und schaute nach, ob die Rückseite auch bedruckt war. In dem Sägewerk unterhielt ich mich mit den Arbeitern über den Zaun hinweg. Am späten Nachmittag des dritten Tages war ich im Burger King und betrachtete in tiefer Versunkenheit die Fotos des Geschäftsführers und seiner Mannschaft – wobei mir der merkwürdige Umstand ins Auge fiel, daß Leute, die in der Pommes- und Hamburger-Industrie arbeiten, immer so aussehen, als hätten ihre Mütter was mit Goofy gehabt –, trat dann einen Schritt zur Seite und las die Auszeichnungen für die »Mitarbeiter des Monats«. In dem Moment wurde mir klar, daß ich unbedingt von hier abhauen mußte.

20 Minuten später gab ich Katz bekannt, daß wir am nächsten Morgen wieder auf dem Weg sein würden. Er war natürlich entsetzt. »Am Freitag läuft Akte X«, stotterte er. »Ich habe gerade Cream-Soda gekauft.«

»Die Enttäuschung muß schrecklich sein«, erwiderte ich mit einem trockenen, herzlosen Lächeln.

»Und der Schnee? Da kommen wir nie durch.«

Ich zuckte die Achseln, was optimistisch wirken sollte, aber vermutlich eher Ausdruck von Gleichgültigkeit war. »Vielleicht doch.«

»Und wenn nicht? Was ist, wenn wieder ein Schneesturm aufzieht? Wir können von Glück sagen, daß wir beim letzten Sturm mit dem Leben davongekommen sind, wenn du mich fragst.« Er sah mich mit einem verzweifelten Blick an. »Ich habe 18 Dosen Cream-Soda auf meinem Zimmer«, stieß er hervor und bereute es umgehend.

Ich zog ungläubig die Augenbrauen hoch. »18? Willst du dich hier häuslich niederlassen?«

»Es war ein Sonderangebot«, murmelte er entschuldigend und zog sich in seinen Schmollwinkel zurück.

»Es tut mir leid, wenn ich dir deine Festtagslaune verderbe, Stephen, aber wir sind doch nicht den ganzen Weg hierhergekommen, um fernzusehen und Cream-Soda zu trinken.«

»Ich bin auch nicht hergekommen, um mir unterwegs den Tod zu holen«, sagte er, stritt aber nicht weiter mit mir herum.

Wir gingen los, und wir hatten Glück. Der Schnee war tief, aber passierbar. Ein einsamer Wanderer, noch ungeduldiger als wir, war schon vor uns durchgestapft und hatte den Schnee auf dem

Trail ein bißchen plattgetreten, was eine große Hilfe war. Auf den steilen Abstiegen war es glatt – Katz fiel andauernd auf den Rücken, rutschte aus, fluchte wild –, und in höheren Lagen mußten wir gelegentlich um ausgedehnte Schneefelder herumgehen, aber es gab keine einzige Stelle, die unpassierbar war.

Das Wetter besserte sich ebenfalls. Die Sonne kam heraus, die Luft wurde milder, die Gebirgsbäche hörten sich durch den Zulauf des plätschernden und glucksenden Schmelzwassers wieder munterer an. Ich vernahm sogar zaghaftes Vogelgezwitscher. Oberhalb von 1.300 Meter war der Schnee liegengeblieben, und die Luft war eisig, aber weiter unten zog sich der Schnee portionsweise mit jedem Tag weiter zurück, bis am dritten Tag nur noch vereinzelte Flecken an den schattigen Stellen der Hänge zu sehen waren. Es war alles überhaupt nicht schlimm, nur wollte Katz das nicht zugeben. Das war mir egal. Ich wollte nur gehen. Ich war sehr, sehr glücklich.

7. Kapitel

Zwei Tage lang wechselte Katz kaum ein Wort mit mir. Am zweiten Abend hörte ich ein ungewohntes Geräusch aus seinem Zelt – das Zischen einer Getränkedose, die geöffnet wird – und er sagte streitlustig: »Weißt du, was das ist, Bryson? Cream-Soda. Und soll ich dir noch etwas verraten? Ich trinke sie gerade, und du kriegst nichts davon ab. Sie schmeckt köstlich.« Es folgte ein absichtlich verstärktes Schlürfen. »Hmmmmmm. Einfach köstlich.« Noch ein Schluck. »Soll ich dir sagen, warum ich sie trinke? Es ist neun Uhr, und Akte X hat gerade angefangen, meine absolute Lieblingssendung.« Man hörte ein lang anhaltendes Gluckern, dann wurde der Reißverschluß des Zeltes aufgezogen, eine Dose landete mit einem Scheppern auf dem Boden. Dann wurde der Reißverschluß wieder zugezogen. »Mensch, das tat gut. Und jetzt kannst du mich mal, gute Nacht.«

Damit war die Sache erledigt. Am nächsten Morgen war er wieder gut aufgelegt.

Katz konnte sich nie so recht für das Wandern erwärmen, obwohl er sich wirklich alle Mühe gab. Ich glaube, nur ganz gelegentlich bekam er eine Ahnung davon, daß es beim Wandern draußen im Wald etwas gab – etwas schwer Faßbares und Elementares – was einem tiefe Zufriedenheit verschaffte. Manchmal freute er sich über einen Ausblick oder betrachtete erstaunt irgendein Wunder der Natur, aber in der Hauptsache war Wandern für ihn ein höchst anstrengendes, schmutziges, sinnloses Sich-Dahinschleppen von einem Ort der Bequemlichkeit zum nächsten, weit entfernt liegenden Ort. Ich dagegen ging ganz und gar in der simplen Tätigkeit des Vorwärtsstrebens auf, unbekümmert und zufrieden mit mir und der Welt. Meine entsprechende Abwesenheit faszinierte und amüsierte ihn zugleich, aber meistens war er einfach genervt.

Am späten Vormittag des vierten Tages nach unserem Aufbruch in Franklin, hockte ich mich auf einen gewaltigen, grünen Felsen und wartete auf Katz, nachdem mir aufgefallen war, daß ich ihn eine ganze Weile nicht gesehen hatte. Als er endlich kam, wirkte er noch aufgelöster als sonst. In seinem Haar hingen kleine Zweige, sein Baumwollhemd wies einen neuen Riß auf, und auf seiner Stirn war ein getrocknetes Rinnsal Blut zu sehen. Er stellte seinen Rucksack ab und ließ sich erschöpft neben mir nieder, holte seine Wasserflasche und tat einen langen Zug, wischte sich über die Stirn, suchte seine Hand nach Blutspuren ab und sagte schließlich wie ganz nebenbei: »Wie bist du eigentlich um den Baum da unten herumgegangen?«

»Welchen Baum?«

»Den umgestürzten Baum da unten. Der quer über dem Felsgesims liegt.«

Ich überlegte eine Minute lang. »Ich kann mich nicht daran erinnern.«

»Daran kannst du dich nicht erinnern? Er blockiert den Weg, verdammt noch mal!«

Ich überlegte wieder, strengte mich noch mehr an und schüttelte mit dem Ausdruck leisen Bedauerns den Kopf. Man sah förmlich, wie kalte Wut in ihm aufstieg.

»Da unten. Nur ein paar hundert Meter von hier.« Er unterbrach sich, wartete auf ein Zeichen des Wiedererkennens meinerseits und konnte nicht fassen, daß es ausblieb. »Auf der einen Seite ein steiler Felsabhang, auf der anderen Seite undurchdringliches Gestrüpp, und in der Mitte ein gestürzter Baum. Das muß dir doch aufgefallen sein.«

»Wo genau soll das gewesen sein?« fragte ich, als wollte ich auf Zeit spielen.

Katz konnte seine maßlose Verärgerung kaum verbergen. »Da unten, verdammt noch mal. Auf der einen Seite der Abhang, auf der anderen Seite Sträucher, und in der Mitte eine riesige umgestürzte Eiche, die gerade mal so viel Platz zum Durchschlüpfen bot.« Er hielt eine Hand etwa 40 Zentimeter über den Boden. »Ich weiß nicht, welches Mittel du geschmissen hast, aber ich will auch was davon haben. Der Baum war zu hoch, um drüberzuklettern, und zu niedrig, um drunter durchzukriechen, und es gab keinen Weg drumherum. Ich habe eine halbe Stunde gebraucht, um an ihm vorbeizukommen, und ich habe mir dabei lauter Schrammen geholt. Wie kommt es, daß du dich nicht an den Baum erinnerst?«

»Vielleicht fällt es mir später wieder ein«, sagte ich hoffnungsvoll. Katz schüttelte traurig den Kopf. Ich habe nie herausgefunden, warum ihn meine gelegentliche geistige Abwesenheit eigentlich so aufregte. Dachte er, ich spielte extra den Begriffsstutzigen, um ihn zu ärgern, oder ich schlüge der Mühsal ein Schnippchen, indem ich sie unvernünftigerweise ignorierte? Auf jeden Fall nahm ich mir insgeheim vor, eine Zeitlang aufmerksam und ganz bei Bewußtsein zu sein, um Katz nicht aufzuregen. Zwei Stunden später erlebten wir einen jener Momente der Freude, die sich nur selten auf dem Trail einstellen. Wir überquerten gerade die hohe Wölbung eines Berges, namens High Top, als sich an einem Aussichtsfelsen aus Granit der Wald vor uns teilte und uns einen grandiosen Panoramablick bot – ganz plötzlich tat sich eine neue Welt hoher, kräftiger, vergleichsweise schroffer Berge auf, gehüllt in einen Dunstschleier und an den Rändern von trüben Wolken gestreift, verlockend und furchterregend zugleich.

Wir waren in den Smokies angekommen.

Tief unter uns, eingezwängt in einem schmalen Tal, lag der Fontana Lake, ein langer, fjordähnlicher, lindgrüner See. Am westlichen Ende, wo der Little Tennessee River in den See mündet, steht ein gigantischer 146 Meter hoher Staudamm, der in den 30er Jahren von der Tennessee Valley Authority errichtet wurde. Es ist der größte Staudamm in Nordamerika östlich des Mississippi und gilt unter Betonfetischisten als absolute Sehenswürdigkeit. Wir eilten darauf zu, den Weg hinunter, weil wir vermuteten, daß es dort ein Besucherzentrum gab, also auch eine Cafeteria und andere begrüßenswerte Möglichkeiten zur Kontaktaufnahme mit der zivilisierten Welt. Wenn schon nichts anderes, spekulierten wir aufgeregt, dann gab es dort wenigstens Automaten und Toiletten, wo man sich waschen, frisches Wasser holen und in einen Spiegel blicken konnte.

Es gab tatsächlich ein Besucherzentrum, aber es war geschlossen. Ein vergilbter Zettel an der Glastür besagte, daß es erst in vier Wochen wieder öffnete. Die Automaten waren leer, die Stecker herausgezogen, und zu unserem Bedauern waren sogar die Toiletten verschlossen. Katz entdeckte einen Wasserhahn an der Außenwand, aber das Wasser war abgestellt. Wir warfen uns gegenseitig einen langen, stoischen Leidensblick zu, seufzten kurz und marschierten weiter. Der Trail verläuft direkt oben auf dem Damm über dem See. Die Berge vor uns, so schien es, erhoben sich nicht aus dem See, vielmehr richteten sie sich wie erschreckte Bestien dahinter auf. Es war auf den ersten Blick zu erkennen, daß sich uns hier eine ganz neue Pracht und damit auch neue Herausforderungen boten. Das gegenüberliegende Ufer markierte die südliche Grenze des Great Mountains National Park. Vor uns lag ein über 200.000 Hektar großes, dichtbewachsenes, bergiges Waldgebiet, eine Sieben-Tage-Tour, 114 extrem rauhe Kilometer, bevor wir wieder von Cheeseburgern, Cola, Toiletten und fließend Wasser träumen durften. Es wäre schön gewesen, wenigstens mit sauberen Händen und sauberem Gesicht loszugehen. Ich hatte es Katz noch nicht mitgeteilt, aber wir würden in den nächsten Tagen 16 Gipfel überschreiten, die über 1.800 Meter hoch waren, einschließlich Clingmans Dome, der mit 2.024 Meter höchsten Erhebung am Appalachian Trail (übrigens nur 12,5 Meter niedriger als der nahegelegene Mount Mitchell, der höchste Berg im Osten der Vereinigten Staaten). Ich war gespannt und aufgeregt – selbst Katz packte milde Begeisterung –, denn dazu gab es allen Grund.

Zunächst einmal hatten wir soeben einen neuen Bundesstaat betreten, Tennessee, unseren dritten, was einem immer das Gefühl gibt, eine Leistung vollbracht zu haben. Auf seiner gesamten Länge durch die Smokies verläuft der AT entlang der Grenze zwischen North Carolina und Tennessee. An so etwas hatte ich meinen Spaß, ich meine die Vorstellung, mit dem linken Bein in einem Bundesstaat und mit dem rechten in einem anderen zu stehen, oder mich für eine Ruhepause zwischen einem Baumstamm in Tennessee und einem Felsen in North Carolina entscheiden zu können, oder über die Grenze zu pinkeln, oder was es sonst noch an Möglichkeiten gab. Ich war gespannt darauf, was wir in diesen prächtigen, finsteren, sagenumwobenen Bergen alles Neues erleben und sehen würden – Riesensalamander und gewaltige Tulpenbäume und den berüchtigten Ölbaumpilz, der nachts ein grünliches phosphoreszierendes Licht abstrahlt, Foxfire genannt. Vielleicht würden wir sogar einen Bär sehen (natürlich vom Wind abgekehrt, aus sicherer Entfernung, und mich sollte er links liegenlassen, ausschließlich Interesse an Katz zeigen, wenn es schon einen von uns beiden treffen sollte). Aber vor allem gab es die Hoffnung, ja die Überzeugung, daß der Frühling nicht mehr weit war, daß wir uns ihm mit jedem Tag näherten und daß er hier in den Smokies endlich ausbrechen würde.

Die Smokies sind ein echtes Paradies. Wir betraten ein Gebiet, das die Botaniker gern als den »schönsten Mischwald der Welt« bezeichnen. Die Smokies beherbergen eine erstaunliche Pflanzenvielfalt – über 1.500 Arten von Wildpflanzen, 1.000 verschiedene Sträucher, 530 Moose und Flechten, 2.000 Pilze. Hier ist die Heimat von 130 Baumarten (in ganz Europa gibt es zum Beispiel nur 85).

Dieser verschwenderische Überfluß ist dem fruchtbaren, lehmigen Boden der geschützten Täler zu verdanken, die man »coves« nennt, dem feuchtwarmen Klima, das diesen bläulichen Dunst erzeugt, von dem die Smokies ihren Namen haben, und vor allem dem glücklichen Umstand, daß die Appalachen von Norden nach Süden verlaufen. Als sich während der letzten Eiszeit Gletscher und Eisdecken von der Arktis her ausbreiteten, wich die Flora der nördlichen Halbkugel nach Süden aus. In Europa stießen dabei unzählige Arten an die unüberwindliche Grenze der Alpen und anderer kleinerer Gebirge und starben aus. Im Osten Nordamerikas gab es kein solches Hindernis, und so bahnten sich Bäume und andere Pflanzen ihren Weg über Flüsse und an Gebirgsflanken entlang, bis sie das artverwandte Refugium der Smokies erreichten, wo sie seitdem geblieben sind. (Als sich das Eis wieder zurückzog, setzte auch ein langer Prozeß der allmählichen Rückkehr der im Norden einheimischen Bäume in ihre angestammten Gebiete ein. Manche von ihnen, Zeder und Rhododendron zum Beispiel, kehren erst jetzt heim – was uns nur zeigt, daß die Eisdecke, geologisch gesehen, erst gestern abgetaut ist.)

Pflanzenvielfalt bringt natürlich auch eine reiche Tierwelt mit sich. In den Smokies leben 67 verschiedene Säugetiere, 200 Vogelarten sowie 80 Reptilien- und Amphibienspezies – mehr als in anderen vergleichbar großen Gebieten in den gemäßigten Klimazonen der Erde. Die Smokies sind vor allem berühmt wegen ihrer Bären – Schätzungen gehen von 400 bis 600 Tieren aus –, aber diese stellen auch seit Jahren ein Problem dar, denn viele haben die Scheu vor Menschen verloren. Über eine Million Menschen kommen jedes Jahr in die Smokies, viele nur um zu picknicken. Bären haben gelernt, Menschen mit Nahrung in Verbindung zu bringen. Für sie sind Menschen übergewichtige Geschöpfe mit Baseballmützen, die jede Menge Nahrung auf Picknicktischen um sich ausbreiten und dann ein bißchen kreischen und lostapern, um schnell die Videokamera zu holen und zu filmen, wie der liebe Teddybär daherschlurft, auf ihren Tisch klettert und ihren Kartoffelsalat und ihren Schokoladenkuchen verschlingt. Weil der Bär nichts dagegen hat, gefilmt zu werden und ihm das Publikum ziemlich gleichgültig ist, nähert sich meist irgendeiner aus der Runde der Picknicker dem Tier und versucht, es zu streicheln oder mit einem Plätzchen zu füttern. In einem verbrieften Fall schmierte eine junge Frau Honig auf die Finger ihres Kindes, damit der Bär sie vor der Kamera ableckte. Der Bär verstand die Regieanweisung nicht und schnappte sich gleich die ganze Hand des Kleinen.

Wenn so etwas geschieht – ungefähr ein Dutzend Menschen

werden pro Jahr verletzt, meist an Rastplätzen und meist durch eigenes Fehlverhalten – oder wenn ein Bär aufdringlich oder aggressiv wird, erlegen die Parkranger ihn mit einem Narkosepfeil, schnüren ihn zusammen und verfrachten ihn weit ins Hinterland, fernab von Straßen und Rastplätzen und setzen ihn dort wieder aus. Mittlerweile haben sich die Bären längst an die Menschen und ihre Nahrung gewöhnt. Bei wem werden sie folglich wohl im Hinterland nach Nahrung suchen? Bei Leuten wie Katz und mir natürlich. Die »Annalen« des Appalachian Trail sind voll von Geschichten von Wanderern, die im Hinterland der Smokies von Bären angegriffen wurden. Ich hielt mich daher jetzt, als wir in die dicht bewaldeten, steilen Shuckstack Mountains eintauchten, immer unmittelbar in der Nähe von Katz auf, und trug meinen Wanderstab wie einen Prügel. Katz fand das natürlich albern.

Das Urgeschöpf der Smokies, wenn man so will, ist jedoch der im Verborgenen lebende und wenig beachtete Salamander. Es gibt 24 verschiedene Arten in den Smokies, mehr als sonstwo auf der ganzen Welt. Salamander sind höchst interessante Kreaturen, und das lassen Sie sich bitte von niemandem ausreden. Zunächst einmal sind sie die ältesten Landwirbeltiere. Als Lebewesen zum ersten Mal aus dem Wasser krochen, sahen sie so aus wie Salamander, und sie haben sich seither nicht viel verändert. Manche Salamanderarten in den Smokies haben noch nicht einmal Lungen entwickelt, sie atmen durch die Haut. Die meisten Salamander sind sehr klein, drei bis fünf Zentimeter lang, nur der Riesensalamander, der seltene und erstaunlich häßliche Schlammteufel, kann über 60 Zentimeter groß werden. Ich wollte unbedingt einen Schlammteufel sehen.

Noch artenreicher und noch weniger gewürdigt als der Salamander ist die Flußmuschel. 300 Flußmuschelarten, ein Drittel aller Arten weltweit, leben in den Smokies. Die Süßwassermuscheln der Smokies haben phantastische Namen, zum Beispiel Purple wartyback, Shiny pigtoe oder Monkeyface pearlymussel. Leider erschöpft sich damit das Interesse an den Tieren, und weil die Flußmuscheln so wenig beachtet werden, auch von naturwissenschaftlicher Seite, verschwinden sie in einem erschreckenden Ausmaß. Fast die Hälfte aller Flußmuschelarten der Smokies ist akut gefährdet, zwölf Arten sollen bereits ausgestorben sein.

Eigentlich ist das höchst befremdlich für einen Nationalpark. Muscheln werfen sich schließlich nicht freiwillig unter die Räder der vorbeifahrenden Autos. Dennoch sind die Smokies dabei, die meisten ihrer Muschelarten zu verlieren. Tiere und Pflanzen auszurotten, hat beim National Park Service gewissermaßen Tradition. Der Bryce Canyon National Park ist vielleicht das interessanteste, auf jeden Fall aber das treffendste Beispiel dafür. Der Park wurde 1923 gegründet und hat unter der Verwaltung des Park Service in nicht einmal einem halben Jahrhundert sieben Säugetierarten verloren – den weißschwänzigen Eselhasen, den Präriehund, die Gabelantilope, das Flughörnchen, den Bieber, den Rotfuchs und das gefleckte Stinktier. Eine beachtliche Leistung, wenn man bedenkt, daß diese Tiere zig Millionen Jahre im Bryce Canyon überlebt haben, bevor der Park Service sich ihrer annahm. Insgesamt sind in diesem Jahrhundert 42 Säugetierarten aus den amerikanischen Nationalparks verschwunden.

1957 beschloß der Park Service, den Abrams Creek in den Smokies, einen Nebenfluß des Little Tennessee River, nicht allzu weit entfernt von der Gegend, in der Katz und ich uns gerade aufhielten, als Lebensraum für die Regenbogenforelle zu »reklamieren«, obwohl die Regenbogenforelle im Abrams Creek nie heimisch gewesen war. Zu diesem Zwecke schütteten Biologen mehrere Fässer von dem Gift Rotenon auf einer Länge von 25 Kilometern in den Fluß. Nach wenigen Stunden trieben Tausende toter Fische auf der Wasseroberfläche. Zu den 31 Fischarten des Abrams Creek, die dabei vernichtet wurden, gehörte auch der Blaurücken, den die Wissenschaftler noch nie zuvor gesehen hatten. Die Biologen des Park Service brachten das unglaubliche Kunststück fertig, ein und dieselbe Fischart gleichzeitig zu entdecken und zu vernichten. (1980 wurde in einem Bach in der Nähe noch eine Kolonie von Blaurücken entdeckt.)

Das ist alles 40 Jahre her, und heute, in unseren aufgeklärten Zeiten, wäre so eine Dummheit undenkbar. Heutzutage befleißigt sich der National Park Service eines etwas zwangloseren Stils in der Zerstörung der Natur: Vernachlässigung. Er stellt so gut wie kein Geld für Forschung irgendwelcher Art zur Verfügung – weniger als drei Prozent der gesamten Finanzmittel –, und deswegen weiß niemand zu sagen, wie viele Muscheln bereits ausgestorben sind, geschweige denn aus welchem Grund. Wo man auch hinschaut in den Wäldern an der Ostküste, überall sterben die Bäume. In den Smokies sind 90 Prozent der Fraser-Tannen – ein sehr edles Gewächs und eine Besonderheit der südlichen Appalachen – erkrankt oder bereits tot. Dafür gibt es zwei Gründe: den sauren Regen und die Verwüstung durch einen Baumschädling, der sich Fichtengallenlaus schimpft. Fragt man einen Angestellten des Park Service, was dagegen unternommen wird, bekommt man zur Antwort: »Wir beobachten die Situation genau«, was so viel heißt wie, »wir gucken den Bäumen beim Sterben zu.«

Das gleiche Bild bietet sich bei den sogenannten »balds«, grasbewachsenen Kuppeln – baumlose, wiesenähnliche Berggipfel, bis zu 100 Hektar groß und ebenfalls einmalig in den südlichen Appalachen. Man weiß nicht, seit wann diese Kuppeln existieren, wie sie entstanden sind oder warum es sie auf manchen Berggipfeln gibt und auf anderen nicht. Einige Experten meinen, es handle sich um ein Naturphänomen, Überreste von Feuersbrünsten, ausgelöst durch Blitzschlag, andere meinen, sie seien das Werk von Menschen, Brandrodungen, um Platz für Sommerweiden zu schaffen. Auf jeden Fall sind sie absolut typisch für die Smokies. Nach Stunden einsamen Wanderns durch kühlen, finsteren Wald endlich eine freie, offene, sonnenbeschienene Kuppe unter strahlend blauem Himmel und mit Panoramablick zu betreten, ist ein Erlebnis, das man so schnell nicht vergißt. Diese Kuppen sind jedoch mehr als ein bloßes Kuriosum. Nach Angaben des Buchautors Hiram Rogers nehmen die Graskuppen gerade einmal 0,015 Prozent der Gesamtfläche der Smokies ein, beherbergen jedoch 29 Prozent der Flora. Für eine unbestimmte Zeit wurden sie zuerst von Indianern, später dann von eingewanderten Europäern im Sommer als Weideland für Vieh genutzt; heute, da die Viehzucht verdrängt ist und der Park Service nichts unternimmt, erobern sich Straucharten wie Weißdorn und Brombeere die Berggipfel zurück. Wenn nichts unternommen wird, ist es gut möglich, daß es in 20 Jahren keine Graskuppen mehr in den Smokies gibt. Seit Gründung des Parks in den 30er Jahren sind 90 Pflanzenarten auf den Bergkuppen ausgestorben, und für die nächsten paar Jahre wird das Verschwinden von 25 weiterer Arten erwartet. Es gibt keinen Plan, diese Pflanzen vor dem sicheren Tod zu retten.

Man soll aus alldem nicht den Schluß ziehen, ich sei kein Freund des Park Service und seiner Mitarbeiter. Das Gegenteil ist der Fall – ich bewundere diese Leute. Ich habe nicht einen Ranger kennengelernt, der nicht freundlich, engagiert und im allgemeinen gut informiert war. (Ich muß hinzufügen, ich habe selten einen getroffen, die meisten hat man nämlich entlassen, aber diejenigen, mit denen ich zu tun hatte, waren nett und hilfsbereit.) Das Problem sind nicht die Leute an der Basis. Das Problem ist der Park Service selbst. Immer wieder wird zur Verteidigung das Argument vorgeschoben, den Nationalparks würden die Mittel gestrichen, was zweifellos zutrifft. Der Jahresetat des Park Service liegt heute um 200 Millionen Dollar unter der Summe, die dem Park Service noch vor zehn Jahren zur Verfügung stand. Infolgedessen wurden trotz gestiegener Besucherzahlen – von 79 Millionen im Jahre 1960 auf heute 270 Millionen – Campingplätze und Informationszentren geschlossen, die Zahl der Aufseher verringert und wichtige Waldpflegearbeiten auf ein lächerliches Mindestmaß heruntergeschraubt. 1997 betrugen die Kosten für den Arbeitsrückstand in den Nationalparks sechs Milliarden Dollar. Ein Skandal. Gleichzeitig gönnte sich der National Park Service 1991 – als die Bäume reihenweise starben, die Gebäude zunehmend verfielen, die Besucher von den Campingplätzen, die man nicht mehr halten konnte, vertrieben wurden, und als es zu

Massenentlassungen unter den Angestellten kam – aus Anlaß seines 75jährigen Bestehens eine Geburtstagsparty in Vail, Colorado, die eine halbe Million Dollar gekostet hat. Das ist zwar nicht ganz so gedankenlos wie die willentliche Entsorgung von Hunderten Liter Gift in einem Wildbach, aber es zeugt auch nicht gerade von der richtigen Einstellung.

Trotzdem sollten wir die Dinge im Verhältnis sehen. Die Smokies haben ihre natürliche Pracht und Schönheit nicht unter der Führung des Park Service erreicht und brauchen ihn eigentlich gar nicht. Sieht man sich das höchst seltsame und sprunghafte Verhalten des Park Service in seiner Geschichte an (hier noch ein Beispiel: In den 60er Jahren wurde die Walt Disney Corporation beauftragt, im Sequoia National Park in Kalifornien einen Vergnügungspark zu errichten), scheint es mir gar keine so schlechte Idee, ihm die Mittel zu kürzen. Ich bin mir fast sicher, daß die 200 Millionen Dollar, sollten sie dem Jahresetat wieder hinzugefügt werden, nur in den Bau von noch mehr Parkplätzen und Stromanschlüssen für Wohnmobile und nicht in die Rettung von Bäumen und schon gar nicht in die Rekultivierung der herrlichen, grasbewachsenen Bergkuppen fließen würden. In Wirklichkeit gehört es zur Politik des Park Service, die Kuppen einfach zum Verschwinden zu bringen. Nachdem man mit seinen jahrelangen Eingriffen in die Natur alle gegen sich aufgebracht hat, scheint man jetzt beschlossen zu haben, sich überhaupt nicht mehr einzumischen – selbst dann nicht, wenn es nachweisbar nützlich wäre. Ich kann Ihnen sagen, der Park Service ist mir ein Rätsel.

Die Abenddämmerung setzte gerade ein, als wir die Birch-Spring-Gap-Schutzhütte erreichten, die neben einem Bach an einem Hang stand, ungefähr 100 Meter unterhalb des Trails. In dem silbrigen Zwielicht sah sie herrlich aus. Im Vergleich zu den zweckmäßigen Furnierholzkonstruktionen, die man sonst entlang des Appalachian Trails findet, sind die Schutzhütten der Smokies solide Steinbauten in einem malerischen, rustikalen Stil, so daß die Birch Spring Gap Shelter von fern wie ein richtiges, gemütliches Cottage aussah. Aus der Nähe betrachtet, war sie alles andere als bezaubernd. Drinnen war es dunkel, die Wände schienen undicht, der Boden war aus Lehm und sah aus wie Schokoladenpudding, das Schlafpodest war eng und dreckig, und überall lag naß gewordener Abfall herum. An der Innenseite lief Wasser herab und tropfte in kleine Pfützen auf das Podest. Draußen gab es keinen Picknicktisch und auch kein Klo, wie sonst bei fast allen Hütten. Selbst gemessen an den asketischen Standards des Appalachian Trail, war das hier ziemlich hart. Immerhin hatten wir die Hütte für uns allein.

Wie bei den meisten AT-Schutzhütten war die Vorderseite offen – ich habe nie verstanden, welcher Gedanke dahintersteckt, welches architektonische oder wartungstechnische Prinzip es erfordert, daß eine ganze Seite und damit alle Gäste den Elementen ausgesetzt sind –, aber hier war noch ein Maschendrahtzaun davor angebracht. Auf einem Schild stand geschrieben: »Achtung. Nachtaktive Bären. Tür immer geschlossen halten.« Mich interessierte, wie aktiv sie wirklich waren, und während Katz schon mal Wasser für die Nudeln aufsetzte, warf ich einen Blick ins Hüttenbuch. Jede Hütte verfügt über ein Hüttenbuch, eine Art Gästebuch oder Register, in das die Besucher tagebuchartige Einträge über das Wetter, die Wegbedingungen, das eigene Gefühlsleben, soweit vorhanden, oder über ungewöhnliche Vorkommnisse machen können. In diesem war nur über gelegentliche »bärenähnliche« Geräusche des Nachts zu lesen, aber was die Chronisten am meisten beschäftigte, war die ungewöhnliche Lebhaftigkeit der anderen Hüttenbewohner – der Mäuse und Ratten.

Von dem Moment an, als wir unsere müden Häupter niederbetteten, war das wuselige Getrippel der kleinen Nagetiere zu hören. Sie waren absolut zutraulich und liefen dreist über unsere Schlafsäcke und sogar über unsere Köpfe. Wild fluchend warf Katz seine Wasserflasche und was ihm sonst gerade in die Finger kam nach ihnen. Einmal machte ich meine Stirnlampe an und sah

123

eine kleine Buschschwanzratte auf meinem Schlafsack sitzen, in Brusthöhe; sie hockte auf den Hinterläufen und glotzte mich mit stechendem Blick an. Spontan trat ich von innen gegen den Schlafsack und versetzte das arme Tierchen in Angst und Schrecken.

»Ich habe eine erwischt!« rief Katz.

»Ich auch«, sagte ich stolz.

Katz rutschte auf Händen und Knien über den Boden, als wolle er selbst Mäuschen spielen, ließ den Strahl der Taschenlampe durch die Dunkelheit huschen und blieb von Zeit zu Zeit stehen, um einen Schuh zu werfen oder mit seiner Wasserflasche auf den Boden zu schlagen. Dann kroch er wieder in seinen Schlafsack, blieb eine Zeitlang ruhig, fluchte plötzlich lauthals, warf alles von sich und wiederholte die Prozedur. Ich vergrub mich in meinen Schlafsack und band die Zugschnur über meinem Kopf fest zu. So verging die Nacht, mit wiederholten Gewaltausbrüchen von Katz, gefolgt von den Phasen der Ruhe, dann wieder Getrippel, dann ein erneuter Katzscher Gewaltausbruch. Ich schlief erstaunlich gut, trotz alldem.

Ich hatte erwartet, daß Katz übelgelaunt aufwachen würde, aber er war viel vergnügter als am Abend zuvor.

»Ich muß sagen, es geht nichts über einen anständigen Schlaf, und ich muß sagen, ich habe anständig geschlafen«, verkündete er beim ersten Räkeln und lachte bestätigend. Seine Selbstzufriedenheit rührte daher, daß er sieben Mäuse gekillt hatte, wie sich zeigte, und in höchstem Maße stolz darauf war, wie ein Gladiator mit geschwellter Brust. Mir fiel auf, daß noch etwas Pelziges und ein Klumpen rosa Fleischiges am Boden seiner Wasserflasche klebte, als er sie zum Trinken ansetzte. Gelegentlich hat es mich beunruhigt – ich vermute, es beunruhigt alle Wanderer von Zeit zu Zeit –, wie weit man sich unterwegs vom üblichen zivilisierten Verhalten entfernen kann. Dies war so ein Augenblick.

Draußen war Nebel aufgezogen und füllte den Raum zwischen den Bäumen. Kein aufmunternder Anblick am Morgen. Ein Sprühregen hing in der Luft, als wir uns auf den Weg machten, und nach kurzer Zeit war er in einen gleichmäßigen, gnadenlosen Bindfadenregen übergegangen.

Regen kann einem den letzten Nerv rauben. Es macht absolut keinen Spaß, in einem Regencape zu wandern. Das Knistern von steifem Nylongewebe und das unentwegte, seltsam verstärkt klingende Pladdern von Regentropfen auf synthetischem Material haben etwas zutiefst Entmutigendes. Und was das Schlimmste ist: Man bleibt trotzdem nicht trocken. Die wasserdichte Kleidung hält zwar den Regen ab, aber man schwitzt so stark, daß man von innen her bald ganz durchgeweicht ist. Am Nachmittag war der Pfad ein einziger Wasserlauf. Meine Wanderschuhe hatten längst aufgegeben. Ich war klatschnaß, und es gluckste bei jedem Schritt. In manchen Teilen der Smokies regnet es bis zu 300 Zentimeter pro Jahr, das ist weit mehr als die normale Zimmerhöhe. Eine ganze Menge Regen, könnte man sagen, und wir bekamen jetzt den größten Teil davon ab.

Wir gingen 15 Kilometer weit bis zum Spence Field Shelter, eigentlich keine großartige Entfernung, selbst für unsere Verhältnisse, aber wir waren bis auf die Haut durchnäßt und durchgefroren, als wir ankamen, und zur nächsten Schutzhütte war es sowieso zu weit. Der Park Service – man kommt einfach nicht um ihn herum – hat eine Unmenge kleinlicher, starrer, ärgerlicher Vorschriften für die Wanderer des Appalachian Trail erlassen, darunter die, daß man stets zügig weitergehen soll, niemals vom Weg abweichen darf und die Nacht in einer Schutzhütte campieren muß. Praktisch bedeutet es, daß man nicht nur jeden Tag eine vorgeschriebene Distanz bewältigen, sondern auch jede Nacht eingepfercht zwischen lauter Fremden verbringen müßte. Wir schälten uns aus den nassen Klamotten und kramten in den Rucksäcken nach trockenen, aber sogar die Sachen von ganz unten fühlten sich klamm an. In eine der Hüttenwände war ein in Stein gefaßter Kamin eingebaut, und ein aufmerksamer Mensch hatte daneben ein paar Äste und Scheite gelegt. Katz versuchte ein Feuer anzuzünden, aber alles war so feucht, daß nichts brannte, nicht einmal die Streichhölzer wollten zünden. Katz stöhnte entnervt und gab auf. Ich beschloß, Kaffee zu kochen, um uns aufzuwärmen, aber der Kocher erwies sich ebenfalls als zu launisch. Während ich noch mit dem Kocher herumspielte, hörte ich von draußen das quietschende Knistern von Nylongewebe, und zwei junge Frauen betraten verdreckt und durchnäßt die Hütte. Die beiden kamen aus Boston und waren über einen Nebenwanderweg von Cades Cove aus auf den AT gestoßen. Ein paar Minuten später kamen vier Studenten der Wake Forest University dazu, die gerade Semesterferien hatten, dann ein einzelner Wanderer, unser alter Bekannter Jonathan, und schließlich noch zwei bärtige Männer mittleren Alters. Nach vier Tagen, in denen wir kaum jemand gesehen hatten, waren wir plötzlich umringt von Menschen.

Jedermann war freundlich und rücksichtsvoll, aber man kam nicht um die Erkenntnis herum, daß die Hütte hoffnungslos überbelegt war. Ich dachte daran – und nicht zum ersten Mal –, wie herrlich es wäre, wie absolut traumhaft, wenn MacKayes ursprüngliche Vision Wirklichkeit geworden wäre: wenn die Schutzhütten richtige Herbergen wären, mit heißen Duschen, Einzelbetten, mit Trennvorhängen für die Intimsphäre, mit Leselampe bitteschön, und mit einem Hüttenwirt, beziehungsweise Koch, der immer ein Feuer in Gang hielt und der uns jetzt jeden Augenblick auffordern würde, uns an einen langen Tisch zu setzen, um das Abendbrot aus Eintopf und Knödeln, Vollkornbrot und, sagen wir, einem Stückchen Pfirsichkuchen einzunehmen. Draußen gäbe es eine Terrasse mit Schaukelstühlen, auf der könnte man sitzen und gemütlich sein Pfeifchen rauchen und dabei der Sonne beim Untergehen hinter den fernen Bergen zuschauen. Was für ein Segen wäre das. Ich saß auf dem Rand des Schlafpodestes, versunken in meine Träumerei und ganz in Anspruch genommen von der Tätigkeit, eine kleine Wassermenge zum Kochen zu bringen – eigentlich war ich ganz zufrieden –, als einer der älteren Männer herüberschlurfte und sich vorstellte. Ich hatte sofort das beklemmende Gefühl, daß wir uns gleich über unsere Ausrüstung unterhalten würden. Ich sah es förmlich kommen. Nichts ist mir so verhaßt, wie Gespräche über Wanderausrüstung.

»Darf ich fragen, warum du dir einen Gregory-Rucksack gekauft hast?« wollte Bob wissen.

»Ich habe gedacht, es ist bequemer als das ganze Zeug in den Armen zu tragen.«

Er nickte bedächtig, als erachtete er diese Erklärung einer Erwägung für würdig, dann sagte er: »Ich habe einen Kelly.«

Am liebsten hätte ich geantwortet: Mach dich bitte mit dem Gedanken vertraut, Bob, daß mir das total am Arsch vorbeigeht. Aber es gehört nun mal dazu, daß man sich über Ausrüstung unterhält, so wie man mit den Bekannten seiner Eltern auch ein paar Worte wechselt, wenn man sie beim Einkaufen trifft. »Ach ja?« sagte ich. »Und, bist du zufrieden damit?«

»Ja, sehr«, lautete die zutiefst ernst gemeinte Antwort.

»Ich will dir auch erklären warum.« Er holte den Rucksack her, um mir die Besonderheiten zu demonstrieren – die Klettverschlußtaschen, die Kartenhülle, die wundersame Eigenschaft, Dinge aufnehmen zu können. Besonders stolz führte er mir einen herausklappbaren Packbeutel im Innern des Rucksacks vor, zum Bersten voll mit Plastikfläschchen, Vitamintabletten und Medikamenten, und der vorn ein Sichtfenster hatte. »Da kann man sofort erkennen, was drin ist, ohne den Reißverschluß zu öffnen«, erklärte er und sah mich mit einem Blick an, der maßloses Erstaunen meinerseits einklagte.

In dem Moment kam Katz dazu. Er knabberte an einer Möhre – keiner verstand es so geschickt, Essen zu schnorren wie er – und wollte mich etwas fragen, aber als er Bobs Beutel mit dem Sichtfenster erspähte, sagte er: »Guck mal, eine Tasche mit Sichtfenster. Ist das für Leute, die zu doof sind, das Ding aufzukriegen?«

»Eigentlich finde ich die Idee ganz praktisch«, sagte Bob in gemäßigt abwehrendem Ton. »So kann man den Inhalt sehen, ohne daß man den Reißverschluß aufmachen muß.«

Katz sah ihn baß erstaunt an. »Wieso? Bist du so beschäftigt beim Wandern, daß du nicht mal die drei Sekunden aufbringen kannst, um deinen Reißverschluß zu öffnen und in die Tasche zu gucken?« Er wandte sich mir zu. »Die Studenten haben sich bereit erklärt, ihre Pop Tarts gegen unsere Snickers zu tauschen. Was hältst du davon?«

»Eigentlich finde ich das ganz praktisch«, sagte Bob mit leiser Stimme, wie zu sich selbst, räumte seinen Rucksack beiseite und ließ uns fortan in Ruhe. Ich muß gestehen: Gespräche über Ausrüstungen endeten bei mir immer so, daß der andere beleidigt und mit einem eng an die Brust gedrückten, eben noch angepriesenen Ausrüstungsgegenstand von dannen zog. Ob Sie's glauben oder nicht, das war nie meine Absicht.

Von da an war uns kein Glück mehr in den Smokies beschieden. Wir wanderten vier Tage lang, und es regnete Bindfäden, ein unaufhörliches Pladdern. Der Weg war überall morastig und glitschig, in jeder Kule, in jeder Mulde stand das Wasser. Matsch wurde quasi zu einem Bestandteil unseres Alltags. Wir stapften hindurch, stolperten und fielen hinein, knieten darin, setzten unsere Rucksäcke im Matsch ab, hinterließen einen Matschstreifen auf allem, was wir berührten. Und dazu immer das monotone *Wisch Wisch Wisch* des Nylonanoraks, zum Wahnsinnigwerden. Am liebsten hätte man sich das Ding vom Leib gerissen und es in Stücke zerfetzt. Ich sah weder einen Bären noch einen Salamander, kein Foxfire, kein nichts, kein gar nichts – nur die Regentropfen und ihre Bahnen auf meinen Brillengläsern.

Jeden Abend übernachteten wir in irgendeinem undichten Kuhstall und kochten und lebten zusammen mit Fremden – Massen von Leuten, allesamt durchgefroren und durchnäßt, bunt durcheinandergewürfelt, ausgezehrt und halb verrückt von dem ununterbrochenen Regen und der Freudlosigkeit des Wanderns unter diesen Bedingungen. Es war schrecklich. Und je schlimmer das Wetter, desto voller die Schutzhütten. Die Colleges an der Ostküste hatten Semesterferien, und ganze Armeen von Leuten waren auf die Idee gekommen, in den Smokies wandern zu gehen. Die Schutzhütten in den Smokies sind eigentlich für Fernwanderer gedacht, nicht für Ausflügler auf einem Kurztrip, und gelegentlich führte das zu Streit. Was ziemlich untypisch für den AT war. Es war einfach furchtbar.

Am dritten Tag hatten Katz und ich nichts Trockenes mehr zum Anziehen, und wir froren ständig. Wir patschten durch den Regen den Hang zum Clingmans Dome hinauf – nach allem, was ich gelesen hatte, ein Höhepunkt der ganzen Wanderstrecke, bei klarem Wetter mit einem Ausblick, der einem angeblich Flügel wachsen läßt – und sahen nichts, rein gar nichts, außer den Wipfeln von sterbenden Bäumen, die aus dem wabernden Nebelmeer aufragten.

Wir waren durchgeweicht und dreckig, brauchten dringend saubere, trockene Wäsche, mit anderen Worten einen Waschsalon, ein anständiges Essen und Ripleys »Believe It or Not Museum«. Es wurde Zeit, nach Gatlinburg aufzubrechen.

8. Kapitel

Aber zuerst mußten wir da hinkommen.

Vom Clingmans Dome zur U.S. 441, der ersten asphaltierten Straße seit dem Fontana-Damm vor vier Tagen, waren es 13 Kilometer. Gatlinburg lag 24 Kilometer weiter nördlich, eine lange, serpentinenartig verlaufende, abschüssige Wegstrecke. Das war zu weit zum Wandern, aber es war wenig wahrscheinlich, daß man in einem Nationalpark als Tramper mitgenommen würde. Auf einem nahegelegenen Parkplatz entdeckte ich drei Jugendliche, die gerade ihr Gepäck in einem großen schicken Auto mit Kennzeichen New Hampshire verstauten. Ich stellte mich ihnen als Landsmann des Granite State vor und fragte sie, ob sie die Güte hätten, zwei müde alte Herrschaften nach Gatlinburg mitzunehmen. Bevor sie Einwände erheben konnten, was deutlich erkennbar ihre Absicht war, dankten wir ihnen überschwenglich und kletterten in ihren Wagen. So ergatterten wir uns eine stilvolle, aber dafür in ziemlich trüber Stimmung verlaufende Fahrt nach Gatlinburg.

Gatlinburg ist ein Schocker fürs Gemüt, egal aus welchem Blickwinkel man die Stadt betrachtet, um so mehr, wenn man nach einem naßkalten Ausflug in die trübe Einsamkeit der Wälder in den Ort hinabsteigt. Er liegt am Haupteingang des Great Smoky Mountains National Park und hat sich darauf spezialisiert, das zur Verfügung zu stellen, was der Park nicht bieten kann – im wesentlichen sind das Imbißbuden, Motels, Geschenkeboutiquen und Gehsteige, auf denen sich hin und her schlendern läßt –, alles entlang der einzigen und unsäglich häßlichen Main Street. Die seit Jahren anhaltende wirtschaftliche Blüte dieser Stadt gründet auf der allgemeinen Überzeugung, daß Amerikaner, wenn sie ihr Auto beladen und riesige Entfernungen zu grandiosen Schauplätzen der Natur zurückgelegt haben, am Ziel angekommen, unbedingt Minigolf spielen und fettriefendes Essen zu sich nehmen wollen. Der Great Smoky Mountains National Park ist der beliebteste Nationalpark Amerikas, nur Gatlinburg – und das ist das Unfaßbare – ist noch beliebter.

Gatlinburg ist also abstoßend. Wir hatten nichts dagegen. Nach einer Woche Wandern suchten wir das Abstoßende, wir lechzten geradezu danach. Wir stiegen in einem Motel ab, wo man uns mit einem spürbaren Mangel an Herzlichkeit empfing, wurden zweimal beim Überqueren der Main Street angehupt (für das Kreuzen von Straßen verliert man beim Wandern das Gespür) und betraten schließlich ein Etablissement, das sich Jersey Joe's Restaurant nannte. Dort bestellten wir bei einer blasierten, kaugummiblähenden Kellnerin, die sich von unserem natürlichen Lachen nicht erweichen ließ, Cheeseburger und Cola. Wir hatten unser schlichtes, enttäuschendes Mahl zur Hälfte verzehrt, als die Kellnerin im Vorbeigehen die Rechnung auf unseren Tisch pfefferte. Sie belief sich auf 22,74 Dollar.

»Das muß ein Versehen sein«, sagte ich stotternd.

Die Kellnerin blieb stehen, schlurfte langsam zurück an unseren Tisch und sah mich lange und mit nicht zu überbietender Geringschätzung an.

»Irgendwelche Probleme?«

»20 Dollar sind ein bißchen happig für zwei Burger, finden Sie nicht?« quäkte ich mit einer Bertie-Wooster-Stimme, die ich an mir noch nicht kannte.

Sie behielt ihren hochnäsigen Blick bei, nahm die Rechnung auf und las sie uns zu Gefallen laut vor, wobei sie jeden Posten mit einem Schmatzen begleitete. »Zwei Burger. Zwei Cola. Staatliche Umsatzsteuer. Örtliche Umsatzsteuer. Getränkesteuer. Vorgeschriebenes Trinkgeld. Gesamtsumme: 22 Dollar und 74 Cents.« Sie ließ die Rechnung auf den Tisch segeln und schnitt eine Grimasse.

»Willkommen in Gatlinburg, meine Herren.«

Herzlich willkommen. Das konnte man wohl sagen.

Und dann machten wir uns auf den Weg und sahen uns die Stadt an. Ich war besonders scharf auf Gatlinburg, weil ich mal in einem köstlichen Buch mit dem Titel *Straßen der Erinnerung: Reisen durch ein vergessenes Amerika* etwas über diese Stadt gelesen hatte. Der Autor beschreibt die Szenerie auf der Main Street folgendermaßen: »Scharen übergewichtiger Touristen in schriller Kleidung, mit vor den Bäuchen baumelnden Kameras, schoben sich gemächlich die Straße entlang, verzehrten Eis, Zuckerwatte oder Maiskolben, und manchmal auch alles auf einmal.« Daran hatte sich auch bis zu unserem Besuch nichts geändert. Die gleichen Gruppen birnenförmiger Menschenleiber mit Reeboks an den Füßen wandelten zwischen dem Dampf und dem Qualm der Buden und hielten ihre absurden Fressalien und eimergroßen Getränkebehältnisse fest umklammert. Es war immer noch der gleiche geschmacklose, gräßliche Ort. Dennoch hätte ich ihn jetzt nach der neun Jahre alten Beschreibung kaum wiedererkannt. Fast jedes Gebäude, an das ich mich daraus erinnern konnte, war abgerissen und durch ein neues ersetzt worden – hauptsächlich kleine Einkaufspassagen und Höfe mit Geschäften, die eine ganz neue Welt der Gastronomie- und Einkaufsmöglichkeiten eröffneten.

Aus *Straßen der Erinnerung* habe ich eine exemplarische Liste der Touristenattraktionen von Gatlinburg zusammengestellt, wie sie sich 1987 darboten: Elvis Presley Hall of Fame, National Bible Museum, Stars Over Gatlinburg-Wachsfigurenkabinett, Ripleys Believe It or Not Museum, American Historical Wax Museum, Gatlinburg Space Needle. Bonnie Lou and Buster Country Music Show, Carbo's Police Museum, Guiness Book of Records Exhibition Center, Irlene Mandrell Hall of Stars Museum and Shopping Mall, zwei Geisterhäuser und noch drei andere Attraktionen, Hillbilly Village, Paradise Island und World of Illusions. Von diesen 15 Sehenswürdigkeiten waren neun Jahre später anscheinend nur noch drei übriggeblieben. Natürlich waren statt dessen andere hinzugekommen – Mysterious Mansion, Hillbilly Golf, Motion Master Ride – die in neun Jahren wohl ebenfalls wieder verschwunden sein werden, denn so läuft das nun mal in Amerika.

Ich weiß, daß die Welt ständig in Bewegung ist, aber das Tempo der Veränderungen in den Vereinigten Staaten ist schwindelerregend. 1951, in meinem Geburtsjahr, gab es in Gatlinburg nur ein Einzelhandelsgeschäft, den Gemischtwarenladen Ogle's. In der wirtschaftlichen Blütezeit der Nachkriegsjahre fuhren immer mehr Menschen mit dem Auto in die Smokies, und es eröffneten reihenweise Motels, Restaurants, Tankstellen und Souvenirläden. 1987 hatte Gatlinburg 60 Motels und 200 Souvenirläden, heute sind es 100 Motels und 400 Souvenirläden. Und das Erstaunliche daran ist, daß daran absolut nichts erstaunlich ist.

Das muß man sich einmal klarmachen: Die Hälfte aller Bürohäuser und Einkaufszentren in Amerika wurde nach 1980 gebaut. Wohlgemerkt, die Hälfte. 80 Prozent der Wohnhäuser stammen aus der Zeit nach 1945. Von der Gesamtzahl aller Motelzimmer in Amerika sind 230.000 in den letzten 15 Jahren entstanden. Nur ein paar Kilometer hinter Gatlinburg liegt das Städtchen Pigeon Forge, das 20 Jahre zuvor noch ein verschlafenes Nest war – was sage ich, erst noch ein verschlafenes Nest werden wollte – und nur Berühmtheit erlangte, weil es die Heimatstadt von Dolly Parton ist. Dann errichtete die ehrenwerte Ms. Parton einen Vergnügungspark, Dollywood, und nun verfügt Pigeon Forge über 200 Einzelhandelsgeschäfte, die sich entlang eines fünf Kilometer langen Highways hinziehen. Pigeon Forge ist größer und noch häßlicher als Gatlinburg, hat aber bessere Parkmöglichkeiten und deswegen mehr Gäste.

Und nun vergleichen Sie das alles mal mit dem Appalachian Trail. Zu dem Zeitpunkt, als wir unsere Wanderung unternahmen, war der AT 59 Jahre alt, ein stattliches Alter für amerikanische Verhältnisse. Der Oregon Trail und der Santa Fe Trail sind nicht so alt geworden. Route 66 ist nicht so alt geworden. Und der ehemalige Lincoln Highways, eine Straße, die beide Küsten miteinander verband und Leben und bleibenden Wohlstand in viele Kleinstädte brachte, und die so berühmt und beliebt war, daß sie »America's Main Street« genannt wurde, ist auch nicht so alt geworden. In Amerika wird nichts alt. Wenn ein Produkt sich nicht dauernd selbst neu erfindet, wird es abgeschafft, verdrängt, ohne Skrupel aufgegeben für etwas Größeres, Neueres und leider meist auch Häßlicheres. Und dann gibt es da den guten alten AT, der nach sechs Jahrzehnten immer noch still und bescheiden seine Aufgabe erfüllt, getreu seinen Grundprinzipien, sympathischerweise ohne sich darum zu kümmern, daß die Welt sich ein ganzes Stück weiterentwickelt hat. Eigentlich ein Wunder.

Katz brauchte neue Schnürbänder, wir gingen daher in einen Laden für Wanderausrüstung, und während er sich in der Schuhabteilung umtat, schlenderte ich ein bißchen herum. An einer Wand war eine Karte aufgehängt, die den gesamten Verlauf des Appalachian Trail durch alle 14 Bundesstaaten zeigte. Die östliche Meeresküste war seitenverkehrt dargestellt, so daß man den Eindruck bekam, der Trail habe eine genaue Nordsüd-Ausrichtung, was es den Kartographen ermöglichte, den Wanderweg in einem ordentlichen Rechteck unterzubringen, 15 Zentimeter breit, 1,2 Meter lang. Ich sah mir die Karte mit gierigem, geradezu besitzergreifendem Interesse an – es war das erste Mal, seit ich von New Hampshire aufgebrochen war, daß ich den Weg in seiner Gesamtlänge sah –, dann trat ich mit weit aufgerissenen Augen und heruntergefallener Kinnlade näher heran. Von der 120 Zentimeter langen Wanderkarte, die mir von den Knien bis ungefähr zum Scheitel reichte, hatten wir gerade mal die untersten fünf Zentimeter absolviert.

Ich ging los und suchte Katz, packte ihn am Arm, als ich ihn aufgestöbert hatte, und zog ihn hinter mir her zu der Pinnwand. »Was ist los?« sagte er.

Ich wies auf die Karte. »Na und?« Katz mochte keine Rätsel.

»Guck dir mal die Karte an, und dann guck dir an, wieviel wir gegangen sind.«

Er sah hin, er sah noch mal hin. Ich beobachtete ihn, während sein Gesicht ausdruckslos wurde. »Meine Fresse«, stöhnte er schließlich. Er wandte sich mir zu, Erstaunen stand ihm jetzt ins Gesicht geschrieben. »Wir haben ja noch überhaupt nichts geschafft.«

Wir gingen erstmal einen Kaffee trinken und blieben eine Zeitlang in fassungslosem Schweigen verharrend am Tisch sitzen. Was hatten wir nicht alles getan und erlebt – die ganzen Mühen und Strapazen, die Schmerzen, die Feuchtigkeit, die Berge, der grauenhafte pappige Nudelfraß, die Schneestürme, die langweiligen Abende mit Mary Ellen, die vielen, vielen nicht enden wollenden, zäh errungenen Kilometer – und alles summierte sich gerade mal zu fünf Zentimetern. Meine Haare waren in der Zeit mehr gewachsen.

Eins stand fest: Wir würden niemals bis Maine wandern.

In gewisser Weise war das befreiend. Wenn wir nicht den ganzen Weg wandern konnten, dann brauchten wir ihn auch nicht ganz zu wandern – ein Gedanke, der an Anziehungskraft gewann, je mehr wir uns mit ihm vertraut machten. Die Schinderei, die uns noch bevorgestanden hätte – das ermüdende, wahnsinnige, eigentlich sinnlose Unterfangen, jeden Zentimeter des steinigen Wegs zwischen Georgia und Maine abzugehen –, war von uns genommen. Ab jetzt konnten wir die Sache locker angehen.

Am nächsten Morgen breiteten wir unsere Karten auf dem Bett in meinem Motelzimmer aus und wogen die verschiedenen Möglichkeiten ab, die uns plötzlich offenstanden. Wir kamen zu dem Schluß, nicht in Newfound Gap wieder loszuwandern, wo wir den Trail verlassen hatten, sondern ein Stück weiter, an einer Stelle, die sich Spivey Gap nannte, in der Nähe von Ernestville. Das brachte uns auf die andere Seite der Smokies – weg von den überfüllten Schutzhütten und den starren Vorschriften – zurück in eine Welt, in der wir uns ungezwungener bewegen konnten. Ich holte mir die Gelben Seiten und schlug unter Taxiunternehmen nach. Es gab drei in Gatlinburg. Ich rief gleich das erste an.

»Wieviel kostet eine Fahrt für zwei Personen nach Ernestville?« erkundigte ich mich.

»Weiß nich«, lautete die Antwort.

Das brachte mich etwas aus dem Konzept. »Fragen wir mal so: Wieviel glauben Sie, daß es kostet?«

»Weiß nich.«

»Es ist nicht so weit von hier.«

Es folgte ein beharrliches Schweigen, dann sagte die Stimme: »Jawoll.«

»Haben Sie noch nie jemanden dahingebracht?«

»Nö.«

»Nach meiner Karte zu urteilen sind es etwas über 30 Kilometer. Glauben Sie, daß das ungefähr hinkommt?«

Wieder Schweigen. »Könnte sein.«

»Und wieviel kosten bei Ihnen 30 Kilometer?«

»Weiß nich.«

Ich sah wütend den Hörer an. »Entschuldigen Sie, aber ich muß es einfach loswerden: Sie sind wirklich dümmer, als die Polizei erlaubt.«

Ich legte auf.

»Vielleicht sollte ich mich da nicht einmischen«, setzte Katz nachdenklich an, »aber ich könnte mir vorstellen, daß das nicht gerade der sicherste Weg zu prompter und freundlicher Bedienung ist.«

Ich rief das nächste Taxiunternehmen an und fragte, wieviel eine Fahrt nach Ernestville kosten würde.

»Weiß nich«, sagte die Stimme.

Nein, nicht schon wieder, dachte ich.

»Was wollen Sie denn da?« verlangte der Mann zu wissen.

»Wie bitte?«

»Was Sie in Ernestville wollen? Da ist doch nichts los.«

»Eigentlich wollen wir nach Spivey Gap. Es ist nämlich so – wir wandern den Appalachian Trail entlang.«

»Nach Spivey Gap sind es noch mal acht Kilometer.«

»Ja, ich weiß, ich wollte nur ungefähr wissen …«

»Das hätten Sie gleich sagen sollen, weil, nach Spivey Gap sind es noch mal acht Kilometer.«

»Na gut. Wieviel würde es denn nach Spivey Gap kosten?«

»Weiß nich.«

»Entschuldigen Sie, aber kann es sein, daß sich Taxifahrer in Gatlinburg besonders blöd anstellen müssen, um ihre Lizenz zu kriegen?«

»Was?«

Ich legte wieder auf und sah Katz an. »Was ist los mit dieser Stadt? Mein Nasenpopel ist intelligenter als dieser lahme Haufen.«

Ich rief das dritte und letzte Taxiunternehmen an und fragte, wie teuer eine Fahrt nach Ernestville sei.

»Wieviel können Sie denn zahlen?« blaffte mich eine lebhafte Stimme an.

Endlich mal jemand, mit dem man Tacheles reden konnte. Ich mußte grinsen und sagte. »Ich weiß nicht. Einen Dollar 50?«

Ein verächtliches Schnauben war zu hören. »Also ein bißchen teurer wird es schon.« Es folgten eine Pause und das Knarren eines Stuhls, in den sich jemand zurücklehnte. »Es kommt natürlich drauf an, was auf dem Taxameter steht, aber ich schätze mal, es sind so um die 20 Dollar. Wozu wollen Sie eigentlich nach Ernestville?«

Ich erklärte ihm das mit Spivey Gap und dem Appalachian Trail.

»Appalachian Trail? Sie sind wohl übergeschnappt. Wann wollen Sie los?«

»Ich weiß nicht. Wie wär's jetzt gleich?«

»Wo sind Sie gerade?«

Ich nannte ihm den Namen des Motels.

»Ich bin in zehn Minuten da. 15 Minuten höchstens. Wenn ich in 20 Minuten nicht da bin, dann machen Sie sich ohne mich auf den Weg, und wir treffen uns dann in Ernestville.« Er legte auf. Wir hatten nicht nur einen Fahrer gefunden, wir hatten einen Komiker entdeckt.

Während wir auf einer Bank draußen vor dem Motel warteten, zog ich mir eine Ausgabe des *Nashville Tennessean* aus einem Automaten, nur so, weil ich wissen wollte, was so in der Welt vor sich ging. In dem Leitartikel der Zeitung wurde darauf aufmerksam gemacht, daß die Regierung des Bundesstaates – in einem jener Akte der Aufklärung, durch die sich die südlichen Staaten häufig zu profilieren versuchen – dabei sei, ein Gesetz zu verabschieden, das Lehrern in Zukunft verbieten sollte, die Evolutionstheorie an den Schulen zu unterrichten. Statt dessen sollten sie dazu verpflichtet werden, den Kindern beizubringen, Gott habe die Erde erschaffen, in sieben Tagen, irgendwann früher, sagen wir, vor der Jahrhundertwende. Der Artikel rief den Zeitungslesern ins Gedächtnis, daß dieses Thema in Tennessee schon mal auf der Tagesordnung gestanden hatte. Die kleine Stadt Dayton, zufällig ganz in der Nähe von dem Ort, in dem Katz und ich uns gerade befanden, war 1925 Schauplatz eines Gerichtsprozesses gewesen, in dem der Bundesstaat den Lehrer John Thomas Scopes angeklagt hatte, voreilig die darwinistische Irrlehre unter die Leute gebracht zu haben. Wie fast jeder Amerikaner weiß, gelang es dem Verteidiger Clarence Darrow, den Ankläger in Person von William Jennings Bryan in aller Öffentlichkeit zu demütigen, aber den meisten ist nicht bekannt, daß Darrow am Ende den Prozeß verlor. Scopes wurde verurteilt, und erst 1967 wurde das entsprechende Gesetz in Tennessee abgeschafft. Jetzt sollte es zum zweiten Mal erlassen werden – womit Tennessee endgültig den Beweis dafür lieferte, daß die Gefahr für seine Landeskinder nicht darin bestand, daß sie von Affen abstammten, sondern darin, von solchen regiert zu werden.

Urplötzlich, ich vermag auch nicht zu sagen warum, verspürte ich das dringende Bedürfnis, mich schleunigst aus dem tiefen Süden in Richtung Norden abzusetzen. Ich wandte mich Katz zu.

»Warum fahren wir nicht nach Virginia?«

»Wie bitte?«

Vor ein paar Tagen hatte uns jemand in einer der Schutzhütten erzählt, wie wunderschön, wie absolut wanderfreundlich die Berge des Virginia Blue Ridge seien. Wenn man erst mal oben sei, hatte er uns versichert, verliefen die Wege praktisch alle ohne Steigung, und man habe prächtige Ausblicke auf das breite Tal des Shenandoah River. Man könne ohne weiteres 40 Kilometer am Tag schaffen. Von den finsteren, feuchtkalten Schutzhütten der Smokies aus betrachtet, klang das paradiesisch, und der Gedanke hatte sich bei mir festgesetzt. Ich erklärte Katz, was ich meinte.

Er rutschte aufgeregt nach vorn. »Heißt das, wir lassen die ganze Strecke von hier nach Virginia aus? Überspringen sie einfach?« Er wollte offenbar nur nachfragen, ob er mich auch richtig verstanden hatte.

Ich nickte.

»Ja, verdammt noch mal.«

Als der Taxifahrer eine Minute später vorfuhr, ausstieg und uns musterte, erklärte ich ihm zögerlich und etwas ratlos – weil ich mir die ganze Sache selbst nicht gründlich überlegt hatte –, daß wir nicht mehr nach Ernestville fahren wollten, sondern nach Virginia.

»Virginia?« sagte er, als hätten wir ihn gefragt, wo man sich hier die Syphilis holen könne. Der Mann war klein, aber gebaut wie ein Gewichtheber, und er war mindestens 70 Jahre alt und hellwach im Kopf, klüger als Katz und ich zusammen. Er hatte den Gedanken hinter meinen Überlegungen begriffen, bevor ich irgend etwas erklärt hatte.

»Dann müssen Sie nach Knoxville, mieten sich da ein Auto und fahren bis Roanoke. Das ist am besten.«

Ich nickte. »Und wie kommt man nach Knoxville?«

»Wie wär's mit einem Taxi?« blaffte er mich wieder an, als hätte er einen Schwachsinnigen vor sich. Ich glaube, er war etwas schwerhörig oder er brüllte einfach nur gerne Leute an. »Kostet ungefähr 50 Dollar«, sagte er abwägend.

Katz und ich sahen uns an. »Gut. In Ordnung«, sagte ich, und wir stiegen ein.

Also auf nach Roanoke und zu den sanften, grünen Hügeln von Virginia.

9. Kapitel

Earl V. Shaffer, ein junger Mann, der gerade seinen Abschied von der Armee genommen hatte, war der erste Mensch, der den Appalachian Trail an einem Stück vom Anfang bis zum Ende abgewandert ist. Er war 123 Tage unterwegs, von April bis August 1948, ohne Zelt und häufig nur mit Straßenkarten zur Orientierung, und legte durchschnittlich 27 Kilometer am Tag zurück. Zufälligerweise erschien während dieser Zeit in den *Appalachian Trail News*, der Zeitschrift der Appalachian Trail Conference, ein langer Artikel von Myron Avery und dem Herausgeber Jean Stephenson, in dem ausführlich dargestellt wurde, warum die Wanderung an einem Stück wahrscheinlich nicht zu bewerkstelligen sei.

Der Pfad, den Shaffer vorfand, war mit dem ordentlich gepflegten Wanderweg von heute nicht zu vergleichen. Obwohl die Fertigstellung des Wegs erst elf Jahre zurücklag, war er 1948 bereits wieder in Vergessenheit geraten. Shaffer mußte feststellen, daß weite Abschnitte überwuchert oder durch Rodungen im großen Stil vernichtet worden waren. Es gab nur wenige Schutzhütten und oftmals keine Markierungen. Viel Zeit ging ihm damit verloren, daß er den Pfad über mit Gestrüpp bewachsene Berghänge erst mit einem Buschmesser freischlagen mußte oder daß er weite Umwege lief, wenn er an einer Gabelung erstmal in die falsche Richtung gegangen war. Gelegentlich stieß er auf eine Straße, und es zeigte sich, daß er kilometerweit vom Weg abgekommen war. Die Bewohner der Orte, durch die er kam, wußten oft nichts von der Existenz des Trails und wenn doch, waren sie jedesmal erstaunt darüber, daß er tatsächlich von Georgia bis Maine führte. Häufig begegneten ihm die Menschen mit Mißtrauen.

Andererseits gab es zu der Zeit auch noch in den entlegensten Nestern fast immer ein Geschäft oder ein Café, und in der Regel konnte Shaffer, wenn er den Trail verließ, damit rechnen, irgendwann auf einen Linienbus zu treffen, den er anhalten konnte und der ihn in die nächste Stadt bringen würde. Obwohl er in den vier Monaten keinem Wanderer begegnete, gab es doch genug anderes Leben entlang des Wegs. Er kam oft an kleinen Farmen oder Waldhütten vorbei oder stieß auf Viehzüchter, die ihre Herden auf den grasbewachsenen Bergkuppen hüteten. Diese Lebensformen sind längst untergegangen. Heute ist der Appalachian Trail eine geplante Wildnis, auf Befehl, wenn man so will, denn die meisten Gehöfte, an denen Shaffer vorbeikam, wurden später zwangsenteignet und unauffällig in Waldland zurückverwandelt. Und noch ein paar Unterschiede zu damals: 1948 gab es doppelt so viele Singvögel in den Vereinigten Staaten wie heute, und außer den Kastanien waren die Bäume gesund. Hartriegel, Ulme, Schierling, Balsamtanne und Rotfichte gediehen alle noch. Vor allem aber hatte unser Freund Shaffer die ganzen 3.200 Kilometer Wanderweg ganz für sich allein.

Als Shaffer Anfang August seine Wanderung beendete, auf den Tag genau vier Monate nach dem Start, und diese einmalige Leistung dem Büro der Appalachian Trail Conference zur Kenntnis brachte, gab es dort zunächst niemanden, der ihm Glauben schenkte. Er mußte erst offiziellen Vertretern seine Fotos und Wander-Tagebücher zeigen und eine, wie er sich in seinem später erschienenen Reisebericht *Walking with Spring* ausdrückte, »freundliche aber eingehende Prüfung« über sich ergehen lassen, bevor man ihm seine Geschichte schließlich abnahm.

Als sich die Nachricht von Shaffers Wanderung verbreitete, erregte sie ungeheuer viel Aufsehen. Zeitungsjournalisten reisten für Interviews an, *National Geographic* veröffentlichte einen langen Artikel über ihn, und der Appalachian Trail erlebte ein bescheidenes Revival. Wandern ist allerdings schon immer ein seltener, geradezu exotischer Zeitvertreib in Amerika gewesen, und nach wenigen Jahren war der AT außer bei einigen Unnachgiebigen und Exzentrikern schon wieder weitgehend vergessen. Anfang der 60er Jahre tauchte der Plan auf, den Blue Ridge Parkway, eine malerische Straße südlich der Smokies, zu verlängern und dafür den entsprechenden Abschnitt des AT einfach zu überbauen. Der Plan scheiterte – aus Kostengründen, nicht etwa, weil es einen Aufschrei der Empörung gegeben hätte –, aber dafür wurde der AT an anderer Stelle beschnitten oder verkam zu einem matschigen Trampelpfad durch Gewerbegebiet. 1958 wurden, wie bereits erwähnt, von der Südhälfte, dem Abschnitt zwischen Mount Oglethorpe und Springer Mountain, 32 Kilometer gekappt. Mitte der 60er Jahre sah es für jeden sensiblen Beobachter so aus, als würde der AT nur als ein Sammelsurium unzusammenhängender, hier und da verstreut liegender, einzelner Wegstrecken überleben – in den Smokies und dem Shenandoah National Park, quer durch Vermont bis nach Maine –, einsame, übriggebliebene Abschnitte in dem obligatorischen State Park, aber ansonsten begraben unter Shopping Malls und Erschließungsprojekten. Weite Strecken des Trails führten über Privatgrundstücke, und neue Besitzer widerriefen oft das einstmals inoffiziell erteilte Wegerecht und erzwangen damit eine meist voreilige und verworrene neue Wegführung entlang befahrener Highways oder anderer öffentlicher Straßen – was kaum das Erlebnis der Wildnis bot, das Benton MacKaye im Auge gehabt hatte. Wieder einmal war der AT bedroht.

Dann wollte es der Zufall, daß Amerika einen Innenminister bekam, der selbst begeisterter Wanderer war, Stewart Udall. In seiner Amtszeit wurde 1968 der National Trails System Act verabschiedet, ein ehrgeiziges und weitreichendes Gesetzesvorhaben, das größtenteils nie verwirklicht worden ist. Es sah neue Wanderwege in einer Gesamtlänge von 40.000 Kilometer kreuz und quer durch die Vereinigten Staaten vor, von denen die meisten allerdings nie gebaut wurden. Das Gesetz brachte aber immerhin den Pacific Crest Trail hervor und sicherte die Zukunft des AT, indem er ihn zum de facto National Park erklärte. Außerdem gewährte es Finanzmittel, 170 Millionen Dollar seit 1978, für den Erwerb von Land, um wenigstens eine Art Wildnis-Pufferzone links und rechts des Wegesrands zu gewährleisten. Heute verläuft fast der gesamte Weg durch geschützte Wildnis, nur 33 Kilometer, knapp ein Prozent der Strecke, führen über öffentliche Straßen, meistens über Brücken, da, wo der Weg Ortschaften durchquert.

In den 50 Jahren nach Shaffers Wanderung haben etwa 4.000 Menschen diesen Kraftakt unternommen. Unter den Wanderern, die den Trail von Anfang bis Ende gehen, gibt es zwei Typen, einmal diejenigen, die ihn in einer einzigen Saison hinter sich bringen, die sogenannten »Weitwanderer«, und diejenigen, die den Weg portionsweise gehen, die »Etappenwanderer«. Der Rekord für die längste Etappenwanderung liegt bei 46 Jahren. Die Appalachian Trail Conference erkennt Geschwindigkeitsrekorde nicht an, mit der Begründung, dies widerspräche der Grundidee. Das hält die Leute jedoch nicht davon ab, es trotzdem zu versuchen. In den 80er Jahren ging ein gewisser Ward Leonard mit voll bepacktem Rucksack und ohne Helfermannschaften den Weg in 60 Tagen ab – eine unglaubliche Leistung, wenn man bedenkt, daß man für die gleiche Entfernung mit dem Auto etwa fünf Tage braucht. Im Mai 1991 traten der »Extremläufer« David Horton und der »Extremwanderer« Scott Grierson gegeneinander an und gingen im Abstand von zwei Tagen los. Horton hatte auf der gesamten Strecke ein Netz von Helfermannschaften gespannt, die an Straßenkreuzungen und anderen strategischen Punkten auf ihn warteten, so daß er beim Wandern nur eine Flasche Wasser mitzuführen brauchte. Jeden Abend wurde er mit einem Auto in ein Motel gefahren oder privat untergebracht. Er legte pro Tag durchschnittlich 61,6 Kilometer zurück, das sind zehn bis elf Stunden Dauerlauf. Grierson dagegen ging ausschließlich zu Fuß, am Tag bis zu 18 Stunden. Am 39. Tag wurde er von Horton in New Hampshire überholt, der sein Ziel in 52 Tagen und neun Stunden erreichte. Grierson kam zwei Tage später an.

Alle möglichen Leute haben die Wanderung an einem Stück

geschafft. Ein Mann war bereits über Achtzig, ein anderer ging an Krücken, und ein Blinder namens Bill Irwin ist den Weg zusammen mit seinem Blindenhund gewandert und unterwegs schätzungsweise 5.000mal hingefallen. Die berühmteste Person unter den Weitwanderern oder zumindest diejenige, über die am meisten geschrieben wurde, ist Emma »Grandma« Gatewood, die den Trail mit über sechzig Jahren bereits zweimal erfolgreich absolviert hat, obwohl sie eine sehr exzentrische Person ist, schlecht ausgerüstet war und sich sozusagen selbst im Weg stand – sie verirrte sich dauernd. Mein Lieblingskandidat ist jedoch Woodrow Murphy aus Pepperell, Massachusetts, der 1995 die Wanderung an einem Stück unternahm. Er hätte auch so meine Sympathie gehabt, schon weil er Woodrow heißt, aber ich bewunderte ihn umso mehr, als ich las, daß er 160 Kilo wog und sich auf den Weg machte, um Gewicht zu verlieren. In der ersten Woche schaffte er ein Tagespensum von acht Kilometern, aber er hielt durch, und im August, als er wieder zu Hause ankam, hatte er seine Tagesleistung auf 19 Kilometer gesteigert. Er hatte 24 Kilo abgenommen – nicht gerade viel bei dem Gesamtgewicht – und wollte im Jahr darauf die Wanderung wiederholen.

Erstaunlich viele Weitwanderer kommen in Katahdin an, machen auf der Stelle kehrt und gehen den ganzen Weg nach Georgia nochmal zurück. Sie können einfach nicht aufhören mit dem Wandern, was einen dann doch stutzig macht. Es ist sogar so, daß man gar nicht mehr aus dem Staunen herauskommt, wenn man mehr über diese Weitwanderer liest. Nehmen wir zum Beispiel Bill Irwin, den Blinden. Nach seinem Abenteuer meinte er: »Das Wandern an sich hat mir keinen Spaß gemacht. Ich fühlte mich eher dazu gezwungen. Ich mußte es tun. Ich hatte keine andere Wahl.« Oder David Horton, der Extremläufer, der 1991 den Geschwindigkeitsrekord aufstellte: Nach eigener Darstellung war er am Ende »ein geistiges und körperliches Wrack«, und während der Durchquerung von Maine hat er die meiste Zeit über furchtbar geweint. Da fragt man sich doch: Warum tun sich die Leute das an? Selbst Earl Shaffer fristete später sein Leben als Einsiedler in den abgelegenen Wäldern von Pennsylvania. Ich will damit nicht sagen, daß der Appalachian Trail einen verrückt macht, nur, daß man für diese Wanderung irgendwie veranlagt sein muß.

Welche Schamgefühle mich plagten, als ich meinen Ehrgeiz aufgab, die ganze Strecke zu gehen – wenn doch eine Oma in Turnschuhen, ein wandelnder Wasserball namens Woodrow und über 3.990 andere es bis Katahdin geschafft hatten? Keine. Ich würde ja immer noch den Appalachian Trail entlangwandern, nur nicht mehr jeden Meter. Kaum zu glauben, aber Katz und ich hatten bereits eine halbe Million Schritte getan. Es schien nicht unbedingt notwendig, auch noch die restlichen viereinhalb Millionen zu tun, um einen Eindruck von der Sache zu kriegen.

Wir ließen uns also von dem witzigen Taxifahrer nach Knoxville bringen, mieteten uns am Flughafen einen Wagen und befanden uns schon am frühen Nachmittag auf dem Weg Richtung Norden, auf einer Ausfallstraße, die uns durch eine Welt führte, die wir beinahe vergessen hatten: befahrene Straßen, Ampelanlagen, riesige Kreuzungen, überdimensionale Verkehrsschilder, landverschlingende Einkaufszentren, Tankstellen, Billigkaufhäuser, Auspuffwerkstätten, Parkplätze und was sonst noch alles dazu gehört. Selbst nach einem Tag in Gatlinburg war der Kulturschock überwältigend. Ich habe irgendwo gelesen, daß einmal zwei Indianer aus dem brasilianischen Regenwald, die keine Kenntnisse von der Welt jenseits des Dschungels besaßen und auch keine Erwartungen damit verknüpften, nach Sao Paulo oder Rio gebracht wurden, und als sie sahen, woraus diese Welt bestand – aus Häusern, Straßen, Flugzeugen am Himmel – und wie grundlegend sie sich von ihrem eigenen einfachen Leben unterschied, machten sie sich beide ausgiebig in die Hose. Ich kann gut nachvollziehen, wie sich die beiden vorgekommen sind.

Es ist so ein extremer Kontrast. Draußen auf dem Trail ist der Wald dein Universum, ganz und gar. Man erlebt nichts anderes, sieht nichts anderes, Tag für Tag. Schließlich kann man sich gar nichts anderes mehr vorstellen. Man weiß natürlich, daß es irgendwo jenseits des Horizonts große Städte, rauchende Fabrikschlote und verstopfte Highways gibt, aber diesseits, da, wo der Wald die Landschaft bedeckt, so weit das Auge reicht, herrscht die Natur. Auch die kleinen Städte, Franklin oder Hiawassee, selbst Gatlinburg, sind nur Wegstationen, die verstreut im großen Kosmos des Waldes liegen.

Aber man braucht nur den Trail zu verlassen und irgendwo hinzufahren, so wie wir jetzt, und es wird einem klar, wie herrlich man getäuscht worden ist. Hier waren die Berge lediglich Kulisse – bekannt, vertraut, in der Nähe, aber nicht auffälliger oder folgenschwerer als die Wolken, die über die Gipfel dahinjagten. Hier tobte das Leben, rückte einem förmlich auf den Leib: Tankstellen, Wal-Marts, Kmarts, Dunkin Donuts, Blockbuster Videotheken, ein unaufhörlicher Aufmarsch kommerzieller Abscheulichkeiten.

Sogar Katz war angewidert. »Meine Güte, ist das häßlich«, sagte er erstaunt, als hätte er so etwas noch nie gesehen. Ich schaute an ihm vorbei auf eine gigantische Shopping Mall mit einem gigantischen Parkplatz davor, und pflichtete ihm bei. Es war schrecklich. Und dann machten wir uns gemeinsam ausgiebig in die Hose.

10. Kapitel

Es gibt ein Gemälde von Asher Brown Durand, das den Titel »Verwandte Geister« trägt und häufig als Beispiel herangezogen wird, wenn es um amerikanische Landschaftsmalerei des 19. Jahrhunderts geht. Das Bild stammt von 1849, und es zeigt zwei Männer, die auf einem Felsvorsprung in den Catskills vor einer grandiosen Kulisse stehen, die eine jener stilisierten, untergegangenen Welten zeigt, die man offenbar nur mit einer Expedition erreichen kann, aber dazu sind die beiden Männer gänzlich unpassend gekleidet, eher wie fürs Büro, mit langen Mänteln und dicken Halstüchern. Unter ihnen, in einer düsteren Schlucht, rauscht zwischen einem Gewirr von Felsbrocken ein Wildbach dahin. Jenseits, am Horizont, durch einen Baldachin aus Blättern, fällt der Blick auf eine lange Kette bedrohlich wirkender, aber herrlicher, blauer Berge. Von links und rechts schieben sich unregelmäßige Baumreihen ins Bild, die in einer alles verschlingenden Dunkelheit verschwimmen.

Ich kann Ihnen gar nicht sagen, wie gern ich mich in dieses Bild hineinbegeben würde. Die Landschaft hat etwas dermaßen Ungezähmtes an sich, der Horizont etwas so Undurchdringliches, daß es auf mich wie eine tollkühne Verlockung wirkt. Natürlich würde man da draußen umkommen – von einem Puma zerfetzt, von einem Tomahawk getroffen werden oder einfach nur beim Gehen in einen jämmerlichen Tod stürzen. Das sieht man auf den ersten Blick. Und dennoch. Man sucht bereits den Vordergrund nach einem geeigneten Weg über die steilen Felsen hinunter zu dem Wildbach ab und fragt sich, ob der Engpaß dahinter wohl zu einem Nachbartal führt oder nicht. Lebt wohl, Freunde. Das Schicksal ruft. Wartet nicht mit dem Abendessen auf mich.

Es gibt heute nichts Vergleichbares mehr. Vielleicht hat es solche Ausblicke nie gegeben. Wer weiß, welche Freiheiten sich diese romantischen Pinselquäler herausgenommen haben. Wer erklimmt schon an einem heißen Julinachmittag mit Staffelei, Klappstuhl und Farbenkasten im Gepäck einen Aussichtsfelsen mitten in gefährlicher Wildnis, wenn er nicht von dem Wunsch beseelt wäre, etwas Erhabenes und Großartiges auf die Leinwand zu bannen?

Selbst wenn die Appalachen vor dem Industriezeitalter nur halb so wildromantisch waren wie auf dem Bild von Durand und denen anderer Maler, müssen sie doch etwas Spektakuläres an sich gehabt haben. Man kann sich heute kaum vorstellen, wie wenig bekannt das Hinterland der Ostküste einst war und welchen Reichtum es bot. Als Thomas Jefferson die beiden Forscher Meriwether Lewis und William Clark in die Wildnis schickte, rechnete er fest damit, daß sie auf zottelige Mammuts und Mastodons stoßen würden. Hätte man damals schon von Dinosauriern gewußt, hätte er die beiden sicher gebeten, ihm einen Triceratops mitzubringen.

Die ersten Menschen, die von Osten her bis tief in die Wälder vordrangen – abgesehen von den Indianern, die bereits 20.000 Jahre zuvor so weit gekommen waren –, suchten keine prähistorischen Lebewesen, keine Passage nach Westen, auch keine neuen Siedlungsmöglichkeiten. Sie suchten Pflanzen. Amerikas botanische Vielfalt begeisterte die Europäer außerordentlich, und die Ausbeutung des Waldes brachte Ruhm und Geld. In den Wäldern des östlichen Amerikas gab es eine reichhaltige Flora, die in der Alten Welt unbekannt war, und sowohl Wissenschaftler als auch Hobbybotaniker waren gleichermaßen erpicht darauf, sich ein Stück des Kuchens zu sichern. Man stelle sich vor, ein Raumschiff würde morgen auf der Venus einen Dschungel entdecken. Was gäbe nicht zum Beispiel Bill Gates dafür, sich irgendein exotisches Gewächs von der Venus in sein Gewächshaus stellen zu können. Die Pflanze mit entsprechendem Flair im 18. Jahrhundert war der Rhododendron – ebenso angesagt waren Kamelie,

Hortensie, Traubenkirsche, Sonnenhut, Azalee, Aster, Straußfarn, Trompetenbaum, Gewürzstrauch, Fliegenfalle, die virginische Kletterpflanze und die Wolfsmilch. Diese Pflanzenarten und noch Hunderte mehr wurden in den Wäldern Amerikas gesammelt und übers Meer nach England, Frankreich und Rußland verschickt, wo ihre neuen Besitzer sie ungeduldig erwarteten.

Alles nahm seinen Anfang mit John Bartram (eigentlich fing es mit Tabak an, aber im wissenschaftlichen Sinn war Bartram der erste), einem Quäker aus Pennsylvania, geboren 1699, der nach der Lektüre eines Buches über Botanik sein Interesse für das Thema entdeckte und Pflanzensamen und -ableger an einen Glaubensbruder in London schickte. Aufgefordert, nach weiteren Pflanzen zu suchen, begab er sich auf zunehmend gefährlichere Reisen in die Wildnis und legte manchmal Tausende von Kilometern durch zerklüftetes gebirgiges Gelände zurück. Obwohl er Autodidakt war, nie Latein gelernt hatte und nur oberflächliche Kenntnisse der Linnéschen Klassifikation besaß, war Bartram ein begabter Pflanzensammler, mit einem sicheren Instinkt dafür, unbekannte Arten aufzuspüren und sie überhaupt als solche zu erkennen. Von den 800 während der Kolonialzeit in Amerika entdeckten Pflanzen geht ein Viertel auf sein Konto, sein Sohn William entdeckte noch viel mehr.

Ende des Jahrhunderts wimmelte es in den Wäldern des Ostens förmlich von Botanikern – Peter Kalm, Lars Yungstroem, Constantine Samuel Rafinesque-Schmaltz, John Fraser, André Michaux, Thomas Nuttall, John Lynn und zahllose andere. So viele Menschen waren dort, konkurrierten in ihrer Jagd nach seltenen Pflanzen, daß sich heute kaum mit Bestimmtheit sagen läßt, welcher Fund von wem stammt. Je nachdem, welche Quelle man konsultiert, entdeckte allein Fraser entweder 44 oder 215 Arten, möglicherweise liegt die korrekte Zahl auch irgendwo dazwischen. Verbürgt ist jedoch seine Entdeckung der wohlriechenden Balsamtanne, auch Fraser-Tanne genannt, die charakteristisch für die hohen Regionen von North Carolina und Tennessee ist. Aber sie trägt seinen Namen nur deswegen, weil er den

Gipfel des Clingmans Dome kurz vor seinem schärfsten Rivalen Michaux erklommen hatte.

Diese Männer bereisten in einem beachtlichen Zeitraum oft riesige Gebiete. Eine der letzten Expeditionen von Bartram dauerte über fünf Jahre und führte ihn so tief in unerforschtes Waldgebiet, daß er lange als verschollen galt. Als er wieder auftauchte, mußte er feststellen, daß sich Amerika seit einem Jahr im Krieg mit England befand und er folglich seine Gönner verloren hatte. Michaux führten seine Reisen von Florida bis zur Hudson Bay, und der Abenteurer Nuttall stieß bis zur fernen Küste des Lake Superior vor, wobei er aus Geldmangel weite Strecken zu Fuß zurücklegte.

Die Forscher sammelten Unmengen von Pflanzenarten, und ihre Reisen glichen eher Raubzügen. Lyon zog allein an einem Berghang 3.600 Setzlinge der *Magnolia macrophylla* aus der Erde, dazu Tausende anderer Pflanzen, einschließlich eines hübschen roten Gewächses, das ihn in einen Fieberwahn versetzte und seinen Körper »umgehend in eine einzige Wundblase« verwandelte – er hatte den Giftsumach entdeckt. 1765 entdeckte John Bartram eine besonders hübsche Kamelie, *Franklinia altamaha*, schon damals eine seltene Pflanze, die im Laufe von nur 25 Jahren ausgerottet wurde. Sie konnte nur als Züchtung überleben, was wir allein Bartram zu verdanken haben. Rafinesque-Schmaltz ist sieben Jahre lang durch die Appalachen gewandert und hat dabei nicht allzu viel entdeckt, er brachte jedoch 50.000 Samen und Ableger mit nach Hause.

Wie die Forscher das geschafft haben, ist ein Rätsel. Jede Pflanze mußte katalogisiert und bestimmt werden, die Samen eingesammelt oder ein Ableger geschnitten werden, letzterer mußte in ein Behältnis aus steifem Papier oder Segeltuch eingetopft, gegossen und gepflegt und dann noch durch eine weglose Wildnis in die Zivilisation transportiert werden. Die Entbehrungen und Gefahren waren allgegenwärtig und kräftezehrend. Es wimmelte von Bären, Schlangen und Panthern. Michaux' Sohn wurde auf einer Expedition einmal übel zugerichtet, als ein Bär ihn aus einem Baum vertrieb. (Schwarzbären scheinen früher wilder gewesen zu sein, denn in fast allen Expeditionsberichten finden sich Hinweise auf plötzliche, willkürliche Attacken. Es ist durchaus denkbar, daß die Bären im Osten der Vereinigten Staaten insgesamt zurückhaltender geworden sind, weil sie gelernt haben, Menschen mit Gewehren in Verbindung zu bringen.) Auch Indianer waren den Forschern im allgemeinen feindlich gesinnt – ebenso häufig allerdings amüsierten sie sich über die weißen, europäischen Gentlemen, die lauter Pflanzen, die um sie herum doch in Hülle und Fülle wuchsen, behutsam einsammelten und mitnahmen – und dann gab es noch all die Krankheiten, die man sich in den Wäldern holen konnte: Malaria, Gelbfieber und andere. »Nicht einer meiner Freunde ist bereit, die Strapazen auf sich zu nehmen und mich auf meinen Wanderungen zu begleiten«, beklagt sich John Bartram bitterlich in einem Brief an seinen englischen Gönner. Das überrascht kaum.

Offenbar haben sich die Reisen trotzdem gelohnt. Ein einziger besonders wertvoller Samen brachte bis zu fünf Guineen ein. In einem Jahr erzielte John Lyon bei einer Reise nach Abzug aller Kosten einen Gewinn von 900 Pfund – damals ein beträchtliches Vermögen. Im Jahr darauf begab er sich wieder auf Reisen und verdiente ungefähr noch mal die gleiche Summe. Fraser unternahm eine sehr lange Reise im Auftrag der russischen Zarin Katharina der Großen und mußte, als er aus der Wildnis heimkehrte, feststellen, daß es einen neuen Zar gab, der sich nicht für Pflanzen interessierte, ihn für verrückt hielt und seinen Vertrag nicht anerkannte. Fraser schaffte danach alles nach Chelsea, wo er eine kleine Gärtnerei besaß, und verdiente sich fortan seinen Lebensunterhalt mit dem Verkauf von Azaleen, Rhododendren und Magnolien an die englische Oberschicht.

Andere wiederum gingen aus reiner Entdeckerfreude auf Reisen, allen voran Thomas Nuttall, ein junger, kluger, aber ungebildeter Handwerker und Drucker aus Liverpool, der 1808 nach Amerika kam und seine bislang ungeahnte Leidenschaft für Pflanzen entdeckte. Er unternahm zwei große Expeditionen, die er aus eigener Tasche finanzierte, machte zahlreiche, bedeutende Entdeckungen und spendete viele Pflanzen, mit denen er ohne weiteres sehr viel Geld hätte verdienen können, großzügigerweise dem Botanischen Garten in Liverpool. In nur neun Jahren entwickelte er sich von einem Laien ohne jegliche Kenntnisse zur führenden Autorität auf dem Gebiet der Pflanzen Amerikas. 1817 produzierte er – was ganz wörtlich zu verstehen ist, denn er verfaßte nicht nur den Text, sondern setzte auch die Druckstöcke zum großen Teil selbst – sein Buch *Genera of North America*, das über viele Jahrzehnte hinweg als das wichtigste Nachschlagewerk für amerikanische Botanik galt. Vier Jahre später wurde er zum Direktor des Botanischen Gartens der Harvard University ernannt, ein Amt, das er mit Würde zwölf Jahre lang bekleidete; er fand trotzdem Zeit, sich auch noch zu einem führenden Experten der Vogelkunde zu machen, und legte 1832 einen viel beachteten Text über die Vogelwelt Amerikas vor. Er war nach einhelliger Aussage ein sehr freundlicher Mensch, der den Respekt all jener gewann, die seine Bekanntschaft machten. Schönere Geschichten kann das Leben eigentlich nicht schreiben.

Bereits zu Nuttals Zeiten unterlag der Wald dramatischen Veränderungen. Pumas, Wapitis und Timberwölfe waren bereits ausgerottet, Biber und Bären standen kurz davor. Die meisten großen nordamerikanischen Kiefern der ersten Generation – Mastbaumkiefer, Strobe und Weymouthskiefer, von denen einige bis zu 70 Meter groß wurden, was ungefähr der Höhe eines zwanzigstöckigen Hauses entspricht – waren bereits gefällt worden, um daraus Schiffsmasten herzustellen oder um Weideland zu erhalten, der Rest war bis Ende des Jahrhunderts verschwunden. Es herrschte ein Geist der Rücksichtslosigkeit, die der Vorstellung entsprang, die Wälder Amerikas seien im Grunde unerschöpflich. Es war gang und gäbe, zweihundertjährige Pecanobäume einfach umzuhauen, weil sich so die Nüsse in den Ästen der Wipfel bequemer ernten ließen. Mit jedem Jahr veränderte sich der Charakter des Waldes sichtbar. Bis vor kurzem – leider nur bis vor kurzem – gab es allerdings einen Baum im

Überfluß, was den Eindruck von paradiesischen Zuständen in den Wäldern Amerikas aufrecht erhielt: die Kastanie.

Es gibt keinen anderen vergleichbaren Baum. Die amerikanische Kastanie streckt sich bis zu 30 Meter aus dem Waldboden empor, und ihre aufragenden Äste breiten sich zu einem unglaublich üppigen Baldachin aus, bis zu 4.000 Quadratmeter pro Baum, Millionen Quadratmeter Blattfläche insgesamt. Obwohl nur halb so groß wie die höchsten Kiefern in den Wäldern der Ostküste, besitzt die Kastanie einiges mehr an Masse und Gewicht, und sie ist symmetrischer geformt. In Bodennähe erreicht ein ausgewachsener Baum bis zu drei Meter Durchmesser und über sechs Meter Umfang. Ich habe einmal ein Foto gesehen, das Anfang des Jahrhunderts aufgenommen wurde. Es zeigt eine Gesellschaft, die in einem Kastanienwald ein Picknick veranstaltet, unweit von der Stelle, an der Katz und ich uns gerade befanden, in einem Gebiet, das zum Jefferson National Forest gehört. Es ist eine heitere Gruppe von Wochenendausflüglern, alle tragen schwere Kleidung, die Damen mit aufgespannten Sonnenschirmen, die Herren mit Melone und buschigen Schnauzbärten. Man sitzt im Halbkreis auf einer Decke auf einer Lichtung, vor einem Hintergrund aus steil einfallenden Sonnenstrahlen, zwischen Bäumen von sagenhafter Erhabenheit. Die Menschen nehmen sich so winzig aus, ihre Größe steht in einem so grotesken Mißverhältnis zu den sie umgebenden Bäumen, daß man sich im ersten Moment fragt, ob das Bild nicht manipuliert worden ist, so wie die Postkarten aus der Zeit, auf denen scheunentorgroße Wassermelonen oder Maiskolben zu sehen sind, die einen ganzen Wagen für sich beanspruchen, darunter die witzige Unterschrift: »Typische Farmszene in Iowa.« Aber so hat es tatsächlich einmal ausgesehen – auf Zehntausenden von Quadratkilometern Hügellandschaft von North und South Carolina bis New England. Alles verschwunden.

1904 fiel einem Pfleger im Zoo der Bronx in New York auf, daß die schönen Kastanienbäume auf dem Gelände über und über mit kleinen, orangefarbenen, krebsartigen Geschwüren eines unbekannten Typs bedeckt waren. Innerhalb weniger Tage erkrankten die Bäume und starben. Als Wissenschaftler den Erreger identifiziert hatten, einen asiatischen Pilz mit der Bezeichnung *Endothia parasitica* – wahrscheinlich mit einer Schiffsladung infizierter Bäume oder Holzbretter aus dem Orient eingeschleppt –, waren die Kastanienbäume bereits alle abgestorben und der Pilz in die Weite der Appalachen verschleppt, wo jeder vierte Baum eine Kastanie war.

Trotz seiner Masse ist ein Baum ein höchst empfindliches Gebilde. Das gesamte Innenleben spielt sich in drei hauchdünnen Gewebeschichten direkt unter der Borke ab – Phloem, Xylem und Kambium –, die zusammen einen feuchten Mantel um das tote Kernholz bilden. Wie groß ein Baum auch immer wird, im Grunde besteht er nur aus einigen Kilogramm lebender Zellen, die sich weiträumig zwischen Wurzeln und Blättern verteilen. Diese drei aktiven Zellenschichten sind zuständig für die gesamte komplizierte Wissenschaft und Technik, die nötig sind, um einen Baum am Leben zu erhalten, und die Effizienz, mit der dies geschieht, zählt zu den größten Naturwundern. Ohne viel Getöse und Aufhebens zieht jeder Baum im Wald riesige Wassermengen aus dem Boden hoch – bei großen Bäumen sind das an heißen Tagen 1.000 Liter und mehr –, von den Wurzeln bis in die Blätter, von wo aus es zurück in die Atmosphäre gelangt. Stellen Sie sich den Lärm vor, den die Maschinen der Feuerwehr veranstalten würden, wenn sie die gleiche Menge Wasser dort hinaufbefördern müßten.

Der Wassertransport ist nur eine der vielen Aufgaben von Phloem, Xylem und Kambium. Sie stellen außerdem Lignin und Zellstoff her, regulieren den Vorrat und die Produktion von Gerbsäure, Saft, Gummi, Ölen und Harzen, verteilen Mineralien und Nährstoffe, verwandeln Stärke in Zucker, der für zukünftiges Wachstum gebraucht wird (Stichwort Ahornsirup), und erledigen lauter andere wichtige Dinge. Alles vollzieht sich in einer sehr zarten Schicht, weswegen ein Baum höchst anfällig für eindringende Organismen ist. Um dem entgegenzuwirken, verfügen Bäume über ein ausgeklügeltes Abwehrsystem. Der Grund, warum ein Gummibaum beim Anschneiden zum Beispiel Latex absondert, liegt darin, daß damit Insekten und anderen Organismen mitgeteilt werden soll: »Vorsicht! Ungenießbar. Verschwindet!« Bäume können auch gefräßige Raupen abschmettern, indem sie ihre Blätter mit Gerbsäure überschwemmen, wodurch die Blätter weniger schmackhaft werden und die Raupe genötigt wird, sich woanders nach Futter umzusehen. Wenn der Befall besonders schlimm ist, können manche Bäume diesen Umstand sogar als Information weitergeben. Einige Eichenarten setzen eine chemische Substanz frei, durch die anderen Eichen in der Umgebung mitgeteilt wird, daß in Kürze ein Angriff erfolgen wird. Als Reaktion darauf erhöhen die so gewarnten Eichenbäume die Produktion von Gerbsäure, um sich gegen den Überfall zu wappnen.

Solche Mittel sind es, die die Natur am Leben erhalten. Probleme ergeben sich dann, wenn der Baum einem Angreifer gegenübersteht, für den ihn die Evolution nicht ausgerüstet hat, und selten war ein Baum einem Eindringling schutzloser ausgeliefert als seinerzeit die amerikanische Kastanie der *Endothia parasitica*. Dieser Parasit dringt mühelos in den Baum ein, verspeist die Kambiumzellen und stellt sich bereits auf einen Angriff auf den nächsten Baum ein, bevor ersterer – chemisch gesehen – auch nur eine Ahnung davon bekommt, was ihn befallen hat. Er breitet sich mittels Sporen aus, die millionenfach in jedem Geschwür produziert werden. Ein einziger Specht kann allein mit einem Flug zwischen zwei Bäumen Milliarden Sporen transportieren. Auf dem Höhepunkt des Kastanienbaumsterbens in Amerika wurden mit jeder Windböe Milliarden von Sporen freigesetzt und als tödliche Wolke auf die Nachbarberge geweht. Die Sterberate lag bei 100 Prozent. Nach gut 35 Jahren gehörte die amerikanische Kastanie der Vergangenheit an. Allein die Appalachen verloren im Zeitraum einer Generation vier Milliarden Bäume, die ein Viertel der Gesamtfläche einnahmen.

Das ist natürlich eine große Tragödie. Aber was für ein Glück, wenn man bedenkt, daß solche Krankheiten wenigstens artenspezifisch sind. Viel schlimmer wäre es, wenn es statt Kastanienbaumsterben oder Ulmensterben oder dem schwarzen Brenner bei Hartriegel eine allgemeine Plage für Bäume gäbe, die wahllos alle treffen und unaufhaltsam ganze Wälder vernichten würde. Es gibt diese Plage aber bereits. Sie heißt saurer Regen.

Genug der Wissenschaft, ich denke, das reicht für ein Kapitel. Aber bitte behalten Sie den Gedanken im Hinterkopf, denn eines kann ich Ihnen versichern: Es gab nicht einen Tag in den Wäldern der Appalachen, an dem ich nicht Dankbarkeit empfand für das, was von ihnen noch vorhanden war.

Der Wald, durch den Katz und ich jetzt stapften, war nicht zu vergleichen mit den Wäldern, die die Generation unserer Väter noch gekannt hatte, aber immerhin waren wir von Bäumen umgeben. Und es war ein herrliches Gefühl, wieder in unserer vertrauten Umgebung zu sein. Eigentlich war es in jeder Hinsicht der gleiche Wald, den wir in North Carolina verlassen hatten – die gleichen gefährlich schiefen Bäume, der gleiche schmale braune Pfad, die gleiche ausgedehnte Stille, nur unterbrochen von unserem leisen Ächzen und angestrengten Schnaufen, als wir Berge erklommen, die sich als mindestens so steil erwiesen wie die, die wir hinter uns gelassen hatten, wenn auch nicht ganz so hoch. Aber obwohl wir uns jetzt ein paar hundert Kilometer weiter nördlich befanden, war hier der Frühling merkwürdigerweise schon weiter fortgeschritten. Die Bäume, vorwiegend Eichen, standen in voller Blüte, hier und da sah man Büschel von Wildpflanzen aus der Schicht der Blätter des Vorjahres herausragen – Blutkraut, Wachslilien und Doppelsporn. Das Sonnenlicht sickerte durch die Zweige über uns und warf scheinwerferartig Lichtflecken auf den Weg, und in der Luft lag eine gewisse berauschende, charakteristisch frühlingshafte Leichtigkeit. Zuerst zogen wir unsere Jacken aus, dann folgten die Pullover. Die Welt war wieder ein freundlicher Ort.

Am schönsten waren die Ausblicke rechts und links, herrlich und betörend. Der Blue Ridge sieht in seinem 650 Kilometer langen Verlauf durch Virginia im Grunde wie eine Rückenflosse aus.

Er ist zwei bis drei Kilometer breit, hier und da mit tiefen, V-förmigen Durchlässen, den sogenannten Gaps versehen, ansonsten hält er sich gleichmäßig auf einer Höhe von knapp 1000 Metern. Im Westen erstreckte sich das breite, grüne Valley of Virginia, das bis zu den Allegheny Montains reicht, im Osten träger und ländlicher die Piedmontebene. Wenn wir uns hier auf einen Berggipfel schleppten und einen Aussichtsfelsen betraten, sahen wir keine haubenförmigen grünen Berge, die bis zum Horizont reichten, sondern blickten jedesmal aus luftiger Höhe hinab auf eine bewohnte Welt: sonnenbeschienene Farmen, kleine Dörfer, einzelne Waldstücke, Serpentinenstraßen, alles sehr idyllisch aus der Ferne. Selbst ein Interstate Highway mit seinen kleeblattförmigen Kreuzen und Querstraßen sah freundlich und besinnlich aus, wie die Illustrationen in den Kinderbüchern, die ich als kleiner Junge hatte und auf denen ein Amerika zu sehen war, das geschäftig und immer in Bewegung war, aber wiederum nicht allzu hektisch, um nicht seinen Reiz zu verlieren.

Wir wanderten eine Woche lang und begegneten kaum Menschen. An einem Nachmittag lernte ich einen Mann kennen, der den Trail seit 25 Jahren abschnittsweise mit Auto und Fahrrad absolvierte. Jeden Morgen brachte er das Fahrrad mit dem Auto zehn, 15 Kilometer weit ans Ziel der anstehenden Tagesetappe, begab sich mit dem Wagen an den Ausgangspunkt, das Ziel des Vortages, wanderte die Strecke zwischen beiden ab und fuhr mit dem Fahrrad wieder zurück zum Parkplatz. Das machte er jedes Jahr im April zwei Wochen lang und hatte sich ausgerechnet, daß er noch ungefähr 20 weitere Jahre brauchen würde. An einem anderen Tag folgte ich einem älteren Mann, der bestimmt weit über Siebzig war. Er trug einen kleinen, altmodischen Tagesrucksack aus sandfarbenem Segeltuch und war mit einem unglaublichen Tempo unterwegs. Zwei- bis dreimal in der Stunde sah ich ihn 40, 50 Meter vor mir zwischen den Bäumen auftauchen und wieder verschwinden. Obwohl er sehr viel schneller ging als ich und anscheinend nie eine Pause einlegte, war er stets da. Immer wenn man 40 bis 50 Meter weit blicken konnte, sah man ihn bzw. nur seinen Rücken, der gleich wieder wegtauchte. Als würde man einem Geist folgen. Ich versuchte ihn einzuholen, aber es gelang mir nicht. Er sah mich kein einziges Mal an, aber ich bin mir sicher, daß er mich bemerkt hatte. Man entwickelt ein Gespür für die Anwesenheit von anderen Menschen im Wald, und wenn man merkt, daß Leute in der Nähe sind, wartet man meist, bis sie einen eingeholt haben, nur um guten Tag zu sagen, ein paar Worte zu wechseln oder zu fragen, ob jemand den Wetterbericht gehört hat. Der Mann vor mir blieb nie stehen oder wartete, veränderte nie sein Schrittempo, schaute sich nie um. Am späten Nachmittag verschwand er aus meinem Blickfeld, und ich sah ihn nie wieder.

Am Abend erzählte ich Katz von meinem Erlebnis.

»Meine Güte«, murmelte er, »jetzt fängst du schon an zu halluzinieren.« Am nächsten Tag sah Katz den Mann. Diesmal blieb der Fremde hinter ihm, immer in der Nähe, ohne zu überholen. Es war höchst seltsam. Danach sahen wir ihn beide nicht wieder. Wir sahen überhaupt niemanden mehr.

Das hatte zur Folge, daß wir jeden Abend die Schutzhütten ganz für uns allein hatten, was ein echter Luxus war. Man muß schon ziemlich tief gesunken sein, wenn man sich für ein überdachtes Holzpodest begeistern kann, das man für eine Nacht sein eigen nennen darf – aber so war es, wir waren begeistert. Die meisten Schutzhütten auf diesem Abschnitt des Trails sind neu und blitzsauber. Manche waren mit einem Besen ausgestattet, eine gemütliche, häusliche Note. Die Besen wurden sogar benutzt – wir benutzten sie jedenfalls und pfiffen ein Liedchen dabei –, ein Beweis dafür, daß der AT-Wanderer dankbar für alles ist, was ihm Bequemlichkeit verschafft, und verantwortungsbewußt damit umgeht. Jede Hütte hat ein Plumpsklo in der Nähe, außerdem eine gute Wasserquelle und einen Picknicktisch, so daß wir unsere Mahlzeiten in mehr oder weniger normaler Körperhaltung zubereiten konnten und dabei nicht auf einem feuchten Baumstamm hocken mußten. Das alles ist echter Luxus für die Wanderer auf dem Appalachian Trail. Am Abend des vierten Tages, als ich mich mit der trüben Aussicht konfrontiert sah, bald mein einziges Buch ausgelesen zu haben, und damit, daß mir für die Nächte danach nichts anderes übrigbleiben würde, als im Halbdunkel zu liegen und Katz' Geschnarche zu lauschen, entdeckte ich plötzlich ein Buch von Graham Green, das ein früherer Gast liegengelassen hatte. Ich war hocherfreut und unendlich dankbar. Wenn es etwas gibt, das man auf dem AT lernt, dann ist es die Freude über kleine Dinge – etwas, das uns allen im Leben ganz gut tun würde.

Ich war selig. Wir marschierten 25 Kilometer am Tag, nicht annähernd die 40 Kilometer, die man angeblich schaffen konnte, wie man uns gesagt hatte, aber eine ganz ansehnliche Strecke für unsere Verhältnisse. Ich fühlte mich beschwingt, körperlich fit, und zum ersten Mal seit Jahren sah mein Bauch nicht mehr wie eine Wampe aus. Ich war immer noch müde und steif am Ende eines langen Wandertages – das blieb auch weiterhin so –, aber ich hatte einen Punkt erreicht, an dem die Schmerzen und die Blasen ein so zentrales Merkmal meiner Existenz waren, daß ich sie nicht mehr bemerkte. Wenn man die bequeme, klinische Welt der Städte verläßt und in die Berge zieht, durchläuft man jedesmal Phasen der Transformation – ein sanfter Abstieg in die Verwahrlosung – und immer kommt es einem so vor, als sei es das erste Mal. Am Ende des ersten Tages fühlt man sich etwas schmutzig, trägt es aber mit Fassung; am zweiten Tag verstärkt sich das Gefühl bis zum Ekel; am dritten Tag kümmert es einen nicht mehr; am vierten hat man vergessen, daß es mal anders war. Auch das Hungergefühl folgt einem bestimmten Muster. Am ersten Tag quält einen der Hunger auf die abendlichen Nudeln; am zweiten Abend quält einen der Hunger, aber nicht schon wieder auf Nudeln; am dritten Tag kann man keine Nudeln mehr sehen, aber man weiß, daß man was essen muß; am vierten Tag hat man überhaupt keinen Appetit, aber man ißt trotzdem etwas, weil man das abends eben so tut. Ich weiß auch nicht warum, aber das Ganze ist irgendwie angenehm.

Und dann geschieht etwas, das einem deutlich macht, wie gerne, wie wahnsinnig gern man wieder in die zivilisierte Welt zurückkehren möchte. An unserem sechsten Tag, nach einem langen Marsch durch einen ungewöhnlich dichten Wald, kamen wir gegen Abend an eine kleine grasbewachsene Lichtung auf einer Steilklippe mit einer sensationellen, ungehinderten Aussicht nach Norden und nach Westen. Die Sonne ging hinter dem fernen, blaugrauen Kamm der Allegheny Mountains unter, und das Licht in der Landschaft davor – weites, regelmäßig angeordnetes Ackerland, mit Baumgruppen und Farmhäusern – hatte gerade den Moment erreicht, in dem alle Farbe aus ihm weicht. Aber es war der Anblick einer Stadt, die ungefähr zehn, elf Kilometer Richtung Norden lag, der unsre Herzen höher schlagen ließ; eine richtige Stadt, die erste seit einer Woche. Von unserem Standort aus erkannten wir gerade noch die großen, hell erleuchteten bunten Schilder von Restaurants und Motels an einer Straße. Ich glaube, ich habe nie etwas annähernd so Schönes, annähernd so Verlockendes gesehen. Ich hätte schwören können, daß man den Duft von gebratenen Steaks roch, den uns die Abendbrise heraufwehte. Wir standen unendlich lange da und schauten auf die Stadt, als hätte man immer nur über sie gelesen, aber nie damit gerechnet, sie einmal tatsächlich zu sehen.

»Waynesboro«, sagte ich schließlich zu Katz.

Er nickte feierlich. »Wie weit?«

Ich holte meine Karte hervor und sah nach. »Ungefähr 13 Kilometer.«

Er nickte wieder feierlich. »Gut«, sagte er. Das war, wie mir klar wurde, die längste Unterhaltung, die wir seit zwei, drei Tagen geführt hatten, und mehr brauchte auch nicht gesagt werden. Wir waren seit einer Woche unterwegs und würden morgen runter in die Stadt gehen. Das mußte nicht ausgesprochen werden. Wir würden 13 Kilometer wandern, uns ein Zimmer mieten, duschen, nach Hause telefonieren, unsere Wäsche waschen, zu Abend essen, Lebensmittel einkaufen, fernsehen, in einem Bett schlafen, frühstücken und dann auf den Trail zurückkehren. Das verstand sich von selbst. Alles, was wir machten, verstand sich von selbst. Eigentlich herrlich.

Wir schlugen unsere Zelte auf und kochten mit unserem letzten Wasser Nudeln, setzten uns dann nebeneinander auf einen Baumstamm und aßen schweigend, Waynesboro im Blick. Der Vollmond ging an einem blassen Abendhimmel auf und schien in einem hellen weißen Licht, das einen an die Cremeschicht von Oreo-Plätzchen erinnerte. (Irgendwann erinnert einen unterwegs alles nur noch ans Essen.) Nach langem Schweigen wandte ich mich abrupt an Katz und fragte ihn in einem Tonfall, der eher hoffnungsvoll als anklagend klingen sollte: »Kannst du überhaupt irgendwas anderes kochen als Nudeln?« Ich stellte gerade in Gedanken den Einkaufszettel für morgen zusammen.

Er mußte eine Zeitlang überlegen. »Arme Ritter«, sagte er schließlich und verfiel wieder in Schweigen, drehte dann seinen Kopf zu mir und fragte: »Und du?«

»Nein«, gestand ich. »Nichts.«

Katz dachte darüber nach, welche Folgen das möglicherweise hatte, sah einen Moment lang so aus, als ob er etwas dazu sagen wollte, schüttelte dann aber nur gleichmütig den Kopf und widmete sich wieder dem Essen.

11. Kapitel

Ein Gedanke am Rande: Alle 20 Minuten waren Katz und ich auf dem Appalachian Trail eine längere Strecke zu Fuß gegangen als der durchschnittliche Amerikaner pro Woche. 93 Prozent aller Wege außerhalb der eigenen vier Wände, wie weit und für welchen Zweck auch immer, werden in Amerika heute mit dem Auto zurückgelegt. Insgesamt geht jeder Amerikaner im Schnitt 2,25 Kilometer pro Woche zu Fuß – damit sind alle möglichen Gänge gemeint: vom Auto zum Büro, vom Büro zum Auto, und auch die Wege in Supermärkten und Einkaufszentren – das macht 320 Meter pro Tag. Das ist einfach grotesk.

Als meine Familie und ich in die Vereinigten Staaten umzogen, wollten wir unbedingt in einer typischen Kleinstadt wohnen, in irgendeinem gemütlichen Nest, wo Jimmy Stewart Bürgermeister war, die Hardy Boys einem den Einkauf nach Hause brachten und Deanna Durbin immer und ewig ein Liedchen pfeifend am offenen Fenster stand. Solche idyllischen kleinen Städte sind gar nicht so leicht zu finden, aber Hanover, wo wir uns niederließen, kommt dem schon sehr nahe. Es handelt sich um ein nettes Collegestädtchen, typisch für New England, angenehm, ruhig und überschaubar, mit vielen alten Bäumen und spitzen Kirchtürmen. Es hat einen großen Stadtpark, eine altmodische Main Street, einen hübschen Campus mit einer gediegenen und ehrwürdigen Ausstrahlung, und von Laubbäumen gesäumte Straßen. Für jeden Einwohner sind die Post, die Stadtbücherei und die Geschäfte bequem zu Fuß zu erreichen.

Die Sache ist nur die: Kaum einer geht irgendwohin zu Fuß. Ich kenne einen Mann, der die 500 Meter zu seinem Arbeitsplatz mit dem Auto fährt. Und eine Frau, die in ihren Wagen steigt, 400 Meter bis zur Sporthalle fährt, um dort auf einem Laufband zu trainieren, und sich bitter darüber beklagt, daß sie keinen Parkplatz findet. Als ich sie einmal fragte, warum sie nicht zu Fuß zur Sporthalle gehen und statt dessen fünf Minuten weniger auf dem Laufband trainieren würde, sah sie mich entgeistert an, als wollte ich sie provozieren. »Weil ich mein Trainingsprogramm auf dem Laufband absolvieren muß«, erklärte sie mir. »Es speichert die zurückgelegte Distanz und das Schrittempo, und ich kann den Schwierigkeitsgrad einstellen.« Ich hatte nicht bedacht, daß die Natur in dieser Hinsicht absolut unzulänglich ist.

In Hanover jedenfalls könnte sie noch zu Fuß gehen, wenn sie wollte. In vielen anderen amerikanischen Städten ist es heute dagegen schon unmöglich, sich als Fußgänger fortzubewegen, selbst wenn man wollte. Das wurde mir am nächsten Tag in Waynesboro wieder überdeutlich bewußt, nachdem wir uns ein Zimmer gemietet und uns ein extravagantes spätes Frühstück gegönnt hatten. Ich ließ Katz in einem Waschsalon zurück – aus einem mir schleierhaften Grund machte er gern große Wäsche, las dabei die zerrissenen Zeitschriften und genoß das Erlebnis der wundervollen Verwandlung unserer vor Schmutz starrenden Kleider in flauschige und duftende, aus großen Maschinen hervorquellende Wäschestücke – und machte mich auf den Weg, um Insektenspray für uns zu kaufen.

Waynesboro besaß früher einmal eines der üblichen, einigermaßen hübschen Geschäftsviertel aus insgesamt vielleicht fünf bis sechs Häuserblocks, aber wie so häufig heutzutage waren auch hier die meisten Einzelhandelsunternehmen in ein Einkaufszentrum an den Stadtrand umgezogen, und was einmal eine pulsierende Innenstadt gewesen war, wird heute von ein paar Banken, Versicherungen, Billiganbietern und Secondhandläden beherrscht. In vielen Läden brannte kein Licht, oder sie standen leer; ich konnte nirgendwo ein Geschäft finden, das Insektenspray verkaufte. Ein Mann vor der Post schlug vor, ich sollte es mal bei Kmart versuchen.

»Wo steht Ihr Wagen?« fragte er als erstes, bevor er mir den Weg erklären wollte.

»Ich habe keinen Wagen.«

Das machte ihn erstmal stutzig. »Wirklich? Es ist aber über einen Kilometer weit.«

»Das macht nichts.«

Er schüttelte leise zweifelnd den Kopf, als wollte er jede Verantwortung für das, was er mir gleich sagen würde, ablehnen. »Sie gehen hier die Broad Street entlang, biegen bei Burger King rechts ab, und dann immer geradeaus. Aber, wenn ich jetzt so darüber nachdenke – es sind bestimmt zwei Kilometer, vielleicht sogar zweieinhalb. Wollen Sie auch zu Fuß zurückgehen?«

»Ja.«

Wieder Kopfschütteln. »Es ist ein weiter Weg.«

»Ich habe Notproviant dabei.«

Wenn er die Ironie verstanden hatte, ließ er es sich nicht anmerken. »Na dann, viel Glück«, sagte er.

»Vielen Dank.«

»Gleich um die Ecke ist ein Taxiunternehmen«, bot er mir noch als letzte Hilfe an.

»Eigentlich würde ich lieber gehen«, erklärte ich.

Er nickte unsicher. »Dann viel Glück«, wiederholte er.

Und so marschierte ich los. Es war ein warmer Nachmittag, und ich fühlte mich wunderbar leicht. Sie können sich nicht vorstellen, wie herrlich es ist, endlich mal ohne Rucksack zu gehen, federnd und unbeschwert. Mit einem Rucksack auf dem Rücken geht man geneigt, geduckt, wie nach vorn gedrückt, die Augen auf den Boden gerichtet. Man stapft, mehr ist nicht drin. Ohne Rucksack fühlt man sich wie befreit. Man geht aufrecht, man sieht sich um, man hüpft, man schlendert, man geht spazieren.

Wenigstens vier Straßen weit – denn dann kommt man bei Burger King an eine wahnsinnige Kreuzung und muß feststellen, daß die neue sechsspurige Straße bis zum Kaufhaus Kmart lang und schnurgerade und stark befahren ist und daß sie gänzlich ohne Einrichtungen für Fußgänger auskommt, ohne Bürgersteige, ohne Zebrastreifen, ohne Verkehrsinseln, ohne Ampelanlagen an belebten Kreuzungen. Ich lief durch das Gelände von Tankstellen, über Auffahrten von Motels, überquerte Parkplätze, kletterte über Betonsperren, kreuzte Rasenflächen und zwängte mich durch vernachlässigte Geißblatt- und Ligusterhecken sowie Grenzstreifen von Privatgrundstücken. Wenn ich an eine Brücke kam, die über einen Bach führte oder über einen Abflußkanal – und eins kann ich Ihnen flüstern: Stadtplaner sind verliebt in Abflußkanäle –, blieb mir nichts anderes übrig, als auf der Straße zu gehen, mich dicht an der dreckigen Leitplanke zu halten und die weniger aufmerksamen Autofahrer zum Ausscheren zu zwingen. Vier Autofahrer hupten, weil ich die Frechheit besaß, mich ohne Blechkiste durch die Stadt fortzubewegen. Eine Brücke war so gefährlich, daß ich zögernd davor stehenblieb. Der Bach, den sie überspannte, war eigentlich nur ein verschilftes Rinnsal, schmal genug, um rüberzuspringen, was ich dann auch tat. Dabei rutschte ich aus und purzelte die Böschung hinunter. Ich fand mich in einem von oben nicht erkennbaren Streifen aus grauem, klebrigem Schlick wieder, schlug zweimal auf, kroch die andere Seite hinauf, fiel wieder hin und tauchte zum Schluß übersät mit Schlammstreifen und -flecken und mit apartem Kleiderschmuck in Form von Kletten wieder hervor. Als ich endlich zum Kmart Plaza kam, stellte ich fest, daß ich mich auf der falschen Straßenseite befand und in einem Spurt sechs Spuren feindlichen Verkehrs überwinden mußte. Auf der anderen Seite überquerte ich den Parkplatz und betrat die klimatisierten, mit Dudelmusik berieselten Hallen von Kmart. Ich war so dreckig, als käme ich direkt vom Appalachian Trail, und zitterte am ganzen Leib.

Kmart hatte kein Insektenspray vorrätig.

Ich machte kehrt und begab mich auf den Rückweg in die Stadt, aber diesmal ging ich mit einer irren Wut im Bauch querfeldein, über Wiesen und durch Gewerbegebiete. Ich riß mir die Jeans an einem Stacheldrahtzaun auf und machte mich noch schmutziger, als ich ohnehin schon war. Ich sah Katz, der auf der Wiese des Motels in einem Gartenstuhl in der Sonne saß, geduscht, in frisch gewaschener Kleidung und mit einer so behaglichen Miene, wie sie nur ein Wanderer haben kann, der zur Ab-

165

wechslung in der Stadt ist und sich einen schönen Tag macht. Eigentlich war er dabei, seine Schuhe einzuwachsen, aber in Wahrheit saß er nur da, ließ die Welt an sich vorbeiziehen und erfreute sich an der Sonne. Er grüßte mich herzlich. In der Stadt war Katz immer wie ausgewechselt.

»Meine Güte, wie siehst du denn aus!« rief er, als freute er sich über meine dreckigen Klamotten. »Wo warst du? Du bist ja eklig dreckig.« Er sah mich bewundernd von oben bis unten an und sagte dann mit ernster Stimme: »Hast du's schon wieder mit einem Stachelschwein getrieben, Bryson?«

»Ha ha, sehr witzig.«

»Diese Tiere sind nicht sauber, mußt du wissen, mögen sie einem nach vier Wochen Wandern auch noch so attraktiv erscheinen. Außerdem sind wir nicht mehr in Tennessee. Wahrscheinlich machst du dich hier sogar strafbar – jedenfalls ohne Bescheinigung vom Tierarzt.« Er klopfte auf den Stuhl neben sich und strahlte übers ganze Gesicht, zufrieden über seine Spöttelei. »Komm her. Setz dich und erzähl mir alles. Wie heißt sie denn? Domina?« Er beugte sich vertraulich zu mir herüber. »Hat sie viel gequiekt dabei?«

Ich ließ mich nieder. »Du bist ja nur eifersüchtig.«

»Bin ich nicht, wenn du es genau wissen willst. Ich habe nämlich heute auch jemanden kennengelernt. Im Waschsalon. Sie heißt Beulah.«

»Beulah? Soll das ein Witz sein?«

»Wäre schön, wenn es so wäre, aber es ist leider kein Witz.«

»Wer heißt denn heutzutage noch Beulah?«

»Sie zum Beispiel. Und nett ist sie auch noch. Nicht die Allerklügste, aber ziemlich nett, mit kleinen süßen Grübchen.« Er piekste sich mit zwei Fingern in die Wangen, um anzudeuten, wo die Grübchen waren. »Und sie hat einen sagenhaften Körper.«

»Ach ja?«

Er nickte. »Natürlich«, ergänzte er bedächtig, »ist er unter 100 Kilo wabbelnden Fetts verborgen. Aber zum Glück macht mir Körperfülle bei einer Frau nichts aus, solange man nicht gerade eine Mauer einschlagen muß, damit sie durch die Zimmertür paßt.« Er putzte sorgfältig seinen Schuh.

»Und wie hast du sie kennengelernt?«

»Also eigentlich«, hob er an und rutschte nervös an den Rand der Sitzfläche, als handele es sich um eine Geschichte, die es sich lohne weiterzuerzählen, »hat sie mich gefragt, ob ich mir mal ihr Höschen ansehen könnte.«

Ich nickte. »Klar.«

»Das Höschen hatte sich in der Trommel verfangen«, erklärte er.

»Und sie hat es die ganze Zeit angehabt? Du hast gesagt, sie wäre nicht die Allerklügste.«

»Nein. Sie wollte es waschen, aber der Gummizug hatte sich festgehakt, und sie bat mich, ihr dabei zu helfen, es herauszuholen. Übergröße«, fügte er nachdenklich hinzu, verfiel bei dem Gedanken daran kurz in Träumerei und fuhr dann fort: »Ich konnte es rausholen, aber es war total zerfetzt, und ich sagte, nur so zum Spaß: ›Hoffentlich haben Sie noch ein zweites Paar, Miss, die hier sind nämlich total zerfetzt.‹«

»Oh, Stephen – Welche Ironie!«

»Für Waynesboro reicht's, glaub mir. Sie jedenfalls sagte daraufhin – und jetzt halt dich fest, mein lieber, guter, dreckiger, Stachelschweine bespringender Freund – sie sagte also: ›Das wüßten Sie wohl gern, was?‹« Er lüpfte die Augenbrauen. »Wir haben uns für sieben Uhr vor der Feuerwehr verabredet.«

»Hat sie da ihr zweites Paar Unterhosen deponiert?«

Er sah mich entgeistert an. »Nein, das haben wir nur als Treffpunkt ausgemacht. Wir wollen zum Abendessen zu Pappa John's Pizza. Und danach tun wir mit etwas Glück das, was du den ganzen Tag gemacht hast. Bloß brauch ich dafür nicht über Zäune zu klettern und sie mit Gemüse anzulocken. Hoffe ich wenigstens. Hier, guck mal«, sagte er und faßte in eine Papiertüte zu seinen Füßen. Er holte einen rosa Damenschlüpfer hervor, den man getrost als »geräumig« bezeichnen konnte. »Den will ich ihr schenken, habe ich mir gedacht. Als Witz.«

»In einem Restaurant? Findest du das nicht ein bißchen komisch?«

»Ich mache es ganz diskret.«

Ich hielt den Schlüpfer auf Armeslänge von mir weg. Er war deutlich größer als Übergröße. »Wenn er ihr nicht gefällt, kannst du ihn immer noch als Zeltplane verwenden. Entschuldige, wenn ich frage, aber gehört das mit der Übergröße zu dem Witz, oder trägt sie wirklich ...«

»Oh, sie ist ziemlich dick«, sagte Katz und gestikulierte wieder vielsagend mit den Augenbrauen. Er faltete den Schlüpfer ordentlich zusammen und packte ihn ehrfürchtig in die Tüte. »Sehr dick.«

Ich aß also allein zu Abend, im Coffee Mill Restaurant. Es war ungewohnt ohne Katz, nach so vielen Tagen ununterbrochener Zweisamkeit, aber trotzdem angenehm, aus demselben Grund. Ich verzehrte ein Steak, las in meinem Buch, das ich an einen Zuckerstreuer gelehnt hatte, und war mit mir und der Welt zufrieden. Als ich aufblickte, sah ich Katz, der sich an das Restaurant heranpirschte, beunruhigt und heimlichtuerisch.

»Gott sei Dank, daß ich dich gefunden habe«, sagte er und setzte sich mir gegenüber. Er schwitzte heftig. »Ein Mann ist hinter mir her.«

»Was redest du da?«

»Beulahs Mann.«

»Beulah hat einen Mann?«

»Ich weiß. Es ist ein irrer Zufall. Auf dem ganzen Planeten gibt es nur zwei Menschen, die bereit wären, mit ihr zu schlafen, und dann befinden sich auch noch beide ausgerechnet in derselben Stadt.«

Das war alles ein bißchen viel auf einmal für mich. »Versteh' ich nicht. Was ist passiert?«

»Ich stand vor der Feuerwehr, wie verabredet. Da kommt ein roter Pick-up angerast, bremst mit quietschenden Reifen neben mir, und der Fahrer, der ziemlich sauer ist, sagt, er sei Beulahs Mann und er hätte ein Wörtchen mit mir zu reden.«

»Und was hast du gemacht?«

»Ich bin abgehauen. Was denkst du denn?«

»Und, hat er dich nicht eingeholt?«

»Mit 250 Kilo am Leib? Der war kein sportlicher Typ. Eher so ein Rambo, von dem Schlag: ›Ich hau dir gleich in die Eier, Alter.‹ Er ist eine halbe Stunde in der Gegend rumgefahren und hat mich gesucht. Ich bin durch Hinterhöfe und Gärten gerannt, habe mich in Wäscheleinen verheddert und bin in allen möglichen Scheiß reingetreten. Zum Schluß hat noch ein anderer Kerl Jagd auf mich gemacht, weil er mich für einen Penner gehalten hat. Was soll ich bloß machen, Bryson?«

»Als erstes darfst du keine dicken Frauen in Waschsalons mehr anbaggern.«

»Ja, ja, ja.«

»Ich gehe raus, gucke, ob die Luft rein ist, und gebe dir dann durchs Fenster ein Zeichen.«

»Gut. Und dann?«

»Dann gehst du zügig zurück zum Hotel, hältst dir die Hände vor die Eier und hoffst, daß dich der Kerl nicht erwischt.«

Er gab einen Moment lang Ruhe. »Das ist alles? Was Besseres fällt dir nicht ein?«

»Fällt dir was Besseres ein?«

»Nein, aber ich bin auch nicht vier Jahre aufs College gegangen.«

»Ich bin nicht aufs College gegangen, um zu lernen, wie man in Waynesboro deinen Arsch rettet, Stephen. Mein Hauptfach war Politikwissenschaft. Wenn dein Problem mit dem Verhältniswahlrecht in der Schweiz zu tun hätte, könnte ich dir vielleicht weiterhelfen.«

Er seufzte, lehnte sich mit verschränkten Armen zurück, rekapitulierte nüchtern seine Lage und überlegte, wie sie sich meistern ließe. »Du paßt auf, daß ich kein Wort mehr mit einer Frau wechsle, egal wie dick sie ist, wenigstens solange, bis wir die Südstaaten hinter uns haben. Die Kerle hier sind ja alle bewaffnet. Versprichst du mir das?«

»Versprochen.«

Er schwieg gereizt. Während ich mein Abendessen beendete, drehte er den Kopf hin und her, schaute aus allen Fenstern, als warte er darauf, daß sich jeden Moment ein wütendes schwammiges Gesicht an die Scheibe preßte. Als ich fertig war und bezahlt hatte, gingen wir zur Tür.

»Vielleicht bin ich in fünf Minuten tot«, sagte er griesgrämig und packte mich am Unterarm. »Paß auf. Tu mir einen Gefallen, für den Fall, daß ich erschossen werde. Ruf meinen Bruder an und sag ihm, in seinem Vorgarten sei eine Kaffeedose mit 10.000 Dollar vergraben.«

»Hast du wirklich 10.000 Dollar im Garten von deinem Bruder vergraben?«

»Natürlich nicht, aber der Kerl ist ein Arschloch, und es geschähe ihm recht. Los, komm.«

Ich trat nach draußen. Die Straße war leer, es herrschte kein Verkehr. Ganz Waynesboro war zu Hause und saß vor dem Fernseher. Ich nickte Katz zu. Er steckte den Kopf durch die Tür, sah vorsichtig nach links und rechts und raste in einem für seine Verhältnisse wirklich beachtlichen Tempo die Straße entlang. Ich brauchte ein paar Minuten bis zu unserem Motel. Ich begegnete unterwegs niemandem. Im Motel klopfte ich an Katz' Tür.

Eine lächerlich tiefe, autoritäre Stimme antwortete. »Wer ist da?«

Ich seufzte. »Bubba T. Flubba. Rück die Alte raus, Bürschchen.«

»Bryson! Laß den Scheiß. Ich kann dich durch den Spion erkennen.«

»Warum fragst du dann, wer da ist?«

»Zur Übung.«

Ich wartete eine Minute lang. »Willst du mich nicht reinlassen?«

»Kann ich nicht. Ich habe eine Kommode vor die Tür gerückt.«

»Wirklich?«

»Geh in dein Zimmer. Ich rufe dich an.«

Mein Zimmer war nebenan, und als ich hineinkam, klingelte das Telefon bereits. Katz wollte meinen Heimweg in allen Einzelheiten beschrieben haben und entwarf umständliche Pläne zu seiner Verteidigung, in denen unter anderem der schwere Keramikfuß einer Stehlampe eine Rolle spielte, zu guter Letzt wollte er durch das rückwärtige Fenster fliehen. Ich sollte in der Zwischenzeit Ablenkungsmanöver durchführen, im Idealfall den Truck des Mannes in Brand setzen und dann in die entgegengesetzte Richtung Reißaus nehmen. Zweimal rief er mich noch an, einmal kurz nach Mitternacht, um mir mitzuteilen, er habe draußen einen roten Pick-up vorbeifahren sehen. Am nächsten Morgen weigerte er sich, fürs Frühstück das Motel zu verlassen, also zog ich los zum nächsten Supermarkt, besorgte Lebensmittel und kaufte für uns beide je einen Beutel mit Proviant von Hardees. Er kam erst aus dem Zimmer, als vor dem Motel das Taxi mit laufendem Motor wartete. Es waren sechseinhalb Kilometer bis zum Trail, und Katz sah die ganze Zeit über aus dem Heckfenster.

Das Taxi setzte uns am Rockfish Gap ab, dem südlichen Tor zum Shenandoah National Park, dem letzten langen Wanderabschnitt, mit dem wir den ersten Teil unseres großen Abenteuers beschließen wollten. Wir hatten sechseinhalb Wochen für diesen ersten Ausflug angesetzt, und die waren jetzt bald rum. Ich brauchte dringend Urlaub – den brauchten wir weiß Gott beide – und hatte eine unbeschreibliche Sehnsucht nach meiner Familie. Trotzdem freute ich mich auf das, was ich mir als einen Höhepunkt unseres Unternehmens erwartete. Der Shenandoah National Park – 162 Kilometer von einem Ende bis zum anderen – ist berühmt für seine Schönheit, und ich wollte mich endlich einmal mit eigenen Augen davon überzeugen. Wir hatten immerhin einen weiten Weg zurückgelegt, um hierher zu kommen.

In Rockfish Gap befand sich ein mit Rangers besetztes Mauthäuschen, an dem Autofahrer Eintrittsgeld entrichten müssen; Wanderer brauchen sich nur eine Wandererlaubnis für das Gebiet zu besorgen. Die Bescheinigung ist kostenlos – eine der edelsten Traditionen des Appalachian Trail ist, daß alles umsonst ist –, aber man muß ein langes Formular ausfüllen, seine persönlichen Daten angeben, die geplante Route durch den Park, und wo man gedenkt jeden Abend zu kampieren (was ein bißchen absurd ist, weil man das Gelände noch nicht gesehen hat und nicht weiß, wie viele Kilometer man am Tag schaffen wird). An das Formular war ein Blatt mit den üblichen Vorschriften und Warnungen geheftet, Androhungen von schweren Strafen und sofortigem Verweis im Falle von – ach, eigentlich allem möglichem. Ich füllte das Formular so gut es ging aus und reichte es der Rangerin hinter dem Fensterchen.

»Sie wollen also den Trail entlangwandern«, stellte sie unvermutet scharfsinnig fest, nahm das Formular entgegen, ohne einen Blick darauf zu werfen, stempelte es routinemäßig ab und riß den Durchschlag ab, der als Erlaubnis dafür diente, den Grund und Boden zu betreten, der uns, theoretisch jedenfalls, sowieso gehörte.

»Wir wollen es zumindest versuchen«, sagte ich.

»Irgendwann muß ich auch mal in die Berge. Ich habe gehört, es soll wirklich sehr schön sein.«

Für einen Moment war ich fassungslos. »Sie sind den Trail noch nie gegangen?« Aber Sie sind doch ein Ranger, wollte ich ergänzen.

»Nein, leider nicht«, erwiderte sie wehmütig. »Ich habe mein ganzes Leben hier verbracht, aber dazu bin ich noch nicht gekommen. Eines Tages wird es soweit sein.«

Katz zerrte mich, aus Angst vor Beulahs Mann, praktisch hinter sich her, aber ich war neugierig geworden.

»Wie lange sind Sie schon Ranger?« fragte ich sie.

»Im August sind es zwölf Jahre«, sagte sie stolz.

»Sie sollten es mal mit dem Wandern probieren. Es ist wirklich schön.«

»Und Sie wären die Speckfalten an Ihrem Hintern los«, murmelte Katz in sich hinein und ging vor in den Wald. Ich sah ihm mit einiger Verwunderung hinterher. Diese Erbarmungslosigkeit sah Katz überhaupt nicht ähnlich, und ich schrieb sie dem Schlafentzug, tiefer sexueller Frustration und der Übersättigung mit Hardees Wurstsnacks zu.

Der Shenandoah National Park hat seine Probleme. Er leidet, noch viel stärker als der Park in den Smokies, unter chronischem Geldmangel, Zyniker würden sagen unter chronischem Mißmanagement mit den vorhandenen Mitteln. Einige kilometerlange Abschnitte des Trail sind gesperrt, andere vernachlässigt. Wenn die freiwilligen Helfer des Potomac Appalachian Trail Club nicht die Pflege von 80 Prozent der Wanderwege durch den Park übernommen hätten, wäre die Situation noch schlimmer. Mathews Arm Campground, eine der größten Freizeiteinrichtungen in dem Park, wurde 1993 wegen Geldmangel geschlossen und seitdem nicht wieder eröffnet. Viele andere Einrichtungen bleiben mehrere Monate im Jahr geschlossen. In den 80er Jahren waren sogar die Schutzhütten – die hier nicht *shelters*, sondern *huts* heißen – für einige Zeit dicht. Ich verstehe nicht, wie so etwas gehen soll – ich meine, wie kann man ein Holzhaus dichtmachen, dessen viereinhalb Meter breite Vorderseite offen ist? Und noch weniger verstehe ich den Grund, da ein Verbot für die Wanderer, sich nach einem stundenlangen Marsch auf einem Holzpodest schlafen zu legen, die Finanzen der Parkverwaltung wohl kaum entlasten wird. Aber Wanderern das Leben schwer zu machen hat Tradition in den Parks im Osten der Vereinigten Staaten. Ein paar Monate zuvor waren wegen einer Pattsituation im Haushaltsausschuß zwischen Präsident Clinton und dem Kongreß neben einigen untergeordneten staatlichen Behörden auch alle Nationalparks geschlossen worden. Aber für einen Wachdienst, der an jedem Zugang zum AT postiert wurde, um Wanderer mit Rucksack abzuwehren, kratzte die Shenandoah-Park-Verwaltung trotz chronischer Finanzkrise doch noch das nötige Geld zusammen. Folglich mußten ein paar Dutzend harmloser Leute umständliche, sinnlose Umwege über die Straße in Kauf nehmen, bevor sie ihre Wanderung fortsetzen konnten. Diese übertriebene Vorsichtsmaßnahme hat die Parkverwaltung mindestens 20.000 Dollar gekostet, also etwa 1.000 Dollar pro abgewimmeltem gefährlichen Wanderer.

Außer mit diesen selbstverschuldeten Defiziten muß sich die Parkverwaltung von Shenandoah mit einer Reihe von Problemen herumschlagen, die von Faktoren herrühren, die außerhalb ihrer Kontrolle liegen. Der Park ist über 160 Kilometer lang, aber an keiner Stelle breiter als zwei, drei Kilometer. Die Folge ist, daß die Millionen Besucher, die Jahr für Jahr herkommen, sich in einem außerordentlich schmalen Korridor entlang des Gebirgsgrats drängeln müssen. Campingplätze, Besucherzentren, Parkplätze, Picknickzonen, der AT und der Skyline Drive – die Aussichtsstraße, die am Grat entlang verläuft –, alles liegt dicht nebeneinander, auf Tuchfühlung sozusagen. Eine der beliebtesten Wanderrouten im Park, die zum Old Rag Mountain hinauf, ist dermaßen gefragt, daß an Sommerwochenenden die Leute dort Schlange stehen.

Dazu kommt das beunruhigende Phänomen der Luftverschmutzung. Noch vor 30 Jahren konnte man an besonders klaren Tagen das 120 Kilometer entfernte Washington-Monument erkennen. Heute kann es passieren, daß die Sichtweite an Sommertagen, an denen Smog herrscht, gerade einmal 3.000 bis 4.000 Meter beträgt, und sie liegt nie mehr über 50 Kilometer. Der saure Regen in den Flüssen hat der Forelle den Garaus gemacht. Seit 1983 gibt es Schwammspinner, die hektargroße Bestände von Eichen und Walnußbäumen vernichtet haben. Der große Kiefernmarkkäfer hat an Nadelbäumen ein ähnliches Werk verrichtet, und der Robinienkäfer und die Miniermotte haben an Tausenden Robinien schwere, entstellende, aber gnädigerweise keine tödlichen Schäden angerichtet. Innerhalb von nur sieben Jahren haben dagegen die Fichtengallenläuse an 90 Prozent des Schierlingsbestands im Park schweren Schaden angerichtet. Und wenn Sie das hier lesen, werden auch die restlichen zehn Prozent dahin sein. Eine unheilbare Pilzerkrankung, Anthraknose oder schwarzer Brenner genannt, ist dabei, die herrlichen Hartriegelsträucher auszurotten, nicht nur in Shenandoah, sondern überall in Amerika. Über kurz oder lang wird es den Hartriegel nicht mehr geben, ebenso wie die nordamerikanische Kastanie und die nordamerikanische Ulme. Kurzum, man kann sich kaum ein von Umweltproblemen stärker geplagtes Gebiet als den Shenandoah National Park vorstellen.

Trotzdem ist der Shenandoah National Park immer noch wunderschön. Er ist wahrscheinlich der schönste Nationalpark, den ich je gesehen habe, und dafür, daß so viele unglaubliche und widersprüchliche Anforderungen an ihn gestellt werden, ist er außerordentlich gut gepflegt. Er war von allen Parks, durch die der Appalachian Trail führt, mein Lieblingspark.

Wir wanderten durch dichte Wälder, über wunderbar bequemes Terrain, bei einem sanften Anstieg von 150 Meter auf einer Strecke von 6,5 Kilometern. In den Smokies kann es einem passieren, daß man 150 Meter auf, na ja, 150 Meter ansteigt. Das hier entsprach meinen Wünschen schon eher. Das Wetter war freundlich, und man spürte das Nahen des Frühlings. Überall pulsierte das Leben – Insekten summten, Eichhörnchen huschten über Äste, Vögel zwitscherten und hüpften in den Bäumen, Spinnweben glitzerten silbern im Sonnenlicht. Zweimal scheuchte ich Waldhühner auf, und jedesmal erschrak ich – es ist wie eine Explosion unter den Füßen, als würden aufgerollte Socken abgefeuert, gefolgt von flatternden Federn und empörtem Geschnattere. Ich sah eine Eule, die mich von einem dicken Ast aus seelenruhig beobachtete, und unzählige Rehe, die kurz ihre Köpfe reckten, wenn man vorbeiging, einen anstarrten, aber ansonsten zutraulich waren und weiteräßten. Vor 60 Jahren gab es in dieser Gegend der Blue Ridge Mountains keine Rehe. Sie waren durch die Jagd ausgerottet worden. Bei der Gründung des Parks 1936 setzte man 13 Weißwedelhirsche aus, und da kein Mensch und nur wenige Raubtiere Jagd auf sie machten, vermehrten sie sich rasch. Heute gibt es 5.000 Hirsche in dem Park, und alle stammen von den ersten 13 Tieren ab, oder von anderen, die aus der Umgebung dazustießen.

Der Park ist reich an wildlebenden Tieren, wenn man bedenkt, wie bescheiden die Ausmaße sind und daß eigentlich kein richtiges Hinterland zur Verfügung steht. Rotluchse, Bären, Rot- und Graufüchse, Biber, Stinktiere, Waschbären, Flughörnchen und unsere Freunde, die Salamander, gibt es in großer Zahl, auch wenn man die Tiere nicht häufig zu Gesicht bekommt, da die meisten nachtaktiv oder menschenscheu sind. Shenandoah hat angeblich die größte Dichte an Schwarzbären auf der ganzen Welt – ein Bär auf etwa zweieinhalb Quadratkilometer. Es sollen auch Berglöwen gesichtet worden sein, darüber liegen Berichte vor, unter anderem von Parkrangern, die es eigentlich besser wissen müßten – denn den Berglöwen gibt es in den Wäldern im Osten der Vereinigten Staaten nachweislich seit über 70 Jahren nicht mehr. Es gibt sie höchstens noch in einigen Restgebieten der Wälder im hohen Norden – aber dazu später (Sie müssen sich noch etwas gedulden, doch ich denke, es lohnt sich) –, aber nicht in einem so schmalen und eingeengten Gebiet wie dem Shenandoah National Park.

Wir bekamen nichts Exotisches zu Gesicht, nicht im entferntesten, aber es war ganz hübsch, auch mal ganz normale Eichhörnchen und Rehe zu sehen, das Gefühl zu haben, daß der Wald belebt ist. Am späten Nachmittag kam ich an eine Kurve, hinter der ich einen Truthahn mit seinen Küken entdeckte, die vor mir den Pfad kreuzten. Die Mutter war prächtig und unerschütterlich, ihre Küken stolperten unentwegt und kamen wieder auf die Beinchen und waren viel zu sehr mit sich selbst beschäftigt, um mich zu bemerken. So sollte es in einem Wald zugehen. Meine Freude hätte nicht größer sein können.

Wir wanderten bis fünf Uhr und campierten neben einem Bächlein auf einer kleinen, grasbewachsenen Lichtung zwischen Bäumen direkt neben dem Weg. Da es unser erster Tag nach der Pause war, hatten wir reichlich Vorrat, einschließlich verderblicher Ware wie Käse und Brot, die verspeist werden mußte, bevor sie schlecht oder in unseren Rucksäcken zu Krümeln zermalmt wurde. Wir schlemmten regelrecht, legten uns anschließend ins

Gras, rauchten und plauderten, bis die vielen penetranten mückenartigen Tierchen – die unter AT-Wanderern allgemein nur die Unsichtbaren genannt werden, denn »man sieht sie nicht, man hört sie nur« – uns in die Zelte trieben. Es war bestes Wetter zum Schlafen, so kalt, daß man einen Schlafsack brauchte, aber warm genug, um in Unterwäsche zu schlafen. Ich hoffte auf eine lange, ausgiebige Nachtruhe und erfreute mich auch derselben, bis zu irgendeiner finsteren Stunde ein Geräusch in unmittelbarer Nähe zu hören war. Ich riß die Augen auf. Normalerweise kann mich nichts wecken, weder Donner noch Katz' Schnarchen oder sein geräuschvolles mitternächtliches Wasserlassen. Etwas so Lautes und Besonderes, daß ich davon aufwachte, mußte etwas höchst Ungewöhnliches sein. Man hörte, wie im Unterholz gewühlt wurde, das Knacken von Zweigen, offenbar ein schweres tapsiges Wesen, das sich durchs Laub schob, und dann ein lautes, leicht nervöses Schnüffeln.

Ein Bär!

Ich richtete mich kerzengerade auf. Jedes Neuron in meinem Gehirn war sofort hellwach und entfaltete hektische Betriebsamkeit, wie Ameisen, wenn man unversehens auf ihren Bau tritt. Ich wollte instinktiv nach meinem Messer greifen, aber dann fiel mir ein, daß ich es in meinem Rucksack gelassen hatte – draußen vor dem Zelt. An nächtliche Verteidigung hatten wir nach so vielen aufeinanderfolgenden Nächten beschaulicher Ruhe keinen Gedanken mehr verschwendet. Wieder hörte ich ein Geräusch, diesmal ganz nahe.

»Stephen? Bist du wach?« flüsterte ich.

»Ja«, antwortete er mit müder, unaufgeregter Stimme.

»Was war das gerade?«

»Woher soll ich das wissen?«

»Hörte sich nach einem großen Tier an.«

»Im Wald hört sich alles nach großen Tieren an.«

Das stimmte. Einmal war ein Stinktier durch unser Nachtlager spaziert, und es hatte sich angehört wie ein Dinosaurier. Wieder war ein lautes Rascheln zu vernehmen, und dann ein schlabberndes Geräusch vom Bach her. Es trank Wasser, das unbekannte Wesen.

Ich rutschte auf Knien zum Zelteingang, öffnete vorsichtig den Reißverschluß und steckte den Kopf hinaus. Es war pechschwarze Nacht. So leise ich konnte, holte ich meinen Rucksack ins Zelt und suchte im Schein der Taschenlampe nach meinem Messer. Als ich es gefunden und die Klinge aufgeklappt hatte, war ich entsetzt. Das Messer war viel zu klein, einfach lächerlich. Es war ein solides Besteckmesser, bestens geeignet, um Butter auf einen Pfannkuchen zu streichen, aber völlig ungeeignet, um einen wütenden Pelz von mehreren Zentnern Lebendgewicht abzuwehren. Vorsichtig kroch ich aus dem Zelt und schaltete die Taschenlampe ein, die ein erbärmliches Licht warf. Das Wesen in vier bis fünf Meter Entfernung schaute zu mir auf. Ich konnte nichts erkennen, weder Umriß noch Größe, nur zwei leuchtende Augen. Es blieb still stehen und erwiderte meinen starren Blick.

»Stephen«, flüsterte ich, »hast du ein Messer eingepackt?«

»Nein.«

»Hast du irgendwas Scharfes dabei?«

Er überlegte einen Moment. »Meine Nagelschere.«

Ich war verzweifelt. »Nichts Gefährlicheres? Hier draußen ist nämlich wirklich irgendwas.«

»Wahrscheinlich bloß ein Stinktier.«

»Dann muß es aber ein Riesenstinktier sein. Die Augen sind einen Meter vom Boden entfernt.«

»Dann eben ein Reh.«

Ich warf dem Tier einen Zweig hin, aber es rührte sich nicht. Ein Reh wäre aufgeschreckt und davongelaufen. Das Wesen klimperte einmal mit den Augen und starrte mich weiter an.

Ich machte Meldung an Katz.

»Vielleicht ein Rehbock. Die sind nicht ganz so zahm. Schimpf doch mal mit ihm.«

Ich schimpfte mit zittriger Stimme. »He! Du da! Hau ab!« Das Geschöpf klimperte wieder mit den Augen, seltsam ungerührt. »Schimpf du mal«, sagte ich zu Katz.

178

»He, du blödes Vieh, geh weg. Los, geh!« imitierte Katz meine Stimme. »Hinweg, du scheußliche Kreatur!« Er war gnadenlos.

»Blödmann«, sagte ich und trug mein Zelt neben seins. Ich wußte selbst nicht, was ich damit bezweckte, aber es beruhigte mich ein klein wenig, ihm ein Stück näher zu sein.

»Was machst du da?«

»Ich verrücke mein Zelt.«

»Großartige Idee. Das macht das arme Tierchen bestimmt ganz konfus.«

Ich schaute angestrengt in die Finsternis, aber ich konnte auch auf die kurze Entfernung nichts erkennen außer zwei weit aufgerissenen Augen, wie in einem Comic. Ich konnte mich nicht entscheiden, ob ich lieber draußen bleiben wollte, um gleich zu sterben, oder lieber drinnen, um aufs Sterben zu warten. Eigentlich wollte ich nur, daß das Tier abhaute. Ich hob einen kleinen Stein auf und warf ihn nach dem Tier. Ich glaube, ich habe es sogar getroffen, denn es setzte lautstark zu einem Sprung an – was mich zu Tode erschreckte und mir ein Wimmern entlockte – und gab dann ein Geräusch von sich, kein richtiges Knurren, aber fast. Vielleicht sollte ich es lieber nicht provozieren.

»Was machst du da, Bryson? Laß das Tier in Ruhe, dann haut es von alleine ab.«

»Wie kannst du bloß so ruhig sein?«

»Was soll ich denn machen? Es reicht doch, wenn einer von uns beiden den Hysterischen spielt.«

»Entschuldige bitte, aber ich habe allen Grund, beunruhigt zu sein. Ich stehe hier mitten im dunklen Wald, Auge in Auge mit einem Bär, am Ende der Welt, zusammen mit einem Kerl, der nichts anderes zur Verteidigung dabei hat als eine Nagelschere. Sag mir eins, Katz: Wenn das hier ein Bär ist, und er geht auf dich los, was willst du dann machen – ihm die Fußnägel schneiden?«

»Ich laß' die Dinge auf mich zukommen«, sagte Katz unerschütterlich.

»Du willst das Ding hier auf dich zukommen lassen? Das Ding ist ein Bär, und es kommt nicht erst noch, es ist längst da, verfluchte Kacke. Es sieht uns an. Es riecht die Nudeln und die Snickers – ach, du schöne Scheiße!«

»Was ist?«

»Scheiße!«

»Was ist?«

»Es sind zwei. Ich kann ein zweites Augenpaar erkennen.« In dem Moment machte die Batterie der Taschenlampe schlapp. Das Licht flackerte, dann verlosch es ganz. Ich eilte in mein Zelt, stach mir dabei vor Aufregung in den Oberschenkel und begann eine hektische Suche nach Ersatzbatterien. Als Bär hätte ich mich genau jetzt, in diesem günstigen Moment auf meine Beute gestürzt.

»Ich leg' mich wieder schlafen«, verkündete Katz.

»Was redest du da? Du kannst doch jetzt nicht einfach schlafen.«

»Und ob ich das kann. Ich hab's oft genug getan.« Ich hörte, wie er auf die Seite rollte und dann eine Folge von Schnief- und Schnüffelgeräuschen von sich gab, ähnlich denen der Kreatur draußen am Bach.

»Stephen, du kannst jetzt nicht einschlafen«, verlangte ich von ihm. Aber er konnte es sehr wohl, und zwar erstaunlich schnell.

Das Tier – die Tiere – schlabberten munter weiter. Ich konnte keine Ersatzbatterien finden, warf die Taschenlampe hin und setzte die Stirnlampe auf, probierte, ob sie auch funktionierte, und schaltete sie wieder aus, um die Batterie zu schonen. Danach blieb ich stundenlang auf meinen Knien hocken, den Zelteingang fest im Visier, lauschte angestrengt, hielt in der einen Hand meinen Wanderstab wie einen Baseballschläger umklammert, bereit, bei einem Angriff zurückzuschlagen, in der anderen, als Verteidigung von der Flanke her, das geöffnete Klappmesser. Die Bären, die Tiere, was auch immer, tranken noch etwa 20 Minuten lang und verließen dann leise die Lichtung in der Richtung, aus der sie gekommen waren. Es war ein Augenblick der Freude, aber ich wußte aus meiner Lektüre einschlägiger Literatur, daß sie aller Wahrscheinlichkeit nach zurückkommen würden. Ich lauschte und lauschte, aber Stille senkte sich über den Wald, und es blieb ruhig.

Schließlich ließ ich meinen Wanderstab los und zog mir einen Pullover über, dabei hielt ich zweimal inne, um noch die winzigsten Geräusche zu identifizieren, fürchtete den Lärm, der einen zweiten Besuch ankündigte, und kroch nach sehr langer Zeit wieder in meinen Schlafsack, weil mir kalt wurde. Ich blieb lange wach liegen, starrte in die völlige Finsternis und wußte, daß ich nie wieder unbeschwert in einem Wald würde schlafen können.

Dann schlief ich unweigerlich allmählich doch ein.

12. Kapitel

Ich hatte erwartet, daß Katz am nächsten Morgen unerträglich sein würde, aber er war erstaunlich gnädig mit mir. Er weckte mich mit Kaffee, und als ich aus meinem Zelt hervorkroch, wie gerädert und um den Schlaf gebracht, sagte er zu mir: »Ist irgendwas? Du siehst schlimm aus.«

»Ich habe nicht genug geschlafen.«

Er nickte. »Glaubst du wirklich, daß es ein Bär war?«

»Was weiß ich.« Plötzlich fiel mir der Vorratsbeutel ein – auf den gehen Bären normalerweise zuerst los – und ich wandte den Kopf zur Seite, um nachzusehen, aber er hing immer noch sicher ein paar Meter über dem Boden an einem Ast, ungefähr 15 Meter von unseren Zelten entfernt. Ein zu allem entschlossener Bär hätte ihn da bestimmt heruntergeholt. Eigentlich hätte ihn jedes Kind herunterholen können. »Vielleicht doch nicht«, sagte ich enttäuscht.

»Weißt du, was hier drin ist? Für alle Fälle«, sagte Katz und klopfte vielsagend auf seine Brusttasche. »Meine Nagelschere. Man weiß ja nie. Gefahren lauern überall. Eins kann ich dir flüstern, mein Freund, aus Schaden wird man klug. Ich habe meine Hausaufgaben gemacht.« Dann lachte er schallend.

Danach ging es wieder in den Wald. Der Appalachian Trail verläuft auf fast der gesamten Länge des Shenandoah National Park parallel zum Skyline Drive und kreuzt diesen sogar häufig, obwohl man das als Wanderer meistens kaum merkt. Es kann passieren, daß man durch die heiligen Säulenhallen des Waldes streift, und plötzlich gleitet ein paar Meter vor einem ein Auto zwischen den Bäumen hindurch – ein immer wieder irritierender Anblick.

Anfang der 30er Jahre wurde der Potomac Appalachian Trail Club – Myron Averys Lieblingskind und zeitweilig von der Appalachian Trail Conference nicht zu unterscheiden – von anderen Wandervereinen scharf angegriffen, besonders von dem elitären Appalachian Mountain Club in Boston, er habe sich dem Bau der Skyline Drive durch den Park nicht widersetzt. Avery fühlte sich von dieser Rüge schwer getroffen und schrieb im Dezember 1935 einen beleidigenden Brief an MacKaye, der dessen Beziehung zum Trail Club, die ohnehin nur noch recht oberflächlich war, offiziell ein Ende setzte. Die beiden Männer haben nie wieder ein Wort miteinander gesprochen, dennoch zollte MacKaye ihm bei seinem Tod im Dezember 1952 die gebührende Anerkennung und bemerkte, ohne Avery wäre der Trail wohl nie gebaut worden. Viele Menschen mögen den Skyline Drive nicht, aber Katz und ich konnten ihm durchaus etwas abgewinnen. Häufig verließen wir den Trail und gingen für ein, zwei Stunden auf dem Highway weiter. Jetzt, in der Vorsaison, Anfang April, fuhren kaum Autos durch den Park, und wir nutzten den Skyline Drive einfach als breiten, bequemen, asphaltierten Nebenwanderweg. Es war ein ganz neues Gefühl, zur Abwechslung festen Boden unter den Füßen zu haben, und äußerst angenehm, nach wochenlangem Marschieren durch undurchdringlichen Wald draußen im Freien zu sein, in der Sonne. Autofahrer führen wirklich ein verwöhnteres, sorgenfreieres Leben als wir Wanderer. Es gab an der Straße viele eigens angelegte Aussichtspunkte, die einen herrlichen Ausblick boten – obwohl auch jetzt, bei klarem Frühlingswetter, alles, was weiter als neun bis zehn Kilometer weg war, unter einer staubigen Dunstdecke lag. Diese Plätze waren mit Informationstafeln, die nützliche Hinweise über Flora und Fauna des Parks enthielten, und sogar mit Mülleimern ausgestattet. So was hätten wir auf dem Trail auch ganz gut gebrauchen können, fanden wir. Wenn die Sonne zu heiß wurde oder die Füße schmerzten – Asphalt ist eigentlich eine Tortur für die Füße – oder wenn wir eine Abwechslung benötigten, kehrten wir wieder in den vertrauten, kühlen, heimeligen Wald zurück. Es war sehr angenehm, geradezu luxuriös, zwischen beiden Möglichkeiten wählen zu können.

An einem der Rastplätze am Skyline Drive hing eine Informationstafel, die den Besucher auf einen Hang in der Nähe aufmerksam machte, der über und über mit Schierling bewachsen war, einer sehr dunklen, fast schwarzen Konifere, die typisch für die Blue Ridge Mountains ist. Dieser Schierling, überhaupt aller Schierling, der am Trail und im Wald zu beiden Seiten wächst, ist von einer Blattlaus befallen, die 1924 aus Asien eingeschleppt wurde, und stirbt ab. Der National Park Service, lautete die traurige Feststellung auf der Informationstafel, könne sich eine Behandlung der Bäume nicht leisten. Es gäbe zu viele, das Gebiet sei zu weitläufig, eine Schädlingsbekämpfung mit Flugzeugen erscheine daher nicht praktikabel. Ich habe dazu einen Vorschlag: Warum behandelt man nicht wenigstens ein paar Bäume? Wenigstens einen einzigen? Es wäre ein Anfang. Die gute Nachricht sei, laut Informationstafel, daß der National Park Service die Hoffnung hege, daß sich einige Bäume in Laufe der Zeit auf natürlichem Weg erholen werden. Was sagt man dazu?

Vor 60 Jahren gab es fast überhaupt keine Bäume in den Blue Ridge Mountains. Das war alles Ackerland. Der Weg durch den Wald führte jetzt des öfteren an den Überresten alter Steinwälle entlang, und einmal kamen wir an einem kleinen abgelegenen Friedhof vorbei, eine Erinnerung daran, daß dies eine der wenigen Bergregionen in den gesamten Appalachen ist, wo tatsächlich einmal Menschen gelebt haben – ihr Pech, daß es leider die falschen Leute waren. In den 20er Jahren strömten Soziologen und andere Wissenschaftler aus den Städten in die Berge und waren entsetzt über das, was sie dort vorfanden. Armut und Entbehrungen waren allgegenwärtig. Der Boden war äußerst karg. Viele Bauern bewirtschafteten Steilhänge, die fast senkrecht waren. Dreiviertel der Bergbewohner konnten nicht lesen. Die meisten waren kaum je zur Schule gegangen. 90 Prozent der Kinder waren unehelich. Hygiene war ein Fremdwort, nur zehn Prozent der Haushalte verfügten über einen primitiven Außenabort.

Hinzu kam, daß die Blue Ridge Mountains von sensationeller Schönheit waren und für eine neue Klasse motorisierter Touristen bequem erreichbar. Die naheliegende Lösung war, die Menschen aus den Bergregionen in die Täler umzusiedeln, wo sie ruhig weiter arm bleiben durften, und oben eine malerische Straße zu bauen, auf der man sonntags spazierenfahren konnte, und das Ganze in einen Gipfelrummel zu verwandeln, mit kommerziell betriebenen Campingplätzen, mit Restaurants, Eisdielen, Minigolf und womit sonst noch leicht Geld zu verdienen war.

Die Geschäftsleute hatten aber ebenfalls Pech, denn die Wirtschaftskrise setzte ein, und die kommerziellen Interessen traten in den Hintergrund. Statt dessen rückte unter der Präsidentschaft von Franklin Roosevelt ein konfuser sozialistischer Gedanke in den Vordergrund, und der Staat kaufte das Land. Die verbliebenen Bewohner wurden evakuiert, und das Civilian Conservation Corps machte sich an den Bau hübscher Steinbrücken, Picknickareale, Besucherzentren und diverser anderer Einrichtungen. Alles zusammen wurde im Juli 1936 der Öffentlichkeit übergeben. Es ist im wesentlichen die handwerkliche Qualität, die den Ruhm des Shenandoah National Park begründet. Der Park ist ein Meisterwerk gemeinsamer menschlicher Anstrengung, eines der wenigen Beispiele für großangelegte Bauprojekte – der Hoover-Damm ist ein weiteres Beispiel, und Mount Rushmore, würde ich sagen, ein drittes –, die sich in die natürliche Landschaft einfügen, sie eigentlich erst richtig zur Geltung bringen. Ich glaube, das ist einer der Gründe, warum ich so gern den Skyline Drive entlangging, mit seinen breiten Grasstreifen und den Befestigungsmauern aus Stein, den kunstvoll angelegten Birkenhainen und den sanft geschwungenen Kurven, die zu atemberaubenden, klug in Szene gesetzten Panoramablicken führen. In dem Stil sollten alle Highways sein, und eine Zeitlang sah es auch tatsächlich danach aus. Es ist kein Zufall, daß die ersten Highways in Amerika Parkways hießen. Als solche waren sie konzipiert – Parkanlagen, durch die man hindurchfahren konnte.

Von dieser handwerklichen Tradition ist auf dem Appalachian Trail im Park nichts zu spüren – vielleicht wäre das für einen Wanderweg, der sich der Wildnis verschrieben hat, auch zuviel verlangt –, aber man begegnet ihr angenehmerweise in den Schutzhütten, die etwas von dem charmanten rustikalen Charakter der Hütten in den Smokies haben, aber luftiger, sauberer und praktischer sind und nicht diese gräßlichen Maschendrahtzäune an der Vorderseite haben.

Katz fand es lächerlich, aber ich bestand darauf, daß wir nach unserer Nacht an dem Bach nur noch in Schutzhütten schliefen – ich bildete mir ein, eine Hütte ließe sich gegen marodierende Bären besser verteidigen –, und außerdem sind die Hütten im Shenandoah Park viel zu schön, um sie links liegen zu lassen. Jede Hütte hatte ihren eigenen Reiz, war an einem sorgfältig ausgewählten Standort errichtet worden, verfügte über eine Wasserquelle in der Nähe, Picknicktische und ein Außenklo. Zwei Abende hintereinander hatten wir jeweils eine Hütte für uns allein gehabt, und am dritten Abend sah es wieder danach aus. Gerade wollten wir uns zu dieser erstaunlichen Glückssträhne gratulieren, als eine Kakophonie von Stimmen aus dem Wald erscholl. Wir sahen um die Ecke und entdeckten eine Gruppe Pfadfinder, die auf die Lichtung zumarschierten. Sie begrüßten uns, wir grüßten zurück, dann setzten wir uns auf das Schlafpodest, ließen die Füße baumeln und beobachteten die Jungen dabei, wie sie die Lichtung mit ihren Zelten und ihrer Ausrüstung in Beschlag nahmen und freuten uns darüber, daß wir mal etwas anderes zu sehen bekamen als immer nur uns selbst. Es waren drei erwachsene Aufseher und 17 Pfadfinder, alle mit jeweils zwei linken Händen. Zelte wurden aufgebaut und brachen sofort wieder in sich zusammen oder neigten sich zur Seite. Einer der Erwachsenen ging Wasser holen und fiel dabei in den Bach. Selbst Katz gab zu, das sei ja besser als Fernsehen. Zum ersten Mal seit unserem Aufbruch in New Hampshire fühlten wir uns wie die Herren des Trails.

Ein paar Minuten später kam ein munterer Einzelwanderer an,

186

John Connolly, Highschool-Lehrer im Norden des Bundesstaates New York. Er war seit vier Tagen unterwegs, anscheinend immer ein paar Kilometer hinter uns, und hatte jede Nacht allein im Freien kampiert, was ich jetzt als außerordentlich mutig empfand. Er hatte keine Bären gesehen – er ging den AT seit vier Jahren in Etappen und hatte nur ein einziges Mal einen Bären gesehen, tief in den Wäldern von Maine, nur kurz, nur von hinten und auf der Flucht. Nach John kamen noch zwei Männer unseres Alters, zwei sehr nette Kerle, zurückhaltend, aber lustig. Wir waren höchstens drei, vier Wanderern begegnet, seit wir in Waynesboro aufgebrochen waren, und jetzt auf einmal wurden wir förmlich überrannt.

»Was für ein Tag ist heute?« fragte ich, und alle mußten innehalten und überlegen.

»Freitag«, sagte jemand. »Ja, heute ist Freitag.« Das war die Erklärung – das Wochenende hatte begonnen.

Wir setzten uns alle an den Picknicktisch, kochten und aßen. Es war richtig gesellig. Die drei anderen waren schon viel gewandert und erzählten alles Wissenswerte über die Strecke, die noch vor uns lag, bis rauf nach Maine, das für uns immer noch in unerreichbarer Ferne lag. Dann wandte sich das Gespräch einem Thema zu, das sich bei Hikern anhaltender Beliebtheit erfreut – wie überlaufen der Trail doch sei. Connolly erzählte, daß er 1987, zur Hochsaison im Sommer, fast die Hälfte der Gesamtstrecke abgewandert und tagelang keinem Menschen begegnet sei, und Jim und Chuck pflichteten ihm bei.

Diese Klage hört man immer wieder, und es trifft sicher zu, daß mehr Menschen das Wandern für sich entdeckt haben als je zuvor. Bis in die 70er Jahre hinein bewältigten keine 50 Personen die gesamte Strecke des AT an einem Stück, und bis 1984 war die Zahl auf gerade mal 100 gestiegen. 1990 war sie auf über 200 geklettert, und heute nähert sie sich der 300er-Marke. Das sind enorme Steigerungen, aber es bleibt doch insgesamt eine kleine Zahl. Unmittelbar vor unserem Aufbruch war in meiner Lokalzeitung in New Hampshire ein Interview mit einem Mitarbeiter des Wartungspersonals für den AT erschienen, einem Trail-Pfleger, wie sie sich nennen. Der berichtete, die drei Lagerplätze in seinem Abschnitt seien vor 20 Jahren in den Monaten Juli und August wöchentlich von etwa einem Dutzend Besucher frequentiert worden, heute seien es bis zu 100 Personen in der Woche. Ich finde daran viel erstaunlicher, daß über so lange Zeit nur so wenig Leute gekommen sind. Wie dem auch sei, 100 Gäste pro Woche in der Hochsaison, verteilt auf drei Lagerplätze, erscheint mir nicht überwältigend viel.

Vielleicht sehe ich das aus der falschen Perspektive, weil ich über Jahre immer nur auf dem für amerikanische Maßstäbe kleinen, überfüllten Inselchen England gewandert bin, aber was mich in dem Sommer unserer langen Tour regelmäßig erstaunt hat, war die Tatsache, wie leer der Pfad eigentlich war. Keiner weiß genau, wie viele Menschen den Appalachian Trail benutzen, aber die meisten Schätzungen gehen von einer Zahl zwischen drei und vier Millionen pro Jahr aus. Nehmen wir an, vier Millionen trifft zu, und nehmen wir weiter an, daß die meisten Wanderer in den sechs wärmsten Monaten unterwegs sind, dann kommen wir auf durchschnittlich 16.500 Personen, die täglich unterwegs sind. Das macht 4,6 Personen auf einen Kilometer, also etwa einen Menschen alle 220 Meter. Tatsächlich erreichen nur wenige Abschnitte eine so hohe Dichte. Ein großer Teil der jährlich vier Millionen Wanderer konzentriert sich für einen Tag oder eine Woche auf bestimmte beliebte Abschnitte – den Presidential Range in New Hampshire, den Baxter State Park in Maine, Mount Greylock in Massachusetts, die Smokies und den Shenandoah National Park. Zu diesen vier Millionen gehören auch die sogenannten Reebok-Hiker, die zu Tausenden einfallen. Sie kommen mit dem Auto vorgefahren, gehen ein paar hundert Meter, setzen sich wieder in ihr Auto und lassen sich nie wieder zu so etwas atemberaubend Gefährlichem hinreißen. Egal, was die Leute sagen, der Appalachian Trail ist nicht überlaufen, glauben Sie mir.

Wenn die Leute darüber schimpfen, der Trail sei überfüllt, dann meinen sie in Wahrheit, die Hütten seien überfüllt, und da muß ich ihnen recht geben. Das Problem besteht jedoch nicht darin, daß es zu viele Wanderer gibt, gemessen an der Zahl der Hütten, sondern zu wenig Hütten, gemessen an der Zahl der Wanderer. Der Shenandoah National Park verfügt nur über acht Hütten – von denen jede nicht mehr als acht Personen aufnehmen kann, höchstens zehn –, und das auf 162 Kilometern Wanderweg. Das entspricht ungefähr dem Durchschnitt für den gesamten Appalachian Trail. Obwohl die Entfernungen zwischen den einzelnen Hütten sehr stark variieren können, befindet sich im Schnitt alle 16 Kilometer eine Schutzhütte, ein Blockhaus oder ein Unterstand. Das bedeutet, es existieren auf 3.540 Kilometer Wanderweg nur 2.500 angemessene Schlafgelegenheiten. Wenn man bedenkt, daß im Umkreis einer Tagesreise vom Appalachian Trail 100 Millionen Menschen leben, dann kann es kaum überraschen, daß 2.500 Schlafplätze manchmal nicht ausreichen. Es klingt widersinnig, aber trotzdem wächst der Druck, die Anzahl der Schutzhütten in manchen Abschnitten zu reduzieren, um das zu vermeiden, was als Überfrequentierung des Trails verstanden wird – meiner Meinung nach ist das völlig unverständlich.

Wie immer, wenn sich das Gespräch um die Überfüllung des Trail drehte und den Umstand, daß man jetzt manchmal an einem einzigen Tag ein Dutzend Leute trifft, wo man früher, wenn man Glück hatte, nur zwei Menschen begegnet ist, hörte ich höflich zu und sagte dann: »Ihr solltet erstmal in England wandern.«

Jim sagte daraufhin freundlich und geduldig zu mir: »Aber wir sind nun mal nicht in England, Bill.« Da konnte er recht haben.

Es gibt noch einen weiteren Grund, warum ich den Shenandoah National Park besonders mag und warum ich wahrscheinlich nicht aus dem gleichen Holz geschnitzt bin wie ein richtiger amerikanischer Hiker: Cheeseburger. Man kann sich im Shenandoah National Park regelmäßig mit Cheeseburgern, eisgekühlter Cola, Pommes, Eis und jeder Menge anderem Zeug versorgen. Obwohl die zügellose Kommerzialisierung, von der ich eben sprach, ausgeblieben ist – zum Glück natürlich –, hat sich dieser *esprit de commerce* in Shenandoah teilweise gehalten. Der Park ist geradezu übersät mit öffentlichen Camping- und Rastplätzen, an denen sich Restaurants und Geschäfte befinden – und der AT führt Gott sei Dank an fast allen vorbei. Es steht ganz und gar im Widerspruch zur Idee des Appalachian Trail, unterwegs Pausen in Restaurants einzulegen, aber ich kenne keinen Wanderer, der nicht ab und zu trotzdem gerne dort eingekehrt wäre.

Katz, Connolly und ich machten gleich am Tag darauf unsere erste Erfahrung damit, nachdem wir uns von Jim und Chuck und den Pfadfindern verabschiedet hatten, die alle Richtung Süden weiterzogen, und wir gegen Mittag einen gut besuchten »Rummelplatz« namens Big Meadows erreichten.

Big Meadows verfügt über einen Campingplatz, eine Hütte, ein Restaurant und einen Souvenir- und Gemischtwarenladen. Unmengen von Menschen lümmelten sich auf einem großen, sonnigen Rasen. (Big Meadows bedeutet eigentlich große Wiese; tatsächlich rührt die Bezeichnung aber von einem Mann namens Meadows her, was mir außerordentlich gut gefiel.) Wir stellten unsere Rucksäcke auf dem Rasen ab und eilten in das volle Restaurant, wo wir uns gierig über die besonders fettigen Speisen hermachten, dann begaben wir uns wieder nach draußen, ließen uns auf dem Rasen nieder, rauchten, rülpsten und gaben uns dem stillen Akt der Verdauung hin. Während wir so dalagen, gegen die Rucksäcke gelehnt, näherte sich uns ein Tourist mit einem albernen Strohhütchen auf dem Kopf, die Eistüte fest umklammert, und musterte uns freundlich. »Sie sind wohl Wanderer, was?« sagte er.

Wir bejahten.

»Tragen Sie die Rucksäcke die ganze Zeit?«

»Bis wir jemanden gefunden haben, der sie für uns trägt«, sagte Katz vergnügt.

»Welche Entfernung haben Sie heute morgen schon zurückgelegt?«

»Ungefähr 13 Kilometer.«

»13 Kilometer! Meine Güte. Und wie weit wollen Sie heute nachmittag noch kommen?«

»Noch mal 13 Kilometer.«

»Im Ernst? 26 Kilometer zu Fuß? Mit den Dingern auf dem Rücken? Mann, o Mann – ist ja irre.« Er rief quer über den Platz. »Komm mal her, Bernice! Das mußt du dir ansehen.« Er betrachtete uns wieder. »Was haben Sie denn alles da drin? Kleider und so Zeug, nehme ich an.«

»Und Proviant«, sagte Connolly.

»So so, Sie haben Ihren eigenen Proviant dabei.«

»Da kommt man nicht drumherum.«

»Ist ja irre.«

Bernice kam, und er erklärte ihr, daß wir doch tatsächlich die eigenen Beine benutzten, um uns durchs Gelände zu bewegen. »Ist das nicht toll? Proviant und alles, was sie sonst noch brauchen, ist in den Rucksäcken.«

»Wirklich?« fragte Bernice voller Bewunderung. »Dann gehen Sie also die ganze Zeit zu Fuß?« Wir nickten. »Sind Sie zu Fuß hierhergekommen? Den ganzen Weg?«

»Wir gehen überall zu Fuß hin«, sagte Katz ernst.

»Sie sind doch nicht den ganzen Weg zu Fuß hier raufgegangen!«

»Doch«, sagte Katz, den dieser Moment mit größtem Stolz erfüllte.

Ich begab mich auf die Suche nach einem öffentlichen Telefon, um zu Hause anzurufen, danach ging ich aufs Klo. Als ich ein paar Minuten später wiederkam, hatte Katz eine kleine Gruppe neugieriger Zuschauer um sich geschart und demonstrierte den Gebrauch verschiedener Gurte und Steckverschlüsse. Dann setzte er auf besonderen Wunsch den Rucksack auf und ließ sich fotografieren. Ich hatte ihn noch nie so zufrieden erlebt.

Während Katz noch mit seiner Vorführung beschäftigt war, gingen Connolly und ich los, um den Laden auf dem Rastplatz in Augenschein zu nehmen. Mir fiel auf, wie gering die richtigen Wanderer hier geschätzt werden, was für eine untergeordnete Rolle sie in dem ganzen kommerziellen Betrieb der Nationalparks spielen. Nur drei Prozent der jährlich zwei Millionen Besucher des Shenandoah gehen mehr als ein paar Schritte in das Hinterland, wie es vollmundig genannt wird. 90 Prozent der Besucher reisen mit dem Auto oder dem Wohnmobil an, und auf diese Klientel war der Laden zugeschnitten. Für fast alle Lebensmittel benötigte man einen Mikrowellenherd oder Backofen zur Zubereitung, vieles mußte kühl gelagert werden oder wurde nur in großen Mengen angeboten. (Welcher Wanderer, der allein unterwegs ist, will schon 24 Hamburgerbrötchen auf einmal?) Es gab nichts von dem typischen Wanderproviant – Rosinen, Nüsse oder kleine, leicht zu transportierende Packungen und Konserven –, was ich für einen Laden in einem Nationalpark ziemlich enttäuschend finde.

Da die Auswahl beschränkt war und wir auf keinen Fall schon wieder Nudeln essen wollten, wenn es sich irgendwie vermeiden ließ (Connolly war, wie ich zu meiner Genugtuung feststellte, auch ein Nudelesser), kauften wir 24 Hotdogs und die dazugehörigen Brötchen, eine Zwei-Liter-Flasche Cola und ein paar große Packungen Plätzchen. Danach holten wir Katz ab – der seinem Publikum mit Bedauern verkündete, er müsse jetzt los, die Berge warteten auf ihn – und stapften mutig zurück in den Wald.

Abends machten wir Halt an einem beschaulichen, abgelegenen Platz, Rock Spring Hut, oberhalb eines steilen Abhangs, mit einem weiten Blick ins Shenandoah Valley. Die Schutzhütte hatte sogar eine Schaukel, einen Zweisitzer, der an Ketten von dem Vordach der Hütte hing und zum Gedenken an eine gewisse Theresa Affronti angebracht worden war, die eine besonders innige Beziehung zum Trail gehabt hatte, wie uns eine Plakette auf der Rückseite mitteilte. Frühere Besucher der Hütte hatten einen Vorrat an Konserven dagelassen, Bohnen, Mais, Büchsenfleisch, Karotten, die ordentlich auf einem Stützbalken aufgereiht waren. So etwas kommt durchaus häufiger vor. Manchmal wandern AT-Begeisterte aus der Umgebung nur zur nächsten Hütte und bringen selbstgebackene Plätzchen, Sandwiches oder Brathühnchen mit. Eigentlich eine schöne Sitte.

Wir kochten gerade unser Essen, als ein junger Mann ankam, der den Trail an einem Stück ging, von Norden nach Süden – der erste Weitwanderer, den wir in dieser Saison trafen. Er war an dem Tag 42 Kilometer gelaufen und war ganz aus dem Häuschen, als er erfuhr, daß Hotdogs auf dem Speiseplan standen. Katz, Connolly und ich hätten niemals sechs Stück heruntergekriegt, wir aßen pro Person nur vier, allerdings jede Menge Plätzchen zum Nachtisch, die übrigen hoben wir fürs Frühstück auf. Der junge Mann dagegen aß wie ein Scheunendrescher. Er vertilgte sechs Hotdogs, eine Dose Karotten, bediente sich großzügig bei den Oreo-Schokoladenplätzchen, zwölf Stück, eins nach dem anderen, und aß sie genüßlich und mit ausgiebigen Kaubewegungen auf. Er erzählte uns, er sei in Maine bei hohem Schnee losgegangen, sei unterwegs von Schneestürmen aufgehalten worden, liefe im Durchschnitt aber immer noch 40 Kilometer täglich. Er war nur knapp einssechzig groß, und sein Rucksack war ein Ungetüm. Kein Wunder, daß er so einen Mordshunger hatte. Er wollte versuchen, den Trail in drei Monaten zu schaffen, dazu nutzte er jede helle Stunde. Als wir am nächsten Morgen aufwachten, war die Dämmerung gerade erst angebrochen, aber unser Gast war bereits gegangen. An seiner Schlafstelle lag ein Zettel, auf dem er sich für das Essen bedankte und uns viel Glück wünschte. Wir wußten nicht einmal seinen Namen.

Am späten Vormittag, als ich merkte, daß ich Connolly und Katz, die sich unterhielten und reichlich trödelten, ein gutes Stück hinter mir gelassen hatte, blieb ich in einer Schneise stehen und wartete auf sie. Die Schneise war breit und wirkte anmutig, wie aus grauer Vorzeit, eingebettet zwischen steilen Hügeln, die dem Ort einen verzauberten, geheimnisvollen Charakter verliehen. Es war alles da, was man von einer Waldszene erwarten konnte – hohe, stattliche Bäume, hier und da Balken aus schräg einfallendem Sonnenlicht, in dem die Staubkörnchen tanzten, ein mäandernder Bach, Teppiche aus prallem Farnkraut, und durch das stille Grün wehte beständig kühle Luft. Ich weiß noch, daß ich dachte, was für ein ungewöhnlich schöner Lagerplatz dies wäre.

Ungefähr einen Monat später hatten zwei junge Frauen, Lollie Winans und Julianne Williams, offenbar den gleichen Gedanken. Sie schlugen ihre Zelte in dieser verschwiegenen Lichtung auf und wanderten die kurze Strecke durch den Wald zur Skyland Lodge – noch so ein Touristenzentrum –, um in dem Restaurant dort zu essen. Niemand weiß genau, was dann geschah, aber vermutlich hat sie jemand in Skyland beobachtet und ist ihnen zu ihrem Lager gefolgt. Drei Tage später fand man die beiden, an den Händen gefesselt und mit durchgeschnittenen Kehlen. Es gab kein eindeutiges Motiv. Es gab auch nie einen Verdächtigen. Ihr Tod wird für immer ein Rätsel bleiben. Natürlich hatte ich damals keine Ahnung davon, und als Katz und Connolly aufgeholt hatten, teilte ich ihnen nur mit, was für eine schöne Stelle das sei. Sie sahen sie sich an und stimmten mir zu, dann gingen wir weiter.

Wir aßen noch zusammen mit Connolly im Skyland zu Mittag, danach verließ er uns, um zurück nach Rockfish Gap zu trampen, wo er seinen Wagen abgestellt hatte. Katz und ich verabschiedeten uns und zogen weiter, dazu waren wir schließlich hergekommen. Der erste Teil unseres Abenteuers war fast vorbei, weshalb sich auf dem Endspurt Richtung Heimat eine gewisse Forschheit im Schritt einstellte. Wir wanderten noch drei Tage lang, aßen in Restaurants, wenn wir an welchen vorbeikamen, und kampierten in Schutzhütten, die wir jetzt wieder fast ganz für uns allein hatten. An unserem vorletzten Tag auf dem Trail, dem sechsten nach unserem Aufbruch in Rockfish Gap, waren wir die ganze Zeit unter einem trüben Himmel marschiert, als plötzlich ein kalter, stürmischer Wind aufkam. Die Bäume schwankten und bogen sich, Staub und Blätter wurden aufgewirbelt, und unsere Kleidung bauschte sich und flatterte uns am Leib. Ein Donnergrollen war zu hören, und dann fing es an zu regnen – ein kalter, elender, durchdringender Regen. Wir hüllten uns in Nyloncapes und stapften unerschütterlich weiter.

Es wurde ein schrecklicher Tag, in jeder Hinsicht. Am frühen

Nachmittag stellte ich fest, daß ich den Regenschutz für meinen Rucksack verloren hatte (der sich aber übrigens als ein völlig nutzloses und unpraktisches Scheißding erwiesen hatte, für das ich 25 Dollar bezahlt hatte). In meinem Rucksack mußte jetzt fast alles entweder unangenehm feucht oder klatschnaß sein. Zum Glück hatte ich mir angewöhnt, meinen Schlafsack in zwei Müllbeutel einzuwickeln (die für 35 Cents), so daß wenigstens der trocken war. 20 Minuten später, als ich unter einem Ast Zuflucht suchte, um auf Katz zu warten, kam dieser endlich und sagte sofort: »He, wo hast du denn deinen Spazierstock gelassen?« Ich hatte meinen schönen Stock verloren – plötzlich fiel mir ein, daß ich ihn an einen Baum gelehnt hatte, als ich stehengeblieben war, um mir die Schnürsenkel festzubinden. Ich war todtraurig. Der Stock hatte mich sechseinhalb Wochen lang durch die Berge begleitet, war ein Teil von mir geworden. Es war irgendwie eine Verbindung zu meinen Kindern, die mir sehr fehlten. Ich hätte in Tränen ausbrechen können. Ich sagte Katz, wo ich ihn wahrscheinlich liegengelassen hatte, an einer Stelle, die sich Elkwater Gap nannte und die ungefähr sechseinhalb Kilometer hinter uns lag.

»Ich gehe zurück und hole ihn dir«, sagte er ohne zu zögern und wollte schon seinen Rucksack absetzen. Ich hätte schon wieder heulen können; er meinte es ernst, aber ich wollte ihn nicht gehen lassen. Es war zu weit, und außerdem war Elkwater Gap ein ziemlich belebter Ort. Bestimmt hatte längst jemand den Stock als Souvenir mitgenommen.

Wir liefen weiter bis zur Graved Springs Hut. Es war erst halb drei, als wir dort ankamen. Wir hatten eigentlich vorgehabt, noch zehn Kilometer weiterzugehen, aber wir waren dermaßen durchnäßt, und der Regen war so unerbittlich, daß wir uns zum Bleiben entschlossen. Ich hatte keine trockene Kleidung mehr, deshalb zog ich mich bis auf die Unterwäsche aus und verkroch mich in meinen Schlafsack. Es wurde der längste Nachmittag, an den ich mich erinnern kann: Ich las gelangweilt in meinem Buch und starrte zwischendurch nach draußen in den strömenden Regen.

Um das Maß voll zu machen, fiel gegen fünf Uhr eine Gruppe von sechs lärmenden Leuten ein, drei Männer und drei Frauen, allesamt mit absolut lächerlicher Wanderkleidung à la Ralph Lauren ausstaffiert – Safarijacken, breitkrempige Segeltuchhüte und Wanderschuhe aus Veloursleder. Es war Kleidung für einen Sonntagnachmittagsspaziergang am Mackinac entlang, für eine Großwildjagd vom Jeep aus, aber definitiv nicht für eine Wandertour. Eine der Frauen, die ein paar Schritte hinter den anderen hinterherhinkte und durch den Matsch stapfte, als wäre er radioaktiv verseucht, schaute zu Katz und mir in die Schutzhütte und sagte in einem Ton unverhohlenen Mißfallens: »Oh, müssen wir uns den Platz auch noch teilen?«

Sie waren dumm, unangenehm, unbedarft und auf erstaunliche Weise mit sich selbst beschäftigt und nicht im geringsten vertraut mit den Umgangsformen unter Wanderern. Unter weniger nervenaufreibenden Umständen hätten sie sicher faszinierende Studienobjekte abgegeben, aber sie stapften einfach über Katz und mich hinweg, drängten uns unsanft in die dunkelste Ecke, bespritzten uns mit Wasser, als sie ihre Kleider ausschüttelten und stießen uns mit achtlos hingeworfenen oder abgestellten Sachen an den Kopf. Mit Verwunderung sahen wir, daß unsere Kleider, die wir auf eine Wäscheleine zum Trocknen aufgehängt hatten, zur Seite und zusammengeschoben wurden, damit die Klamotten der neuen Gäste Platz hatten. Ich saß mürrisch in meiner Ecke, unfähig, mich auf mein Buch zu konzentrieren, als zwei von den Männern sich neben mich hockten, in den Lichtkegel meiner Lampe, und folgende Unterhaltung führten:

»So was habe ich noch nie gemacht.«

»Was? In einer Schutzhütte übernachtet?«

»Nein, durch ein Fernglas geguckt und meine Brille dabei aufgelassen.«

»Ach so, und ich dachte, du meintest, in einer Hütte übernachten – ha! ha! ha!«

»Nein, ich meinte, durch ein Fernglas gucken und meine Brille dabei auflassen – ha! ha! ha!«

Nachdem es ungefähr eine halbe Stunde in dem Stil weitergegangen war, kam Katz herübergekrochen, kniete sich neben mich und flüsterte: »Einer von den Kerlen hat gerade Sportsfreund zu mir gesagt. Ich muß hier raus.«

»Was willst du machen?«

»Mein Zelt in der Lichtung aufschlagen. Kommst du mit?«

»In der Unterhose?« fragte ich ihn gequält.

Katz nickte verständnisvoll und erhob sich. »Meine Damen und Herren«, verkündete er, »ich bitte um Ihre Aufmerksamkeit. Entschuldigen Sie bitte, Sportsfreund – darf ich auch um Ihre Aufmerksamkeit bitten. Wir gehen nach draußen und schlagen unsere Zelte im Regen auf, damit Sie über den gesamten Platz in dieser Hütte verfügen können, aber mein Freund hier trägt nur seine Unterhose, und er macht sich Sorgen, er könne den Damen unter Ihnen zu nahe treten – und die Herren möglicherweise erregen«, fügte er mit einem süßlichen, anzüglichen Grinsen hinzu, »wenn Sie sich also bitte für einen Augenblick umdrehen würden, damit er sich richtig ankleiden kann. Ich möchte mich bereits jetzt von Ihnen verabschieden und mich bei Ihnen dafür bedanken, daß Sie uns gestattet haben, ein paar Millimeterchen von Ihrem Platz eine Weile mit Ihnen zu teilen. Es war uns ein Vergnügen.«

Dann sprang er hinaus in den Regen. Ich zog mich hastig an, Schweigen und trotzig abgewandte Blicke um mich herum, und hüpfte mit einem knappen, kaum zu vernehmenden »Auf Wiedersehen« auf den Lippen vom Schlafpodest hinunter. Wir schlugen unsere Zelte in ungefähr 30 Metern Entfernung auf – kein leichtes Unterfangen oder gar Vergnügen bei strömendem Regen, das können Sie mir glauben – und krochen hinein. Bevor wir fertig waren, hatten die Stimmen in der Schutzhütte wieder eingesetzt, gefolgt von triumphierendem Gelächter. Sie waren laut bis in die Nacht, dann betrunken grölend bis in die frühen Morgenstunden. Ich fragte mich, ob diese Leute überhaupt einen Hauch von Mitleid oder gar Gewissensbisse empfanden, vielleicht sogar ein Friedensangebot machen würden – mit einem

Plätzchen, zum Beispiel, oder einem Hotdog – aber nichts dergleichen.

Als wir am nächsten Morgen aufwachten, hatte der Regen aufgehört, aber es war immer noch öde und trübe draußen, und Regenwasser tropfte von den Bäumen. Wir kochten erst gar keinen Kaffee. Wir wollten einfach nur weg. Wir brachen unsere Zelte ab und packten unsere Siebensachen. Katz holte noch ein Hemd von der Wäscheleine und meldete, daß unsere sechs Freunde fest schliefen. Zwei leere Flaschen Bourbon, ergänzte er im Ton tiefster Verachtung.

Wir setzten die Rucksäcke auf und begaben uns auf den Trail. Wir waren ungefähr 400 Meter weit gelaufen, außer Sichtweite des Camps, als Katz mich anhielt.

»Kannst du dich noch an die Frau erinnern, die gesagt hat, ›Oh, müssen wir uns den Platz auch noch teilen‹, und die unsere Kleider auf der Wäscheleine zur Seite geschoben hat?« sagte er.

Ich nickte. Natürlich hatte ich sie nicht vergessen.

»Also, ich kann nicht sagen, daß ich stolz darauf bin, das sollst du wissen. Aber als ich mir eben mein Hemd abholte, sah ich ihre Schuhe am Rand von dem Schlafpodest stehen, und da habe ich etwas ganz Schlimmes gemacht.«

»Was denn?« Ich versuchte mir vorzustellen, was das sein könnte, aber es gelang mir nicht.

Er öffnete die Faust, und da lagen zwei Schnürsenkel. Katz strahlte übers ganze Gesicht – ein breites, sympathisches Grinsen –, steckte die Schnürsenkel in die Hosentasche und ging weiter.

TEIL 2

13. Kapitel

Damit ging der erste Teil unseres großen Abenteuers zu Ende. Wir marschierten die 29 Kilometer bis nach Front Royal, wo meine Frau uns in zwei Tagen abholen sollte, vorausgesetzt, sie fand den weiten Weg von New Hampshire mit dem Auto durch unbekanntes Terrain hierher.

Ich mußte vier Wochen aussetzen und mich anderen Dingen widmen – hauptsächlich Leute dazu überreden, mein neues Buch zu kaufen, obwohl es nichts mit streßfreiem Abnehmen, Tänzen mit irgendwelchen Wölfen, Erfolg im Zeitalter der Angst oder dem Prozeß gegen O.J. Simpson zu tun hatte. (Trotzdem verkaufte es sich über sechzigmal.) Katz wollte zurück nach Des Moines, wo er für den Sommer einen Job auf dem Bau in Aussicht hatte, aber er versprach, im August wiederzukommen, um den berühmten und gefährlichen Abschnitt des Trails in Maine, der sich Hundred Mile Wilderness nennt, mit mir zu gehen.

Ganz am Anfang unserer Wanderung hatte er ernsthaft in Erwägung gezogen, den gesamten Trail zu gehen, sich allein auf den Weg zu machen, bis ich dann im Juni wieder dazustoßen würde, aber als ich ihn jetzt danach fragte, lachte er nur und sagte, ich sollte gefälligst auf dem Teppich bleiben.

»Wenn ich ehrlich sein soll, bin ich erstaunt, daß wir überhaupt so weit gekommen sind«, sagte er, und ich stimmte ihm zu. Wir waren 800 Kilometer weit gelaufen, hatten eineinviertel Millionen Schritte getan, seit wir in Amicalola aufgebrochen waren. Wir hatten allen Grund, stolz zu sein. Wir waren jetzt richtige Wanderer. Wir hatten in den Wäldern geschissen, und wir hatten mit Bären gefrühstückt. Wir waren Männer der Berge und würden es immer bleiben.

29 Kilometer an einem Stück zu laufen war eine Heldentat für

unsere Verhältnisse, aber wir waren dreckig, hatten den Trail satt und freuten uns auf eine Stadt, und deshalb trotteten wir weiter. Gegen sieben Uhr kamen wir todmüde in Front Royal an und stiegen gleich im erstbesten Motel ab, an dem wir vorbeikamen. Es war unsäglich schäbig, aber billig. Die Matratze hing durch, das Bild auf dem Fernsehschirm wackelte, als würde es gnadenlos von irgendeinem elektronischen Bauteil traktiert, und meine Zimmertür schloß nicht richtig. Sie tat nur so, aber wenn man sie von außen antippte, sprang sie auf. Es beunruhigte mich zuerst, aber dann machte ich mir klar, daß wohl kaum ein Einbrecher scharf auf irgendeine meiner Habseligkeiten sein würde, also zog ich die Tür einfach zu und ging mit Katz Abend essen. Wir fanden ein Steakhouse, ein Stück die Straße hinunter, und lagen anschließend zufrieden in unseren Betten vor dem Fernseher.

Am nächsten Morgen trabte ich früh zum nächsten Kmart und kaufte zwei komplette Herrenausstattungen – Strümpfe, Unterwäsche, Jeans, Turnschuhe, Taschentücher und die beiden schrillsten Hemden, die ich auftreiben konnte, eines mit Booten und Ankern drauf, das andere mit den berühmtesten Sehenswürdigkeiten Europas. Ich kehrte zum Motel zurück, überreichte eines der Pakete mit Klamotten Katz, der total begeistert war, ging auf mein Zimmer und zog mir die neuen Sachen an. Zehn Minuten später trafen wir uns auf dem Parkplatz wieder, frisch rasiert, schick angezogen, und machten uns gegenseitig Komplimente. Wir hatten einen ganzen freien Tag vor uns und gingen erst mal frühstücken. Danach bummelten wir zufrieden durch die bescheidenen Einkaufsstraßen, stöberten aus Langeweile in Secondhandläden, stießen auf ein Geschäft für Campingausrüstung, wo ich einen Ersatz für meinen Wanderstab erstand, der genauso aussah wie der, den ich verloren hatte. Anschließend aßen wir zu Mittag und beschlossen, am Nachmittag spazierenzugehen. Deswegen waren wir ja hier.

Wir stießen auf eine Bahnlinie, die dem Verlauf des Shenandoah River folgte. Es gibt nichts Schöneres, nichts, was ich stärker mit Sommer verbinde, als in einem neuen Hemd Bahngleise entlangzuschlendern. Wir gingen ohne Eile, ohne bestimmten Zweck, wie Bergmenschen auf Urlaub, plauderten unentwegt über Gott und die Welt, traten gelegentlich zur Seite, um einen Güterzug vorbeirattern zu lassen, und freuten uns ungemein an der kräftigen Sonne, den verlockend schimmernden, unendlichen Gleisen und dem schlichten Vergnügen, sich auf Beinen fortzubewegen, die nicht müde waren. So spazierten wir fast bis Sonnenuntergang. Schöner hätten wir den letzten Tag nicht verbringen können.

Am nächsten Morgen gingen wir wieder frühstücken, und dann folgten drei Stunden elender Warterei neben der Einfahrt des Motel-Parkplatzes: den Verkehr beobachten, Ausschau halten nach einem bestimmten Auto voller strahlender, aufgeregter, lang ersehnter Gesichter. Wochenlang hatte ich versucht, diesen verborgenen Ort des Schmerzes, wo die Gedanken an meine Familie hausten, nicht zu betreten, aber jetzt, wo sie bald da sein würde – jetzt, wo ich meinen Gedanken freien Lauf lassen konnte –, war die Vorfreude unerträglich.

Sie können sich die Wiedersehensfreude vorstellen, als meine Familie endlich kam, die überschwenglichen Umarmungen, das vielstimmige Geschnatter, das Durcheinander unwichtiger, aber wunderbar detaillierter Informationen über die Schwierigkeit, die richtige Interstate-Ausfahrt und das Motel zu finden, das Lob für Dads trainierten Körper, das Mißfallen über sein neues Hemd. Plötzlich fiel mir Katz wieder ein, verschämt stand er abseits und grinste. Ich versuchte, ihn in die Begrüßung mit einzubeziehen, in das Wuscheln in den Haaren und was sonst so zu dem ganzen, überirdisch glücklichen Theater, endlich wieder vereint zu sein, dazugehört.

Wir brachten Katz zum National Airport in Washington, von wo aus er für den späten Nachmittag einen Flug nach Des Moines gebucht hatte. In der Wartehalle merkte ich, daß wir bereits wieder in zwei verschiedenen Welten waren – er war abgelenkt von der Suche nach dem richtigen Flugsteig, ich war abgelenkt von dem Gedanken an meine Familie, die auf mich wartete. Mich beschäftigte, daß wir im Parkverbot standen, daß gleich die Rushhour in Washington einsetzen würde – und so trennten wir beide uns etwas verlegen, abwesend, mit hastig hingeworfenen Wünschen für einen angenehmen Heimflug und dem Versprechen, uns im August zur Vollendung unserer großen Wanderung wiederzutreffen. Als er weg war, fühlte ich mich elend, aber dann ging ich zurück zum Auto, sah meine Familie und dachte wochenlang nicht mehr an Katz.

Erst Ende Mai, Anfang Juni kehrte ich zum Appalachian Trail zurück. Ich machte eine Tageswanderung in dem Wald hinter unserem Haus, mit kleinem Gepäck, einer Wasserflasche, zwei Sandwiches und – pro forma – einer Karte, sonst nichts. Es war Sommer, der Wald ein neuer, ganz anderer Ort, voller Leben, voller Grün, Vogelgezwitscher, Schwärmen von Moskitos und Kriebelmücken. Ich ging acht Kilometer weit durch hügeliges Gelände bis nach Etna, eine Kleinstadt, wo ich mich neben einen alten Friedhof setzte und meine Sandwiches verzehrte, dann alles wieder zusammenpackte und zurückging. Ich war vor Mittag wieder zu Hause. Das war nicht das Richtige für mich.

Am nächsten Tag fuhr ich zum Mount Moosilauke, 80 Kilometer von zu Hause entfernt, am südlichen Rand der White Mountains. Moosilauke ist ein herrlicher Berg von beeindruckender Erhabenheit. Er liegt da wie ein Löwe, mitten in der Pampa, so daß er wenig Beachtung erfährt. Er gehört zum Dartmouth College, Hanover, dessen berühmter Outing Club sich seit Anfang des Jahrhunderts gewissenhaft und auf löblich unspektakuläre Weise um das Gebiet kümmert. Dartmouth hat am Moosilauke den Abfahrtsskilauf in Amerika eingeführt, und 1933 wurde dort die erste Nationalmeisterschaft ausgetragen. Für so etwas ist der Berg jedoch zu abgelegen, und die Fans des neuen Sports zogen rasch weiter zu anderen Bergen New Englands, die in der Nähe von Hauptverkehrsstraßen liegen, und Moosilauke versank wieder in grandioser Einsamkeit. Heute würde man nie darauf kommen, daß er einst berühmt gewesen ist.

Ich stellte meinen Wagen auf einem kleinen Schotterplatz ab, es war das einzige Auto an diesem Tag dort, und machte mich auf den Weg in den Wald. Diesmal hatte ich Wasser, Sandwiches, eine Karte und Insektenspray mitgenommen. Mount Moosilauke ist 1.463 Meter hoch und sehr steil. Befreit von jeglicher Last auf dem Rücken konnte ich ohne Pause glatt durchmarschieren – eine neue und erfreuliche Erfahrung. Der Ausblick vom Gipfel war phantastisch, ein Panoramablick, aber ohne anständigen Rucksack und ohne Katz war das alles nicht das Wahre. Um vier Uhr war ich wieder zu Hause. Irgend etwas stimmte einfach nicht. Man wandert nicht den Appalachian Trail entlang, und geht dann nach Hause und mäht den Rasen.

Ich war so lange mit der Vorbereitung und der Durchführung des ersten Teils der Wanderung beschäftigt gewesen, daß ich nicht aufhören konnte, mir auszurechnen, wo ich zu diesem Zeitpunkt mittlerweile gewesen wäre. In Wirklichkeit stand ich jetzt allein da, ohne meinen Wandergefährten, weit entfernt von der Stelle, wo wir den Trail verlassen hatten, und hinkte dem rührend optimistischen Zeitplan, den ich vor nunmehr fast einem Jahr aufgestellt hatte, hoffnungslos hinterher. Danach wäre ich jetzt irgendwo in New Jersey gewesen, munter Kilometer fressend, bis zu 50 am Tag.

Ich mußte den Plan meinen Verhältnissen anpassen, soviel stand fest. Aber ich konnte noch so komplizierte Zahlenspielereien anstellen, selbst wenn ich das riesige Teilstück, das Katz und ich ausgelassen hatten, indem wir einfach von Gatlinburg nach Roanoke vorgesprungen waren, unberücksichtigt ließ: Es war völlig klar, daß ich die ganze Strecke niemals in einer Saison schaffen würde. Angenommen, ich würde in Front Royal, wo wir den Trail verlassen hatten, meine Wanderung nach Norden wieder aufnehmen, dann könnte ich froh sein, wenn ich im Winter Vermont erreichte, 800 Kilometer vom Mount Katahdin, dem Endpunkt des Trails, entfernt.

Diesmal wäre auch der kindlich unschuldige Reiz des Neuen nicht mehr dabei, jener erwartungsfrohe, gespannte Schauder,

der sich einstellt, wenn man mit einer nagelneuen Ausrüstung loszieht. Diesmal wußte ich genau, was mich erwartete – viele, viele Kilometer einer schwierigen Strecke, steile, felsige Berge, harte Böden in den Schutzhütten, heiße Tage ohne die Möglichkeit, sich zu waschen, unbefriedigende, auf einem launischen Kocher zubereitete Mahlzeiten. Hinzu kamen die durch warme Witterung bedingten Gefahren: schlimme Gewitter mit heftigen Blitzen, bißfreudige Klapperschlangen, fieberauslösende Zecken, hungrige Bären und schließlich, nicht zu vergessen, herumstreunende Mörder, die unversehens und grundlos zustechen, wie die Berichte über den Tod der beiden im Shenandoah National Park umgebrachten Frauen zeigten.

Es war mehr als entmutigend. Das Beste, was ich tun konnte, war – das Beste daraus zu machen. Jedenfalls mußte ich es versuchen. Jeder zu Hause, der mich kannte (zugegeben sind das nicht so viele, aber immerhin genügend, als daß ich ständig in Hauseingänge hätte huschen müssen, wenn mir jemand auf der Hauptstraße begegnet wäre), wußte, daß ich mir vorgenommen hatte, den AT zu machen – was ja schlecht stimmen konnte, wenn ich dabei erwischt wurde, wie ich mich in der Stadt herumdrückte. (»Heute habe ich Bryson gesehen, wie er gerade mit einer Zeitung vorm Gesicht in Eastmans Pharmacy gehüpft ist. Ich dachte, der wollte den AT abgehen. Es stimmt, du hast recht. Er ist ein komischer Kauz.«)

Ich mußte zurück auf den Trail. Ich meine, so richtig weit weg von zu Hause, irgendwo ins nördliche Virginia, jedenfalls weit genug, um mit Anstand behaupten zu können, ich sei den AT, wenn schon nicht ganz, dann wenigstens fast ganz entlanggewandert. Die Schwierigkeit war bloß die, daß man auf der gesamten Strecke ohne fremde Hilfe weder auf den Weg rauf- noch von ihm runterkommt. Ich konnte nach Washington fliegen, nach Newark oder Scranton oder jeden beliebigen anderen Ort in der Nähe des Trails, aber jedesmal wäre ich noch kilometerweit vom eigentlichen Wanderweg entfernt gewesen. Ich wollte auch nicht die Geduld meiner lieben Frau strapazieren und sie bitten, sich zwei Tage freizunehmen, um mich nach Virginia oder Pennsylvania zu bringen, also beschloß ich, selbst zu fahren. Ich würde, so stellte ich mir vor, den Wagen an einer günstigen Stelle parken, in die Berge wandern, dann zurück zum Wagen, ein Stück weiterfahren und das Ganze wiederholen. Ich rechnete schon damit, daß das im Grunde ziemlich unbefriedigend werden würde, eigentlich war es sogar schwachsinnig – und ich sollte in beiden Punkten recht behalten –, aber mir fiel keine bessere Alternative ein.

Und so stand ich in der ersten Juniwoche wieder an den Ufern des Shenandoah, in Harpers Ferry, West Virginia, blinzelte in den grauen Himmel und versuchte mir krampfhaft einzureden, daß ich mir nichts anderes gewünscht hatte.

Harpers Ferry ist aus verschiedenen Gründen ein interessanter Ort. Zunächst einmal ist er sehr hübsch. Das liegt daran, daß es sich hier um einen National Historical Park handelt und es deswegen keine Pizza Huts, McDonalds, Burger Kings, nicht einmal Einwohner im eigentlichen Sinn gibt, jedenfalls nicht in dem tiefer gelegenen, älteren Stadtteil. Statt dessen findet man lauter restaurierte oder im historischen Stil wiederaufgebaute Häuser mit Plaketten und Hinweistafeln, so daß es eigentlich kaum städtisches Leben gibt, eigentlich gar kein Leben. Trotzdem hat diese geputzte Niedlichkeit etwas Betörendes. Es wäre sogar ein ganz netter Ort zum Leben, wenn man den Einwohnern nur trauen könnte, nicht dem Drang nachzugeben, unbedingt Pizza Huts und Taco Bells in ihren Mauern haben zu wollen (ich persönlich glaube, man könnte ihnen trauen – aber höchstens anderthalb Jahre lang). Es ist ein Ort, der nur so tut als ob, eine Art Fälschung, hübsch versteckt gelegen zwischen steilen Bergen, dort, wo Shenandoah und Potomac River zusammenfließen.

Es ist deswegen ein National Historical Park, weil der Ort tatsächlich eine geschichtliche Bedeutung hat. In Harpers Ferry beschloß der Abolitionist John Brown, die amerikanischen Sklaven zu befreien und einen eigenen neuen Staat im Nordwesten

Virginias zu gründen – ein ziemlich kühnes Unterfangen, wenn man bedenkt, daß er über eine Armee von gerade mal 21 Mann verfügte. Zu diesem Zweck schlich er sich im Schutz der Dunkelheit mit seinen Getreuen am 16. Oktober 1859 in die Stadt. Sie nahmen die Waffenkammer der Union ein, wobei sie auf keinen nennenswerten Widerstand trafen, denn das Lager wurde nur von einem einzigen Nachtwächter beschützt, aber sie töteten bei der Aktion dennoch einen unschuldigen Passanten – Ironie des Schicksals, daß es sich dabei ausgerechnet um einen befreiten schwarzen Sklaven handelte. Als sich die Nachricht verbreitete, ein Waffendepot der Union mit 100.000 Gewehren und Unmengen Munition sei in die Hände einer kleinen Bande Verrückter gefallen, schickte der Präsident James Buchanan den Lieutenant Colonel Robert E. Lee, zu dem Zeitpunkt natürlich noch ein treuer Soldat der Union, in den Ort, damit dieser sich der Sache annähme. Lee und seine Männer brauchten keine drei Minuten, um den glücklosen Aufstand niederzuschlagen. Brown wurde gefangengenommen, und man machte ihm umgehend den Prozeß. Einen Monat später wurde er zum Tod durch den Strang verurteilt.

Unter den zur Aufsicht über die Exekution abkommandierten Soldaten befand sich auch Thomas J. Jackson – der bald als Stonewall Jackson Berühmtheit erlangen sollte –, und unter den begeisterten Zuschauern der spätere Lincoln-Mörder John Wilkes Booth. Insofern war der Überfall auf die Waffenkammer in Harpers Ferry eine Art Vorspiel der folgenden Ereignisse. Nach Browns kleinem Abenteuerfeldzug brach nämlich die Hölle los. Einige Abolitionisten aus dem Norden, Ralph Waldo Emerson zum Beispiel, stilisierten Brown zu einem Märtyrer, und die Loyalisten des Südens gingen im wahrsten Sinne des Wortes auf die Barrikaden bei dem Gedanken, daß sich hier möglicherweise eine Bewegung entwickelte. Bevor man sich's versah, befand sich die junge Nation im Krieg.

Harpers Ferry stand während des gesamten überaus blutigen Konflikts, der nun folgte, im Mittelpunkt des Interesses. Gettysburg lag knapp 50 Kilometer weiter nördlich, Manassas in gleicher Entfernung Richtung Süden. Antietam – eigentlich ein Fluß, aber auch der Name der Schlacht von Sharpsburg, Maryland, 1862, in der an einem einzigen Tag doppelt so viele Männer starben wie im Krieg von 1812, dem Mexikanischen Krieg und dem Spanisch-Amerikanischen Krieg zusammengenommen – war nur 16 Kilometer entfernt. Harpers Ferry selbst wurde während des Krieges achtmal eingenommen. Den Rekord in dieser Beziehung hält allerdings Winchester in Virginia, ein paar Kilometer weiter südlich, das insgesamt 75mal erobert und zurückerobert wurde.

Heutzutage begnügt man sich in Harpers Ferry damit, Touristen unterzubringen und nach Überschwemmungen aufzuräumen. Bei zwei so lebhaften Flüssen und einem natürlichen Trichter aus Steilufern davor und dahinter ist es kein Wunder, daß der Ort ständig überflutet wird. Gerade ein halbes Jahr vor meinem Besuch hatte es eine schlimme Flut in der Stadt gegeben, und die Angestellten des Nationalparks waren noch damit beschäftigt aufzuräumen, zu streichen und Möbel, Geräte und Ausstellungsstücke von den oberen Lagerräumen nach unten ins Erdgeschoß zu tragen. (Drei Monate nach meinem Besuch mußten sie alles wieder hochschleppen.) An einem Haus kamen gerade zwei Ranger aus der Tür, gingen ein Stück den Pfad lang und nickten mir beim Vorbeigehen mit einem Lächeln zu. Beide hatten Seitenwaffen umgeschnallt, wie mir auffiel. Weiß der Himmel, wohin das führen soll, wenn auch noch Parkranger Dienstwaffen tragen!

Ich bummelte durch die Stadt, aber an fast jedem Haus hing ein Schild: »Wegen Aufräumungsarbeiten geschlossen.« Danach ging ich zu der Stelle, an der die beiden Flüsse zusammentreffen, dort gab es eine Informationstafel zum Appalachian Trail. Der Mord an den beiden Frauen im Shenandoah National Park war zwar erst zehn Tage her, aber an der Tafel hing bereits ein kleines Plakat mit der Bitte um Aufklärung, dazu Farbfotos von den beiden. Es war deutlich zu erkennen, daß die Frauen die Bilder selbst unterwegs aufgenommen hatten, sie waren beide in Wanderausrüstung, wirkten glücklich und gesund, strahlten geradezu. Es war schwer, den Anblick zu ertragen, wenn man ihr Schicksal kannte. Ich dachte mit einem leichten Schaudern daran, daß sie wahrscheinlich gerade jetzt, zu diesem Zeitpunkt, in Harpers Ferry eingetroffen wären, wenn man sie nicht umgebracht hätte, und ich mich mit ihnen unterhalten würde, statt hier zu stehen und mir ihre Fotos anzuschauen – oder, wenn das Schicksal zufällig eine andere Wendung genommen hätte, die beiden jetzt hier an meiner Stelle stehen und ein Bild von Katz und mir betrachten würden, wie wir glücklich und zufrieden in die Kamera strahlten.

In einem der wenigen geöffneten Häuser traf ich auf einen freundlichen, gut informierten und zum Glück unbewaffneten Ranger namens David Fox, der staunte, daß sich überhaupt ein Besucher einfand, und sich darüber freute. Er sprang eilfertig von seinem Hocker auf, als ich eintrat, und war, wie man ihm deutlich ansah, bereit, mir jede Frage zu beantworten. Wir kamen auf Natur- und Landschaftsschutz zu sprechen, und er erwähnte, wie schwierig es für den Park Service sei, mit den bescheidenen Mitteln, die ihm zur Verfügung stünden, gute Arbeit zu leisten. Bei der Gründung des Parks sei genug Geld vorhanden gewesen, um wenigstens die Hälfte des Schoolhouse Ridge Battlefield oberhalb der Stadt zu kaufen (eines der bedeutendsten, wenn auch kaum gewürdigten Schlachtfelder des Bürgerkriegs), und jetzt sei eine Planungsgesellschaft dabei, auf diesem, in seinen Augen geheiligten Boden Häuser und Geschäfte zu errichten. Die Gesellschaft habe bereits Leitungen auf Grundstücken des Nationalparks verlegt, in der zuversichtlichen, wie sich aber herausstellte, irrigen Annahme, der Park Service habe weder den Wunsch noch das Geld, sie davon abzuhalten. Fox riet mir, ich solle mir das unbedingt ansehen. Ich versprach es ihm.

Zuerst aber mußte ich eine wichtige Pilgerstätte aufsuchen. Harpers Ferry ist das Hauptquartier der Appalachian Trail Conference, Aufsichtsbehörde des prächtigen Wanderwegs, den ich mir für diesen Sommer vorgenommen hatte. Die ATC ist in einem bescheidenen weißen Haus an einem steilen Hang oberhalb der Altstadt untergebracht. Ich erklomm den Hang und betrat das Haus. Das Hauptquartier ist halb Büro, halb Laden; das Büro macht den löblichen Eindruck, als würde dort gearbeitet, und der Laden ist bestückt mit AT-Führern und Andenken. In einer Ecke des öffentlichen Teils stand ein Modell des gesamten Trails in großem Maßstab, das mich sicher von meinem ehrgeizigen Unternehmen abgebracht hätte, wenn ich es vor Beginn der Wanderung gesehen hätte. Es war ungefähr viereinhalb Meter lang und vermittelte auf eindrucksvolle Weise und mit einem Blick, was eine 3.500 Kilometer lange Bergkette bedeutete: Schwerstarbeit. Die übrigen öffentlichen Räume waren mit AT-Souvenirs angefüllt – T-Shirts, Ansichtskarten, Tüchern, verschiedenen Broschüren und Schriften. Ich kaufte ein paar Bücher und Postkarten und wurde von einer freundlichen jungen Frau bedient, Laurie Potteiger, deren Namensschildchen sie als »Information Specialist« auswies. Anscheinend hatte man mit ihr genau die Richtige für diesen Job gefunden, denn sie war eine wahre Fundgrube für Informationen.

Sie erzählte mir, im Vorjahr seien 1.500 Wanderer mit der Absicht losgegangen, den ganzen Trail an einem Stück zu gehen, besagte Weitwanderer. 1.200 hätten es bis Neels Gap geschafft (mit anderen Worten, 20 Prozent hatten nach einer Woche aufgegeben!); etwa ein Drittel sei bis Harpers Ferry gekommen, ungefähr bis zur Hälfte der Strecke; und 300 seien bis zum Mount Katahdin gekommen. Das war eine höhere Erfolgsquote als üblich. 60 Leute hätten den Weg von Norden nach Süden erfolgreich absolviert. In den letzten vier Wochen habe das diesjährige Kontingent der Weitwanderer den Ort passiert, aber es sei noch zu früh für eine Einschätzung, auf jeden Fall werde die endgültige Zahl wieder höher liegen. Sie steige sowieso fast jedes Jahr.

Ich erkundigte mich nach den Gefahren, die einem auf dem Trail drohten, und sie sagte mir, in den acht Jahren, die sie nun hier arbeite, habe es nur zwei nachgewiesene Fälle von Schlangenbiß gegeben, beide nicht tödlich; eine Person sei durch Blitz-schlag umgekommen.

Dann fragte ich sie nach dem Mord an den beiden Frauen.

Sie setzte eine mitfühlende Miene auf. »Schrecklich. Das hat uns alle sehr aufgeregt, weil Vertrauen in seine Mitmenschen eine Grundvoraussetzung für jeden ist, der den AT entlanggeht. Ich bin selbst 1987 die ganze Strecke abgewandert. Ich habe am eige-nen Leib erfahren, wie sehr man auf die Hilfsbereitschaft von Fremden angewiesen ist. Eigentlich ist der ganze Trail darauf aus-gerichtet. Und wenn das Vertrauen erst mal dahin ist …« Dann wurde sie sich ihrer Position bewußt und nahm den offiziellen Standpunkt ein – die altbekannte Leier, man dürfe nicht verges-sen, daß der Trail von den allgemeinen Übeln der Gesellschaft nicht ausgenommen sei, aber daß er trotzdem, statistisch gese-hen, außerordentlich sicher sei, verglichen mit vielen anderen Or-ten in Amerika. »Seit 1937 sind neun Morde geschehen, so viele wie in jeder normalen Kleinstadt.« Das war korrekt, aber auch ein bißchen irreführend. In den ersten 36 Jahren war nämlich auf dem AT kein einziger Mord passiert, aber neun Morde in den ver-gangenen 22 Jahren. Dennoch war ihr erstes Argument unbe-streitbar. Die Wahrscheinlichkeit, in seinem eigenen Bett ermor-det zu werden, ist höher, als die, auf dem AT gewaltsam ums Le-ben zu kommen. Wie drückte es doch ein amerikanischer Be-kannter so schön aus: »Zieht man eine 3.000 Kilometer lange, ge-rade Linie durch die USA, egal in welchem Winkel, trifft man da-bei insgesamt unweigerlich auf neun Mordopfer.«

»Es gibt ein Buch über einen der Morde, falls Sie das interes-siert«, sagte die Verkäuferin und faßte unter die Ladentheke. Sie kramte eine Weile in einem Karton und holte dann ein Taschen-buch mit dem Titel *Eight Bullets* hervor, das sie mir zur Ansicht reichte. Es ging um zwei Wanderer, die 1988 in Pennsylvania er-schossen worden waren. »Wir haben es nicht ausgestellt, weil es die Leute nur aufregt, besonders jetzt«, sagte sie entschuldigend.

Ich kaufte das Buch, und als sie mir das Wechselgeld heraus-gab, teilte ich ihr meinen Gedanken von eben mit, daß nämlich die beiden Frauen aus Shenandoah jetzt hier durchgekommen wären, wenn sie überlebt hätten. »Ja«, sagte sie, »daran habe ich auch schon gedacht.«

Es nieselte, als ich nach draußen trat. Ich ging hoch zum Schoolhouse Ridge, um mir das Schlachtfeld anzusehen. Es war ein weiter, parkähnlicher Hügel, durch den sich ein Lehrpfad schlängelte, in Abständen versehen mit Informationstafeln über Sprengladungen, über letzte, verzweifelte Attacken und andere kriegerische Handlungen. Die Schlacht um Harpers Ferry war der schönste Moment im Leben von Stonewall Jackson (der zuletzt in die Stadt gekommen war, um John Brown an den Galgen zu bringen), denn hier gelang es ihm mit einem geschickten Manöver und etwas Glück, 12.500 Soldaten der Unionstruppen gefangenzunehmen, mehr amerikanische Soldaten, als je bei einer einzigen militärischen Operation in gegnerische Hände gerieten – abgesehen vom Frühling 1942, als amerikanische Einheiten in Bataan und Corregidor auf den Philippinen von japanischen Truppen besiegt wurden.

Stonewall Jackson war eine wahrhaft schillernde Gestalt. Es lohnt sich, ihn einmal genauer unter die Lupe zu nehmen. Nur wenigen Menschen ist es bislang gelungen, mit nutzloseren Gehirnaktivitäten in kürzerer Zeit mehr Ruhm zu ernten als General Thomas J. Jackson. Seine Marotten waren legendär. Er war hoffnungslos hypochondrisch veranlagt und dabei sehr erfinderisch. Einer seiner liebenswerteren physiologischen Glaubenssätze besagte, daß ein Arm größer sei als der andere, folglich ging und ritt er immer mit einem erhobenen Arm, so daß das Blut in seinen Körper zurückfließen konnte. Er war ein Viel- und Langschläfer, und mehr als einmal schlief er mit vollem Mund bei Tisch ein. Bei der Battle of White Oak Swamp sahen sich seine Offiziere außerstande, ihn zu wecken, und hievten ihn, der nur halb bei Bewußtsein war, auf sein Pferd, wo er weiterschlummerte, während um ihn herum die Granaten explodierten. Er legte übertriebenen Eifer bei der Inventur von Beute an den Tag und verteidigte sie, koste es, was es wolle. Die Liste des Kriegsmaterials, das er während des Feldzugs in Shenandoah 1862 der Armee der Unionstruppen entriß, umfaßte »sechs Taschentücher, zweidreiviertel Dutzend Halstücher und eine Flasche rote Tinte«. Seine Vorgesetzten und Offizierskollegen trieb er zum Wahnsinn, weil er sich einerseits wiederholt Anweisungen widersetzte, andererseits, weil er die paranoide Angewohnheit besaß, seine Strategie, wenn er denn eine hatte, keinem Menschen zu verraten. Einem Offizier, der unter seinem Kommando stand, befahl er, sich aus der Stadt Gordonsville zurückzuziehen, obwohl dieser dort kurz vor einem entscheidenden Sieg stand, und auf kürzestem Weg nach Staunton zu marschieren. Als er in Staunton ankam, war eben der Befehl eingegangen, sich auf der Stelle nach Mount Crawford zu begeben. Dort wiederum wurde ihm mitgeteilt, nach Gordonsville zurückzukehren.

Jackson handelte sich bei den verwirrten, feindlichen Offizieren hauptsächlich wegen der Angewohnheit, seine Truppen ohne jede Logik und für niemanden nachvollziehbar im Shenandoah Valley hin und her zu schieben, den Ruf eines arglistigen Menschen ein. Sein unsterblicher Ruhm beruht fast einzig und allein auf der Tatsache, daß er einige wenige, beflügelnde Siege errang, als anderswo die Truppen der Südstaaten abgeschlachtet und in Marsch gesetzt wurden, und daß er den besten Spitznamen trägt, dessen sich je ein Soldat erfreut hat. Er war zweifellos ein tapferer Mensch, aber es ist durchaus möglich, daß er den Spitznamen nicht wegen seines Wagemuts und seiner Verwegenheit erhielt, sondern wegen seiner Unbeweglichkeit, seiner Sturheit, wenn flexibles Handeln vonnöten gewesen wäre. General Barnard Bee, der ihm diesen Spitznamen bei der First Battle of Manassas verliehen hatte, wurde getötet, bevor der Tag zu Ende ging, so daß das Rätsel um den Namen für immer ungelöst bleiben wird.

Den Sieg bei Harpers Ferry, der größte Triumph, den die Konföderierte Armee während des Bürgerkriegs verbuchen konnte, errang Jackson nur deswegen, weil er das erste und einzige Mal den Befehlen von Robert E. Lee folgte. Das besiegelte seinen Ruhm. Ein paar Monate später wurde er in der Battle of Chancellorsville versehentlich von seinen eigenen Truppen angeschossen und starb eine Woche später an den Folgen. Der Krieg war noch längst nicht vorbei. Und Jackson war gerade erst 31 Jahre alt.

Jackson verbrachte die meiste Zeit während des Kriegs in der Umgebung der Blue Ridge Mountains, schlug dort sein Lager auf und marschierte durch denselben Wald und über dieselben Höhenzüge, die Katz und ich erst kürzlich durchstreift hatten. Mich interessierte daher die Stätte seines größten Triumphs, aber eigentlich wollte ich herausfinden, ob die Entwicklungsgesellschaft hier oben irgend etwas angestellt hatte, über das man sich empören konnte.

Im Regen und bei dem dämmerigen Licht konnte ich keine Anzeichen von Neubauten erkennen, jedenfalls keine in der Nähe oder gar direkt auf dem »geheiligten Boden«. Ich folgte dem Weg über das wellige Gelände, las mir mit gebührender Aufmerksamkeit die Informationstafeln durch, versuchte den Umstand, daß Captain Poagues Bataillon genau hier gestanden und Colonel Grigsbys Truppen dort drüben Aufstellung genommen hatten, auf mich wirken zu lassen, was allerdings von weitaus bescheidenerem Erfolg gekrönt war, als zu hoffen gewesen wäre, da ich dabei allmählich bis auf die Haut durchnäßt wurde. Ich besaß nicht mehr die nötige Energie, um mir den Lärm, den Rauch und das Gemetzel vorzustellen. Außerdem hatte ich vom Thema Tod genug für heute. Also ging ich zurück zum Auto und fuhr los.

14. Kapitel

Am nächsten Morgen fuhr ich nach Pennsylvania, knapp 50 Kilometer nach Norden. Der Appalachian Trail führt in einem 370 Kilometer langen, nordöstlich ausgerichteten Bogen, der aussieht wie das dicke Ende eines Kuchenstücks, durch den Bundesstaat Pennsylvania. Ich kenne keinen Wanderer, der ein gutes Wort für den Trailabschnitt in Pennsylvania übrig hätte. Es ist der Ort, »an dem Wanderschuhe sich zum Sterben begeben«, wie sich jemand 1987 einem Reporter des *National Geographic* gegenüber ausdrückte. Während der letzten Eiszeit herrschte hier, was Geologen ein periglaziales Klima nennen. Es bezeichnet eine Zone am Rand einer Eisdecke, die sich durch häufige Frost- und Tauwetter-Zyklen auszeichnet und den felsigen Boden aufbricht. Die Folge sind endlose Gebiete aus zerklüfteten, bizarr geformten Steinbrocken, die in wackligen Schichten übereinanderliegen. Fachleute nennen das ein Felsenmeer. Es erfordert ständige Aufmerksamkeit beim Gehen, wenn man sich nicht den Knöchel verstauchen oder auf die Schnauze fallen will – keine angenehme Erfahrung mit einem Schub von 20 Kilo auf dem Rücken. Viele Wanderer kehren mit Schrammen und Knochenbrüchen aus Pennsylvania zurück. Außerdem soll es dort die aggressivsten Klapperschlangen und die unzuverlässigsten Wasserquellen geben, vor allem im Hochsommer. Die wirklich herrlichen Bergkämme der Appalachen in Pennsylvania – Nittany, Jacks und Tussey – liegen weiter nördlich und westlich. Aus diversen praktischen und historischen Gründen kommt der AT nicht einmal in die Nähe dieser Berge. Er führt eigentlich über gar keine bedeutende Erhebung in Pennsylvania, hat keine besonders einprägsamen Ausblicke zu bieten, berührt keine Nationalparks oder Wälder und läßt die bemerkenswerte Geschichte des Bundesstaates völlig außer acht. Der AT ist hier im wesentlichen das Herzstück eines sehr langen, strapaziösen Weges, der den Süden mit New England verbindet. Kein Wunder, daß die meisten Leute ihn nicht sonderlich mögen.

Und noch etwas: Die Karten für diesen Abschnitt sind die schlechtesten, die je für Wanderer erstellt wurden. Die sechs Blätter für Pennsylvania – die Bezeichnung Karten wäre zuviel der Ehre –, die von einer Institution herausgegeben werden, die sich Keystone Trail Association nennt, sind klein, einfarbig, schlecht gedruckt, erstaunlich ungenau, und die Legende ist unzureichend – mit einem Wort, sie sind nutzlos, lächerlich, ja gefährlich. Niemand sollte mit solchen Karten in die Wildnis geschickt werden.

Dieser Umstand offenbarte sich mir in seiner ganzen Tragweite erst, als ich auf dem Parkplatz des Caledonia State Park stand und mir einen Kartenausschnitt ansah, der ein einziger Fleck aus lauter Spiralen war, wie ein mißratener Fingerabdruck. Es war zum Heulen. In die einzige Höhenlinie hinein war eine Zahl in mikroskopischer Größe geschrieben. Die Zahl sollte entweder 548 oder 348 heißen, es war unmöglich zu erkennen, aber das spielte sowieso keine Rolle, denn es war nirgendwo ein Maßstab angegeben, nichts, woraus der Höhenunterschied von einer Linie zur nächsten hervorging oder ob das Bündel von Linien einen steilen Aufstieg oder einen jähen Abhang anzeigte. Was den Park und die nähere Umgebung betrifft, war nichts, aber auch gar nichts eingetragen. Mein Standort hätte 20 Meter oder auch zwei Kilometer vom Appalachian Trail entfernt sein können, es war anhand der Karte einfach nicht zu erkennen.

Dummerweise hatte ich mir die Karten nicht angeschaut, bevor ich von zu Hause aufgebrochen war. Ich hatte überstürzt meinen Rucksack gepackt und nur darauf geachtet, daß ich das richtige Karten-Set dabeihatte, und es in den Sack gestopft. Jetzt sah ich sie mir alle nacheinander an und war bestürzt, so als würde ich mir kompromittierende Fotos von einem geliebten Menschen anschauen. Ich hatte von Anfang an gewußt, daß ich nicht durch ganz Pennsylvania laufen wollte – dazu hatte ich weder die Zeit noch die geringste Lust –, aber ich hatte gedacht, wenigstens ein paar schöne Rundwanderwege zu finden, die mir etwas von der Besonderheit des Bundesstaates vermittelten, ohne ständig denselben Weg zurückgehen zu müssen. Bei der Durchsicht des gesamten Karten-Sets wurde jedoch nicht nur deutlich, daß es keine Rundwanderwege gab, sondern daß es jedesmal reines Glück bedeuten würde, wenn ich überhaupt hier und da auf den Trail stieße.

Seufzend steckte ich die Karten wieder ein, machte mich auf den Weg durch den Park und suchte nach den vertrauten, weißen Zeichen des AT. Es war ein hübscher Park, in einem waldreichen Tal gelegen und ziemlich leer an diesem herrlichen Morgen. Ich ging ungefähr eine Stunde lang, zwischen Bäumen hindurch, über Fußgängerbrücken aus Holz, aber den AT fand ich trotzdem nicht. Über einen einsamen Highway und durch dichtes Blättertreiben vom Michaux State Forest her gelangte ich zum Pine Grove Furnace State Park, einem großen Freizeitpark, den man um einen alten Schmelzofen aus dem 19. Jahrhundert herum angelegt hat, woher auch der Name stammt. Der Ofen ist heute eine malerische Ruine. Es gab Imbißstände, Picknicktische und einen See mit einem abgetrennten Bereich zum Baden, aber alles war geschlossen, und es war keine Menschenseele zu sehen. Am Rand des Picknickareals stand ein riesiger Müllcontainer mit einem robusten Metalldeckel, der ziemlich malträtiert und verbeult aussah, fast aus den Angeln gehoben, wahrscheinlich von einem Bären, der sich über die Abfälle hermachen wollte. Ich sah mir den Container ehrerbietig aus der Nähe an. Ich wußte nicht, daß Bären solche Kräfte entwickeln konnten.

Endlich prangten mir auch die AT-Zeichen entgegen. Der Weg führte um den See herum und dann steil aufwärts durch einen Wald bis zum Gipfel des Piney Mountain, der nicht auf der Karte eingezeichnet ist und mit knapp 460 Metern eigentlich auch kein richtiger Berg ist. Trotzdem stellte er an einem warmen Sommertag wie heute eine Herausforderung dar. Außerhalb des Parks befindet sich eine Tafel, die die traditionelle, aber rein theoretische Mitte des Appalachian Trail markiert, mit 1.738,36 Kilometern Fußweg in beide Richtungen. Da niemand genau sagen kann, wie lang der AT tatsächlich ist, liegt die Mitte wahrscheinlich irgendwo 80 Kilometer weiter links oder rechts von dem angezeigten Punkt; auf jeden Fall verschiebt sie sich wegen der dauernden Änderung des Wegverlaufs jedes Jahr. Zwei Drittel der Weitwanderer bekommen den Punkt ohnehin nie zu sehen, weil sie bis dahin längst aufgegeben haben. Eigentlich muß es doch ein enttäuschender Moment sein, wenn man sich zehn, elf Wochen lang durch bergige Wildnis gequält hat und einem an dieser Stelle klar wird, daß man trotz aller Strapazen erst die Hälfte geschafft hat.

Hier ungefähr fand auch einer der berüchtigteren Morde des Trail statt, der Mord, der im Zentrum des Buches *Eight Bullets* steht, das ich in der Hauptgeschäftsstelle des ATC gekauft hatte. Die Geschichte ist schnell erzählt. Im Mai 1988 erregten zwei junge Hiker, Rebecca Wight und Claudia Brenner, die zufällig auch lesbisch waren, die Aufmerksamkeit eines gestörten Mannes mit einem Gewehr, der aus der Ferne achtmal auf die beiden schoß, als sie auf einer laubübersäten Lichtung neben dem Trail miteinander schliefen. Wight wurde getötet. Claudia Brenner gelang es, schwer verwundet, den Hügel hinunterzulaufen, auf eine Straße, wo sie von Jugendlichen, die in einem Pick-up vorbeifuhren, gerettet wurde. Der Mörder wurde schnell gefaßt und verurteilt.

Im Jahr darauf wurden in einer Schutzhütte ein paar Kilometer nördlich von hier ein junger Mann und eine Frau von einem herumstreunenden Mann ermordet, was Pennsylvania für eine Weile einen schlechten Ruf einbrachte, aber dann kam es sieben Jahre lang zu keinen weiteren Morden entlang des AT, bis zu dem gewaltsamen Tod der beiden jungen Frauen kürzlich im Shenandoah National Park. Ihr Tod erhöhte die offizielle Zahl der Mordfälle auf neun – eine recht hohe Zahl für einen Wanderweg, daran gibt es nichts zu deuteln –, obwohl es in Wahrheit vermutlich mehr waren. Zwischen 1946 und 1950 verschwanden drei Personen während einer Wanderung durch ein relativ kleines Gebiet in Vermont, aber sie sind in der Zählung nicht berücksichtigt – ob das daran liegt, daß es so lange her ist oder weil nie abschließend geklärt wurde, ob sie ermordet wurden, kann ich nicht sagen. Ein Bekannter in New England erzählte mir außerdem von einem älteren Ehepaar, das in den 70er Jahren in Maine von einem Mann mit einer Axt umgebracht worden war, aber auch dieser Fall taucht in der Statistik nicht auf, denn offenbar befanden sich die beiden auf einem Nebenwanderweg, als sie angegriffen wurden.

Eight Bullets, Brenners Bericht über den Mord an ihrer Freundin, las ich in einer Nacht durch, mir waren also die Umstände im großen und ganzen bekannt, aber ich ließ das Buch absichtlich im Auto liegen, weil es mir irgendwie ein bißchen morbid vorkam, knapp zehn Jahre danach den genauen Ort des Geschehens zu suchen. Ich war durch die Lektüre nicht im geringsten in Angst versetzt worden, aber ich spürte dennoch ein leichtes Unbehagen, so ganz allein im stillen Wald, weit weg von zu Hause. Katz fehlte mir, sein Stöhnen und Schimpfen, seine durch nichts zu erschütternde Unerschrockenheit, und mir mißfiel der Gedanke, daß ich warten könnte, bis ich schwarz würde, wenn ich mich auf dem nächsten Stein niederlassen würde, damit er aufholen konnte: Katz würde nicht kommen. Der Wald stand jetzt in seiner ganzen chlorophyllgeschwängerten Pracht, was ihn noch bedrückender und geheimnisvoller machte. Häufig konnte man keinen Meter weit durch das dichte Laubwerk zu beiden Seiten des Wegs sehen. Wenn mir jetzt zufällig ein Bär entgegengekommen wäre, hätte ich ziemlich dumm dagestanden. Und es wäre auch kein Katz nach einer Minute zur Stelle gewesen, um dem Tier die Fresse zu polieren und zu mir zu sagen: »Meine Güte, Bryson, kannst du nicht selbst auf dich aufpassen?« Es würde überhaupt niemand vorbeikommen, an dem man sich abreagieren konnte. Wahrscheinlich gab es im Umkreis von 80 Kilometern keinen einzigen Menschen außer mir. Ich stapfte weiter, von leichter Unruhe ergriffen und kam mir vor wie jemand, der zu weit aufs Meer hinausgeschwommen ist.

Es waren 5,6 Kilometer bis zum Gipfel des Piney Mountain. Oben angekommen, stand ich unschlüssig herum. Ich konnte mich nicht entscheiden, ob ich noch ein Stück weitergehen oder umkehren und einen anderen Weg probieren sollte. Es lag eine gewisse Hilflosigkeit und entmutigende Sinnlosigkeit in allem, was ich tat. Ich wußte längst, daß ich nicht den gesamten AT schaffen würde, aber erst jetzt dämmerte es mir, wie läppisch und aussichtslos es war, sich die Strecke häppchenweise vorzunehmen. Es war im Grunde egal, ob ich fünf, zehn oder 15 Kilometer weit ging. Wenn ich 15 Kilometer ging statt, sagen wir zehn – was hätte ich dabei gewonnen? Ganz sicher keinen Ausblick, keine Erfahrung, kein Erlebnis, das ich nicht bereits tausendfach gehabt hatte. Das ist das Problem beim AT – er ist ein weiter, unvorstellbar langer Weg, und es gab immer mehr, unendlich viel mehr Wegstrecke, als ich bewältigen konnte. Nicht, daß ich aufhören wollte. Im Gegenteil. Ich ging gern, ich war scharf aufs Gehen. Ich wollte nur wissen, was ich hier draußen eigentlich zu suchen hatte.

Während ich unentschlossen herumstand, hörte ich plötzlich ein trockenes Knacken in den Zweigen, wie eine unbedachte Bewegung im Unterholz, ungefähr 15 Meter von mir entfernt im Wald – es mußte ein ziemlich großes Tier sein, aber es war nicht zu sehen. Ich erstarrte, hörte auf zu atmen, zu denken, stellte mich auf Zehenspitzen und versuchte, zwischen den Blättern etwas zu erkennen. Wieder das Geräusch, diesmal näher. Was auch immer es verursachte, es kam direkt auf mich zu. Vor Angst leise wimmernd, lief ich ein paar hundert Meter; mein Tagesrucksack hüpfte auf und ab, Gläser klirrten, dann drehte ich mich um, mein Herzschlag setzte aus, und ich sah hinter mich. Ein Reh, ein großer Bock, schön und stolz, trat auf den Pfad, blickte mich einen Moment lang unverwandt an und trabte dann weiter. Es dauerte eine Zeitlang, bis ich wieder Luft bekam, dann wischte ich mir den Schweiß von der Stirn und fühlte mich vollkommen ernüchtert.

Irgendwann hat jeder Wanderer auf dem AT seinen persönlichen Tiefpunkt erreicht, für gewöhnlich dann, wenn der Wunsch aufzugeben geradezu überwältigend ist. Die Ironie in meinem Fall lag darin, daß ich auf den Trail zurück wollte, aber nicht wußte wie. Ich hatte nicht nur Katz verloren, meinen lustigen Gefährten, sondern meine ganz eigene Beziehung zum Trail. Mir war jeder Antrieb abhanden gekommen, das Gefühl für den Sinn und Zweck des Ganzen. Ich mußte wieder auf eigenen Füßen stehen, was ganz wörtlich gemeint war. Zu allem Übel zitterte ich jetzt auch noch vor Furcht, als wäre ich noch nie allein im Wald gewesen. Die ganzen Erfahrungen, die ich in den Wochen vorher auf dem Trail gesammelt hatte, machten es mir schwerer und nicht leichter, auf mich allein gestellt zu sein. Das hatte ich nicht erwartet. Es erschien mir nicht gerecht. Es stimmte irgendwie nicht. In niedergeschlagener Stimmung kehrte ich zu meinem Wagen zurück.

Ich verbrachte die Nacht in der Nähe von Harrisburg und fuhr am nächsten Morgen über Nebenstraßen in nördliche und östliche Richtung, quer durch den Bundesstaat. Ich hielt mich so dicht wie möglich an den Verlauf des Trail, blieb ab und zu stehen, um vor Ort ein Stück Weg zu gehen, entdeckte aber nichts, das irgendwie vielversprechend aussah, also fuhr ich die meiste Zeit.

Allmählich klangen die Ortsnamen unterwegs immer mehr wie in einem Industriegebiet – Port Carbon, Minersville, Slatedale. Ich hatte die eigentümliche, fast vergessene Welt des Kohlereviers von Pennsylvania erreicht. In Minersville bog ich in eine Nebenstraße und durchquerte eine Landschaft aus überwachsenen Abraumhalden und verrosteten Maschinen und fuhr bis nach Centralia, in die seltsamste, traurigste Stadt, die ich je gesehen habe.

Unter dem östlichen Teil Pennsylvanias liegen die reichsten Kohlenflöze der Welt. Bereits die ersten Europäer, die hier siedelten, erkannten, daß sich dort Kohle in unvorstellbaren Mengen befand. Es gab nur ein Problem: Es handelte sich fast ausschließlich um Anthrazitkohle, Steinkohle, eine Kohleart, die so ungemein hart ist – sie besteht zu 95 Prozent aus Kohlenstoff –, daß man lange Zeit rätselte, wie man sie ans Tageslicht befördern könnte. Erst 1823 kam ein erfinderischer Schotte namens James Neilson auf die geniale Idee, mittels eines Gebläses erhitzte statt kalte Luft in einen Eisenofen zu leiten. Das sogenannte Heißwindverfahren revolutionierte die Kohleindustrie auf der ganzen Welt (auch in Wales gab es viel Anthrazitkohle), aber besonders in den USA. Gegen Ende des Jahrhunderts produzierten die USA 270 Millionen Tonnen Kohle jährlich, annähernd so viel wie der Rest der Welt zusammengenommen, und der größte Teil davon kam aus der Kohleregion in Pennsylvania.

Mittlerweile hatte man dort auch Öl entdeckt, aber es wurde nicht nur entdeckt, sondern man fand auch Mittel und Wege, es industriell zu nutzen. Petroleum, auch Steinöl genannt, war schon seit langem eine Kuriosität im westlichen Pennsylvania. Es drang in Sickergruben an Flußufern an die Erdoberfläche, wo es mit Decken aufgefangen und zu Medikamenten verarbeitet wurde, die für ihre Wirksamkeit bei der Heilung aller möglichen Krankheiten, von Lymphknotentuberkulose bis Durchfall, geschätzt waren. Es war der rätselhafte Colonel Edwin Drake (der in Wahrheit gar kein Colonel, sondern pensionierter Lokomotivführer war, ohne jegliche geologische Kenntnisse) und sein unerschütterlicher Glaube daran, daß man das Öl aus dem Boden über Brunnen fördern könne, der 1859 die Entwicklung vorantrieb. In Titusville bohrte er ein 21 Meter tiefes Loch in die Erde und besaß damit die erste Springquelle der Welt. Schnell erkannte man, daß Petroleum nicht nur die Gedärme in Schach halten und die Krätze bannen konnte, sondern sich auch zu gewinnbringenden Produkten wie Paraffin und Kerosin verarbeiten ließ. Pennsylvania erlebte einen Aufschwung sondergleichen. In drei Monaten wuchs die Bevölkerung von Pithole City, so der liebevolle Spitzname, von Null auf 15.000, wie John McPhee in seinem Buch *In Suspect Terrain* schreibt. Noch einige andere Städte in der Region entstanden quasi über Nacht, zum Beispiel Oil City, Petroleum Center und Red Hot. John Wilkes Booth kam ebenfalls hierher und verlor sein erspartes Geld, dann zog er los und erschoß einen Präsidenten, aber andere blieben und machten ein Vermögen.

Ein quirliges halbes Jahrhundert lang besaß Pennsylvania praktisch ein Monopol auf eines der wertvollsten Produkte der Welt – Öl, und spielte eine beherrschende Rolle in der Förderung eines anderen Produkts, nämlich Kohle. Aufgrund der Nachbarschaft dieser beiden gewaltigen Brennstoffvorkommen entwickelte sich Pennsylvania zu einem Zentrum brennstoffintensiver Industriezweige wie Stahl und Chemie. Sehr viele Leute wurden unermeßlich reich.

Nur die Bergarbeiter nicht. Der Bergbau war schon immer und überall eine furchtbare Arbeit, aber nirgendwo war es so schlimm wie in Amerika in der zweiten Hälfte des 19. Jahrhunderts. Dank ungehinderter Einwanderung standen Bergarbeiter in unbegrenzter Menge zur Verfügung. Als die Waliser zu aufsässig wurden, holte man Iren. Als die Iren nicht mehr zufriedenstellend arbeiteten, holte man Italiener, Polen oder Ungarn. Die Arbeiter wurden nach Tonnen bezahlt, was sie dazu antrieb, die Kohle mit leichtsinniger Eile herauszuhauen, und was selbstverständlich auch bedeutete, daß jeder Aufwand, der getrieben wurde, um die Arbeit sicherer oder bequemer zu gestalten, nicht entlohnt wurde. Stollen wurden wild in die Erde getrieben, wie Löcher in Schweizer Käse, was häufig ganze Talregionen zum Absinken brachte. 1846 brachen in Carbondale Stollen auf einer Fläche von 20 Hektar ohne jede Vorwarnung mit einem Schlag zusammen, was Hunderte Menschenleben forderte. Explosionen und Brände waren an der Tagesordnung. Zwischen 1870 und dem Ausbruch des Ersten Weltkriegs ließen in amerikanischen Bergwerken 50.000 Arbeiter ihr Leben.

Die Ironie des Schicksals will es, daß Anthrazitkohle sehr schwer entflammbar ist, aber kaum zu löschen, wenn sie einmal brennt. Die Geschichten über unkontrollierte Grubenbrände im östlichen Pennsylvania sind Legion. Ein Feuer zum Beispiel brach 1850 in Lehigh aus und erlosch erst zur Zeit der Großen Depression, 80 Jahre nach seinem Ausbruch.

Und hier komme ich mit meiner Geschichte nach Centralia. Ein Jahrhundert lang war Centralia ein solides, beschauliches Bergarbeiterstädtchen. Wie schwer das Leben für die ersten Grubenarbeiter auch gewesen sein mag, in der zweiten Hälfte des 20. Jahrhunderts jedenfalls war Centralia eine einigermaßen blühende, behagliche, betriebsame kleine Stadt mit knapp 2.000 Einwohnern. Die Stadt besaß ein belebtes Geschäftsviertel, mit Banken, Post und der üblichen Auswahl an Läden und kleinen Kaufhäusern, eine High School, vier Kirchen, einen Old Fellows Club, ein Rathaus – mit anderen Worten, es war eine typische, gemütliche, einigermaßen anonyme amerikanische Kleinstadt.

Leider hockte die Gemeinde aber auch auf über 30 Millionen Tonnen Anthrazitkohle. 1962 entzündete sich durch den Brand einer Müllhalde am Stadtrand ein Kohlenflöz. Die Feuerwehr verspritzte zigtausend Liter Wasser, aber jedesmal, wenn es so aussah, als sei das Feuer erloschen, flackerte es wieder auf – wie der beliebte Scherzartikel, diese Geburtstagskerzen, die man ausbläst und die sich einen Augenblick später von selbst wieder entflammen. Danach begann das Feuer, sich durch die unterirdischen Flöze zu fressen. Über ein ausgedehntes Gebiet stieg gespenstischer Rauch vom Boden auf, wie Dampf von einem See in der Morgendämmerung. Der Asphalt auf dem Highway 61 wurde so heiß, daß man ihn nicht berühren konnte, dann bekam die Decke Risse und senkte sich ab, so daß die Straße unpassierbar wurde. Die Zone, aus der der Rauch aufstieg, zog unter dem Highway durch und breitete sich in einem benachbarten Waldstück und weiter oben auf einem Hügel oberhalb der Stadt aus, wo die katholische Kirche St. Ignatius stand.

Das U.S. Bureau of Mines schickte Experten in das Gebiet, die alle möglichen Vorschläge machten – einen tiefen Graben quer durch die Stadt auszuheben, den Verlauf des Feuers durch Sprengungen abzulenken, das Flöz mit Druckwasser zu überfluten –

aber schon die billigste Methode hätte mindestens 20 Millionen Dollar gekostet, ohne Garantie, daß sie auch funktionierte, und ohnehin sah sich niemand befugt, eine solche Summe auszugeben. Und so schwelte das Feuer langsam vor sich hin.

1979 stellte der Besitzer einer Tankstelle unweit des Stadtzentrums fest, daß die Temperatur in seinen unterirdischen Benzintanks bei fast 80 Grad Celsius lag. In den Boden versenkte Sensoren zeigten an, daß die Temperatur vier Meter unterhalb des Tanklagers 500 Grad Celsius betrug. Hausbesitzer klagten über heiße Kellerwände und -böden. Mittlerweile stieg in der gesamten Stadt Rauch aus der Erde auf, und die Menschen litten aufgrund des überhöhten Kohlendioxydgehalts in ihren eigenen vier Wänden zunehmend unter Brechreiz und Schwindelanfällen. 1981 spielte ein zwölfjähriger Junge im Garten seiner Großmutter, als vor ihm eine Rauchfahne erschien. Er starrte sie fasziniert an, als sich plötzlich unter ihm der Boden auftat. Er klammerte sich an eine Baumwurzel und schrie um Hilfe, bis jemand kam und ihn herauszog. Das Loch war 24 Meter tief. Innerhalb weniger Tage kam es im gesamten Stadtgebiet zu ähnlichen Bodenabsenkungen. Erst jetzt fingen die Menschen an, ernsthaft etwas gegen das Feuer zu unternehmen.

Die Regierung initiierte ein 42-Millionen-Dollar-Programm zur Evakuierung der Stadt. Sobald die Bewohner weg waren, wurden ihre Häuser mit Planierraupen plattgemacht, der Schutt samt und sonders weggeräumt, bis fast keine Gebäude mehr übrig waren. Centralia ist heute nicht einmal mehr eine Geisterstadt. Es ist ein großer, freier Platz, ein Netz leerer Straßen, hier und da noch mit Parkverbotsschildern und Hydranten versehen, was surreal anmutet. Etwa alle zehn Meter befindet sich eine sauber asphaltierte Einfahrt, die 15, 20 Meter ins Nichts führt. Verstreut stehen noch ein paar Häuser im Gelände – bescheidene, schmale Holzkonstruktionen, die von Stützpfeilern aus Stein zusammengehalten werden – und ein paar Gebäude im ehemaligen Geschäftsviertel.

Ich stellte meinen Wagen vor einem Gebäude ab, an dem ein

verblaßtes Schild mit der pompösen Aufschrift »Centralia Gru-benbrand-Projektbüro, Sanierungsgesellschaft Columbia« hing. Der Eingang und die Fenster waren mit Brettern vernagelt, und das Haus selbst sah aus, als drohte es jeden Moment einzustür-zen. Nebenan stand noch ein Haus, in einem besseren Zustand, Speed Stop Car Parts stand darauf, davor eine tiptop gepflegte Grünanlage, mit Fahnenmast, an dem das Sternenbanner wehte. Das Geschäft war offenbar immer noch in Betrieb, aber innen brannte kein Licht, und es war niemand da. Es war überhaupt kein Mensch zu sehen – wie mir jetzt auffiel –, nicht ein einziges Geräusch zu hören, außer dem Klirren eines Eisenrings, der ge-gen den Fahnenmast schlug. Auf den freien Grundstücken be-fanden sich hier und da Metallröhren, die wie Ölfässer in die Erde hinabgelassen worden waren und leise Rauch absonderten.

Oben auf einem sanft ansteigenden Hügel, der sich über die Breite mehrerer abgeräumter Grundstücke erstreckte, stand eine ziemlich große moderne Kirche in eine weiße Rauchglocke gehüllt, vermutlich St. Ignatius. Ich stieg hinauf. Die Kirche sah durchaus noch stabil und benutzbar aus, die Fenster waren nicht vernagelt, und ich sah auch kein Schild »Betreten verboten«. Der Eingang war verschlossen, und es gab keine Informationstafel mit den Anfangszeiten der Gottesdienste oder dergleichen, nicht mal der Name der Kirche und ihre Konfession standen ange-schlagen. Drumherum qualmte der Boden, und auf der Rückseite quollen auf einer großen Fläche ganze Rauchschwaden aus der Erde. Ich durchschritt das Gelände und fand mich am Rand ei-nes riesigen Kessels wieder, etwa halb so groß wie ein Fußball-feld, der dicken, wolkenartigen, hellweißen Rauch ausstieß, wie er beim Verbrennen von Autoreifen oder alten Decken entsteht. Ich konnte in der dicken Suppe unmöglich erkennen, wie tief das Loch war. Der Boden fühlte sich warm an und war mit einer fei-nen Ascheschicht bedeckt.

Ich begab mich wieder zum Eingang der Kirche. Eine schwere, querstehende Straßensperre blockierte die Zufahrt zu der alten Straße, und ein neuer Highway führte über einen Nachbarhügel um die Stadt herum. Ich stieg über die Straßensperre und ging ein Stück den alten Highway 61 entlang. Unkraut wuchs in Büscheln hier und da aus der Asphaltdecke hervor, aber die Straße an sich sah noch immer befahrbar aus. Zu beiden Seiten qualmte das Land auf unübersichtlicher Fläche düster vor sich hin, wie nach einem Waldbrand. Ungefähr 50 Meter weiter war in der Mitte der Straße ein gezackter Riß zu sehen, der rasch zu einer breiten Spalte wurde, aus der noch mehr Qualm aufstieg. An manchen Stellen der Spalte war die Fahrbahn auf einer Seite 30 bis 40 Zentimeter tief abgesunken oder hatte sich zu einer rinnenartigen Vertiefung verformt. Ab und an schaute ich in die Spalte hinunter, konnte aber wegen des Rauchs, der sich als unangenehm beißend und schwefelhaltig erwies, als eine Windböe ihn mir ins Gesicht wehte, nicht sehen, wie tief sie reichte.

Ich ging eine Weile an der Spalte entlang, untersuchte sie mit ernster Miene, wie ein Ingenieur vom Straßenbauamt, bevor mein Blick ziellos umherschweifte und mir dämmerte, daß ich mich mitten, geradezu im Zentrum einer unentwegt qualmenden Landschaft befand, auf einer vermutlich hauchdünnen Asphaltdecke, über einem brennenden Feuer, das seit 35 Jahren außer Kontrolle war. Sich ausgerechnet an diesen Ort in ganz Amerika zu begeben zeugt nicht gerade von besonderer Klugheit. Vielleicht war es nur meine buchstäblich erhitzte Phantasie, jedenfalls erschien mir der Boden plötzlich ausgesprochen schwammig und elastisch, als würde ich auf einer Matratze gehen. Ich machte rasch wieder kehrt und lief zu meinem Wagen zurück.

Wenn ich so darüber nachdenke, erscheint es mir merkwürdig, daß jeder Verrückte, ich eingeschlossen, in einem so offenkundig gefährlichen und instabilen Ort wie Centralia mit dem Auto spazierenfahren und sich alles ansehen kann, aber es gab nichts, das einen davon abgehalten hätte herumzustreunen. Noch merkwürdiger fand ich allerdings, daß Centralia nicht vollständig evakuiert worden ist. Diejenigen, die nicht wegziehen mochten und mit der Gefahr leben wollten, daß ihr Haus eines Tages von der Erde verschluckt würde, durften bleiben, und einige hatten sich offenbar dafür entschieden. Ich fuhr mit dem Auto zu einem einsamen Haus mitten im ehemaligen Stadtzentrum. Das in einem blassen Grün gestrichene Haus war gepflegt und gut erhalten. Gespenstisch. Auf einer Fensterbank standen eine Vase mit künstlichen Blumen und anderer Nippes. Vor der frisch gestrichenen Veranda befand sich ein Beet mit Ringelblumen, allerdings stand kein Auto in der Einfahrt, und niemand öffnete auf mein Klingeln die Haustür.

Mehrere andere Gebäude stellten sich bei näherem Hinsehen als unbewohnt heraus. An zwei Häusern waren Fenster und Türen mit Brettern vernagelt, und es hingen Schilder dran, »Achtung! Betreten verboten!«. In fünf, sechs anderen Häusern, darunter drei kleine Reihenhäuser am Ende des Stadtparks, lebten offensichtlich noch Menschen, in einem Vorgarten lag sogar Kinderspielzeug (wer um Himmels willen möchte hier Kinder großziehen?). Aber nirgends reagierte jemand auf mein Klingeln. Entweder waren alle in der Arbeit oder lagen, wie ich vermutete, längst mausetot in der Küche. Bei einem Haus, an dem ich klingelte, bewegte sich eine Gardine, wie ich mir einbildete, aber ich war mir nicht sicher. Wer weiß, wie gestört die Leute sind, nachdem sie 30 Jahre auf einem Inferno gelebt und Unmengen von CO_2 inhaliert haben, beziehungsweise wie genervt von Fremden, die fröhlich an ihre Tür klopften und ihre Stadt als Kuriosum betrachteten. Insgeheim war ich erleichtert, daß niemand auf mein Klingeln reagierte, denn mir wäre ums Verrecken keine Frage eingefallen, mit der ich ein Gespräch hätte beginnen können.

Es war bereits nach Mittag, ich fuhr daher die restlichen acht Kilometer nach Mt. Carmel, der nächsten Stadt, mit dem Auto. Mt. Carmel war eine kleine Überraschung nach Centralia – ein lebendiges Städtchen, angenehm altmodisch, mit Verkehr auf der Main Street, Bürgersteigen voller Einkäufern und anderen Bewohnern der Stadt, die ihren Geschäften nachgingen. Ich aß im Academy Luncheonette and Sporting Goods Store zu Mittag (vermutlich der einzige Ort in ganz Amerika, an dem man beim Verzehr seines Thunfisch-Sandwichs eine Auswahl von Suspensorien bewundern kann) und hatte vor, anschließend meine Suche nach dem AT fortzusetzen. Auf dem Weg zum Auto kam ich jedoch an der Stadtbücherei vorbei, ging spontan hinein und erkundigte mich, ob es irgendwelches Material über Centralia gäbe.

Es gab reichlich Material – drei dicke Aktenordner, prallvoll mit Zeitungsausschnitten, die meisten aus der Zeit von 1979 bis 1981, als Centralia für kurze Zeit landesweites Interesse hervorrief, besonders nachdem der kleine Junge, ein gewisser Todd Dombowski, im Garten seiner Oma beinahe vom Erdboden verschluckt worden wäre.

Darüber hinaus gab es noch ein schmales gebundenes Bändchen, eine Geschichte Centralias, das, aus heutiger Sicht nicht ohne Pikanterie, aus Anlaß der Hundertjahrfeier der Stadt kurz vor Ausbruch des Feuers in Auftrag gegeben worden war. Es war reich bebildert, lauter Fotos, die eine Stadt zeigten, in der lebhaftes Treiben auf den Straßen herrschte, nicht viel anders als das, was sich vor den Toren der Bücherei abspielte, mit dem Unterschied, daß alles etwas über 30 Jahre zurücklag. Ich hatte vergessen, wie entrückt die 60er Jahre bereits waren. Die Männer auf den Fotos trugen Hüte, die Frauen und Mädchen weite, ausgestellte Röcke. Sie wirkten alle unbekümmert, denn natürlich ahnte niemand, daß ihre hübsche, unbekannte kleine Stadt dem Untergang geweiht war. Es fiel mir schwer, die Lebendigkeit, die auf diesen Fotos zum Ausdruck kam, mit dem öden Ort, den ich gerade verlassen hatte, in Verbindung zu bringen.

Als ich alles wieder in den Aktenordner einlegte, fiel ein Zeitungsausschnitt zu Boden, ein Artikel aus *Newsweek*. Ein kurzer Absatz am Ende des Textes war unterstrichen und am Rand mit drei Ausrufezeichen versehen. Ein Mitarbeiter der Brandbekämpfung wurde mit den Worten zitiert, wenn das Feuer gleichmäßig weiterschwele, reiche die Kohle unter Centralia noch für 1.000 Jahre.

Ein paar Kilometer von Centralia entfernt liegt ein weiterer, eindrucksvoller Ort der Verwüstung, von dem ich zufällig erfahren hatte und den ich unbedingt aufsuchen wollte – ein Berghang im Lehigh Valley, der durch die Hinterlassenschaften einer Zinkhütte so gründlich verschmutzt worden war, daß dort kein Grashalm mehr wuchs. John Connolly hatte mir von dem Berg erzählt und gesagt, er befände sich unweit von Palmerton, und so begab ich mich am nächsten Tag dorthin. Palmerton war eine ziemlich große Stadt, schmutzig, mit viel Industrie, aber nicht ohne gewissen Reiz – ein paar städtische Bauten der Jahrhundertwende, die dem Ort etwas Würdevolles verliehen, ein behäbiger Platz im Zentrum, und ein Einkaufsviertel, das eindeutig krisengeschüttelt war, aber den Widrigkeiten mutig trotzte. Überall im Hintergrund dominierten große Fabrikanlagen, die wie Gefängnisse aussahen und anscheinend alle geschlossen waren. An einem Ende der Stadt fand ich, weswegen ich hergekommen war – eine steile, breite kahle Erhebung, ungefähr 450 Meter hoch und einige Kilometer lang, auf der keine Vegetation zu erkennen war. Neben der Straße war ein Parkplatz, ein paar hundert Meter davon entfernt eine Fabrik. Ich bog auf den Parkplatz ein, stieg aus und staunte – es war ein überwältigender Anblick.

Im selben Moment trat ein dicker uniformierter Mann aus einem Wachhäuschen und watschelte mit mürrischer Miene diensteifrig auf mich zu.

»Was haben Sie hier zu suchen?« schnauzte er mich an.

»Wie bitte?« erwiderte ich betroffen, und dann: »Ich sehe mir den Berg an.«

»Das dürfen Sie nicht.«

»Man darf sich diesen Berg nicht ansehen?«

»Jedenfalls nicht hier. Das ist Privatgelände.«

»Entschuldigung. Das habe ich nicht gewußt.«

»Es ist trotzdem Privatgelände, wie auf dem Schild da zu lesen ist.« Er wies auf einen Pfosten, an dem überhaupt kein Schild hing, und war für einen Moment ganz verdattert. »Ist trotzdem Privatgelände«, fügte er hinzu.

»Entschuldigung. Das habe ich nicht gewußt«, wiederholte ich, noch ohne wirklich begriffen zu haben, wie ernst der Mann seinen Job nahm. Ich bestaunte weiterhin den Berg. »Ist das nicht ein sagenhafter Anblick?« sagte ich.

»Was?«

»Der Berg. Nicht ein einziger Grashalm ist zu erkennen.«

»Kann ich nichts zu sagen. Ich werde nicht dafür bezahlt, mir Berge anzuschauen.«

»Sollten Sie ab und zu mal tun. Sie wären erstaunt, was Sie da zu sehen bekämen. Das da drüben ist dann wohl die Zinkfabrik, oder?« sagte ich und deutete mit einem Kopfnicken auf den Gebäudekomplex hinter seinem Rücken.

Er musterte mich mißtrauisch. »Wieso wollen Sie das wissen?«

Ich erwiderte seinen Blick. »Weil ich Zink brauche«, entgegnete ich.

Er sah mich von der Seite an, als wollte er sagen: Klugscheißer, was? Statt dessen sagte er plötzlich entschlossen: »Ich notiere mir mal lieber Ihren Namen.« Umständlich zog er ein Notizbuch und einen Bleistiftstummel aus der Gesäßtasche.

»Nur, weil ich Sie gefragt habe, ob das die Zinkfabrik ist?«

»Weil Sie Privatgelände betreten haben.«

»Ich wußte nicht, daß es Privatgelände ist. Da steht ja nicht mal ein Hinweisschild.«

Er hielt den Stummel schreibbereit. »Name?«

»Machen Sie sich nicht lächerlich.«

»Sie haben Privatgelände betreten, Sir. Wollen Sie mir jetzt bitte Ihren Namen sagen?«

»Nein.«

In dem Stil ging es etwa eine Minute lang hin und her, schließlich schüttelte er mit bedauerlicher Miene den Kopf und meinte: »Ganz wie Sie wollen.« Er holte ein Funkgerät, zog die Antenne raus und schaltete es ein. Zu spät war mir klargeworden, daß er während vieler, langer ereignisloser Wachschichten in seinem kleinen Glaskasten von so einem Moment geträumt haben mußte.

»J. D.?« sagte er in das Funkgerät. »Luther hier. Hast du die Parkkralle dabei? Ich stehe hier mit einem Einbrecher auf Parzelle A.«

232

»Was machen Sie da?« fragte ich.

»Ich beschlagnahme Ihr Fahrzeug.«

»Ich bitte Sie. Ich habe doch nur kurz angehalten. In Ordnung, ich fahre ja schon.«

Ich stieg ein, ließ den Motor an und fuhr los, aber der Mann versperrte mir den Weg. Ich beugte mich aus dem Fenster. »Würden Sie bitte beiseitetreten?« rief ich, aber er rührte sich nicht vom Fleck. Er stand mit dem Rücken zu mir, die Arme verschränkt, und schenkte mir keine Beachtung. Ich hupte leise, aber er ließ sich nicht aus der Ruhe bringen. Ich steckte wieder den Kopf durchs Fenster und sagte: »Also gut, ich sage Ihnen meinen Namen, wenn es unbedingt sein muß.«

»Zu spät.«

»Meine Güte«, murmelte ich, und dann, wieder durchs Fenster, sagte ich »Bitte«, danach nochmal, diesmal flehentlicher: »Ich bitte Sie, wirklich«, aber er hatte sich nun einmal entschieden und war durch nichts davon abzubringen. »Stand in der Stellenausschreibung: Arschloch gesucht, oder haben Sie dafür extra einen Lehrgang besucht?« Dann stieß ich noch ein schlimmes Schimpfwort aus, blieb sitzen und kochte innerlich.

Eine halbe Minute später fuhr ein Wagen vor, und ein Mann mit Sonnenbrille stieg aus. Er trug die gleiche Uniform wie der Dicke, aber er war zehn, 15 Jahre älter und sehr viel schlanker. Er hatte das Gebaren eines Ausbildungsoffiziers.

»Was gibt's?« fragte er, von einem zum anderen blickend.

»Vielleicht können Sie mir weiterhelfen«, sagte ich im süßlichen Tonfall bedingungsloser Einsicht. »Ich suche den Appalachian Trail. Und dann sagt mir dieser Herr hier, ich sei auf Privatgelände eingedrungen.«

»Er hat sich den Berg angesehen, J. D.«, widersprach der Dicke hitzig, aber J. D. hob abwehrend die Hand und wandte sich dann mir zu.

»Sind Sie Wanderer?«

»Ja, Sir«, sagte ich und zeigte auf meinen Rucksack auf dem Rücksitz. »Ich wollte nur nach dem Weg fragen, und ehe ich mich's versah« – ich stieß ein gespielt erschrockenes Lachen aus –, »kommt der Herr da an und sagt, ich befände mich auf Privatgelände, und er müsse meinen Wagen beschlagnahmen.«

»J. D., der Mann hat sich den Berg angeschaut und Fragen gestellt.« J. D. hielt diesmal die andere Hand abwehrend hoch.

»Wo wollen Sie denn wandern?«

Ich sagte es ihm.

Er nickte. »Gut. Dann fahren Sie ungefähr sechs Kilometer geradeaus auf dieser Straße weiter bis Little Gap und biegen da rechts nach Danielsville ab. Oben auf dem Hügel kreuzt der Trail die Straße. Das können Sie gar nicht verfehlen.«

»Vielen Dank.«

»Keine Ursache. Frohes Wandern noch!«

Ich bedankte mich noch mal wortreich und brauste davon. Im Rückspiegel sah ich mit Genugtuung, daß er Luther zurechtwies, ruhig aber bestimmt – und damit drohte, wie ich stark hoffte, ihm das Funkgerät abzunehmen.

Die Straße führte steil bergauf bis zu einer einsamen Paßhöhe, wo sich ein mit Schotter befestigter Parkplatz befand. Ich stellte den Wagen ab, fand den AT und folgte ihm auf einem hohen, freiliegenden Grat, durch ein unvorstellbar verwüstetes Gelände. Kilometerweit nur kahle Landschaft, hier und da die dürren Stämme abgestorbener Bäume, einige konnten sich noch aufrechthalten, aber die meisten waren eingeknickt. Die Szenerie erinnerte unweigerlich an ein Schlachtfeld des Ersten Weltkriegs nach schwerem Artilleriebeschuß. Der Boden war mit einem sandigen schwarzen Staub bedeckt, der aussah wie Eisenspäne.

Das Gehen fiel ungewöhnlich leicht – der Grat war fast vollkommen flach – und das Fehlen jeglicher Vegetation erlaubte einen ungehinderten Ausblick. Die Bäume auf allen anderen Bergen der nahen Umgebung, einschließlich der Hügel direkt gegenüber, auf der anderen Seite des schmalen Tals, waren, soweit man erkennen konnte, in gesundem Zustand, außer an den Stellen, wo der Berg durch Steinbrüche oder Tagebau verunstaltet oder ausgehöhlt worden war. Ich ging etwas länger als eine

Stunde, bis ich zu einem jähen, irrsinnig steilen Abstieg nach Lehigh Gap gelangte – 300 Meter in die Tiefe. Ich hatte eigentlich noch gar keine Lust, für heute Schluß zu machen, im Gegenteil, ich war gerade erst so richtig in Fahrt gekommen, aber die Vorstellung, 300 Meter abzusteigen, nur um unten umzukehren und wieder hochzuklettern, hatte nicht den geringsten Reiz, und es gab auch keinen anderen Rückweg, der nicht stundenlanges Marschieren an einem verkehrsreichen Highway bedeutet hätte. Genau das ist eben das Problem, wenn man den AT in Tagesetappen abwandert: Er ist so angelegt, daß man weitergeht, immer weiter, nach vorn und nicht Stippvisiten absolviert, mal hier, mal da.

Seufzend machte ich kehrt und ging denselben Weg zurück, den ich gekommen war, in einer der Landschaft angepaßten Laune. Es war fast vier Uhr, als ich den Parkplatz erreichte, zu spät, um noch einen anderen Abschnitt des Trails auszuprobieren. Der Tag war so gut wie gelaufen. Ich hatte 560 Kilometer zurückgelegt, um hierher nach Pennsylvania zu kommen, hatte vier quälend lange Tage in diesem Bundesstaat zugebracht und war unterm Strich 17 Kilometer des Appalachian Trail abgegangen. Nie wieder, schwor ich mir, nie wieder würde ich versuchen, mit dem Auto an den Appalachian Trail heranzufahren und ihn in Etappen zu wandern.

15. Kapitel

Früher, vor Jahrmillionen, konnten es die Appalachen in ihrem Ausmaß und ihrer Erhabenheit durchaus mit dem Himalaja aufnehmen – wie Pfeilspitzen, schneebedeckt, die Wolkendecke durchstoßend, ragten sie atemberaubende 6.000 Meter und höher auf. Mount Washington in New Hampshire bietet immer noch einen eindrucksvollen Anblick; die Gesteinsmasse, die sich heute aus den Wäldern New Englands erhebt, stellt jedoch bestenfalls das rumpfartige untere Drittel dessen dar, was vor zehn Millionen Jahren hier stand.

Die Appalachen haben heute eine bescheidenere Gestalt, weil ihnen sehr viel Zeit zur Verfügung stand, um sich abzuschleifen. Sie sind unvorstellbar alt, älter als die Meere und Kontinente, jedenfalls in ihrer heutigen Ausprägung, und sie sind weitaus älter als die meisten anderen Bergketten, sogar älter als fast alle anderen landschaftlichen Merkmale der Erde. Die Appalachen standen schon zur Begrüßung bereit, als einfachste Pflanzenformen die Erde besiedelten und die ersten Tiere nach Luft schnappend aus dem Meer an Land krochen.

Vor etwa einer Milliarde Jahren waren die Kontinente der Erde eine einzige Landmasse. Sie bildeten den Urkontinent Pangäa, umgeben vom Urozean, dem Panthalassischen Meer. Eine unerklärliche Erschütterung des Erdmantels führte dazu, daß die Landmasse zerbrach und die einzelnen asymmetrischen Blöcke auseinanderdrifteten. Von Zeit zu Zeit im Laufe von Jahrmillionen – bisher insgesamt dreimal – vollzogen die Kontinente eine Art Wiedervereinigung, trieben zurück an einen zentralen Ort und stießen dabei sehr langsam, aber doch mit zerstörerischer Wucht zusammen. Bei der dritten Kollision, die vor 470 Millionen Jahren passierte, wurden die Appalachen aus der Erdmasse herausgedrückt, wie ein Falten werfender Teppich, um einen immer wieder bemühten Vergleich zu benutzen. 470 Millionen Jahre sind eine Zeitspanne, die über den menschlichen Verstand hinausgeht, aber wenn man sich vorstellt, man flöge in der Zeit rückwärts, mit einer Geschwindigkeit von einem Jahr pro Sekunde, dann bräuchte man 16 Jahre, um diese Zeitspanne zu überwinden. Das ist doch ziemlich lange, würde ich sagen.

Die Kontinente haben sich nicht einfach wie bei einem Square Dance in Zeitlupe aufeinander zu und wieder voneinander weg bewegt, sondern sie drehten sich träge im Kreis, wechselten die Richtung, begaben sich auf weite Reisen in die Tropen, zu den beiden Polen, begegneten unterwegs kleineren Landmassen und nahmen diese gleich mit. Florida gehörte einst zu Afrika. Eine Ecke von Staten Island ist, geologisch gesehen, ein Teil Europas. Die Meeresküste von New England bis Kanada scheint ursprünglich aus Marokko zu stammen. Teile von Grönland, Irland, Schottland und Skandinavien sind aus dem gleichen Gestein wie der Osten der USA – im Grunde versprengte Vorposten der Appalachen. Es gibt sogar Vermutungen, daß selbst so ferne Berge wie die Shackleton Range in der Antarktis ein Bruchstück aus der Familie der Appalachen ist.

Die Appalachen bildeten sich in drei langen Phasen heraus – ein Vorgang, den man in der Geologie Orogenese nennt: die takonische, die akadische und die alleghenische Phase. Die ersten beiden zeichnen im wesentlichen für den nördlichen Abschnitt der Appalachen verantwortlich, die dritte für die Mitte und den südlichen Teil. Bei der Berührung oder gar dem Zusammenstoß der Kontinente rutschte manchmal eine Kontinentalplatte über die andere, schob den Meeresboden vor sich her und gestaltete somit das Gelände landeinwärts auf einem Streifen von 200 bis 300 Kilometern vollkommen um. In anderen Fällen tauchte die eine Platte unter die andere und hob den Mantel auf, die Folge waren langanhaltende Perioden vulkanischer Aktivitäten und Erdbeben. Manchmal wurden bei den Kollisionen Gesteinsschichten durchstoßen, als würden Karten neu gemischt.

Die Versuchung liegt nahe, sich diesen Vorgang als giganti-schen Zusammenstoß zweier Autos vorzustellen, aber natürlich geschah das alles mit unendlicher Langsamkeit. Der protoatlan-tische Ozean, der Urozean, der während einer der ersten Spal-tungen der Landmasse den Raum zwischen den Kontinenten ausfüllte, sieht auf den Darstellungen der meisten Lehrbücher immer wie eine zufällige Pfütze aus – in Abbildung 9A noch vor-handen, in Abbildung 9B verschwunden, als wäre für einen Tag die Sonne herausgekommen und hätte das Wasser verdunsten las-sen –, dennoch existierte er viel länger, 100 Millionen Jahre länger als der Atlantische Ozean, so wie wir ihn kennen. Das gleiche gilt für die Entstehung der Berge. Würde man sich in eine der Phasen der Gebirgsbildung der Appalachen zurückversetzen, würde man auch nicht merken, daß große geologische Veränderungen vor sich gingen, genauso wenig wie wir heute spüren, daß Indien sich in einen Teil Asiens bohrt – wie ein Lastwagen, der sich selbständig gemacht hat, in eine Schneeverwehung – und den Hi-malaja Jahr für Jahr um etwa einen Millimeter anhebt.

Kaum waren die Berge aufgetürmt, fingen sie auch schon ebenso unvermeidlich an zu erodieren. Trotz ihrer scheinbaren Beständigkeit sind Berge höchst vergängliche landschaftliche Merkmale. In seinem Buch *Physik in der Berghütte: Von Gipfeln, Gletschern und Gesteinen* rechnet der Autor und Geologe James Trefil vor, daß ein durchschnittlicher Gebirgsbach jährlich 28 Kubikmeter Bergmasse abträgt, meist in Form von Sandgranulat und anderen Schwebepartikeln. Das entspricht ungefähr der La-demenge eines durchschnittlichen Muldenkippers – nicht allzu viel. Man stelle sich vor, so ein Kipper führe einmal im Jahr am Fuß eines Berges vor, nähme eine einzige Ladung auf, führe da-von und käme erst nach zwölf Monaten wieder. Bei dem Tempo erscheint es fast unmöglich, einen ganzen Berg auf diese Weise abzutragen – steht jedoch genügend Zeit zur Verfügung, ge-schieht genau das. Angenommen, der Berg ist 1.500 Meter hoch und hat eine Gesteinsmasse von 14 Milliarden Kubikmetern – das entspricht ungefähr der Größe des Mount Washington – dann könnte ein einziger Gebirgsbach ihn in 500 Millionen Jahren dem Erdboden gleichmachen.

Natürlich gibt es in den meisten Gebirgen mehrere Bäche; darüber hinaus sind Berge noch einer breiten Palette anderer Faktoren ausgesetzt, die zu einer Reduzierung ihrer Masse führen, angefangen bei den säurehaltigen Sekreten von Flechten – geringe Mengen, die aber sehr wirkungsvoll sind – bis hin zum Abrieb durch Eisschichten. Die meisten Berge verschwinden daher sehr viel schneller, ungefähr in zwei statt in 500 Millionen Jahren. Gegenwärtig schrumpfen die Appalachen durchschnittlich um 0,03 Millimeter pro Jahr. Sie haben diesen Zyklus mindestens schon zweimal durchlaufen, wahrscheinlich aber sogar mehr als zweimal – erst zu enormen Höhen erhoben, dann auf Null abgetragen und anschließend wieder erhoben, wobei die Komponenten, aus denen sie sich zusammensetzten, jedesmal in einem äußerst komplizierten geologischen Verfahren recycelt wurden.

Die Details dieser Entwicklung sind reine Theorie, versteht sich. Nur sehr wenig gilt als allgemein gesicherte Erkenntnis. Manche Wissenschaftler sind der Ansicht, die Appalachen hätten noch eine frühere, vierte Gebirgsbildungsphase durchlaufen, die Grenville Orogenese, und daß es davor noch mehr gegeben haben könnte. Ebenso kann sich Pangäa nicht nur dreimal aufgespalten und wieder vereinigt haben, sondern ein dutzend- oder vielleicht hundertmal. Darüber hinaus gibt es einige Ungereimtheiten in dieser Theorie, allen voran die Tatsache, daß kaum direkte Hinweise auf eine Kollision der Kontinentalplatten existieren, was seltsam, ja unerklärlich ist, wenn man davon ausgeht, daß sich mindestens drei Kontinente über einen Zeitraum von 150 Millionen Jahren mit enormen Kräften ihren jeweiligen Plattenrand abgeschliffen haben. Zu erwarten wäre eine Art Nahtstelle, eine Schicht von Schrammspuren, die sich an der östlichen Meeresküste der Vereinigten Staaten befinden müßte. Diese Schicht gibt es jedoch nicht.

Ich bin kein Geologe. Man braucht mir nur ein ungewöhnliches Stück Grauwacke oder einen hübschen Brocken Gabbro zu präsentieren, und ich betrachte ihn andachtsvoll und höre mir höflich die dazugehörigen Erläuterungen an, aber eigentlich sagen sie mir überhaupt nichts. Wenn man mir erklärt, das sei früher einmal Schlick auf dem Meeresboden gewesen, der durch einen unglaublichen, fortlaufenden Prozeß tief ins Erdinnere gedrückt, dort Millionen Jahre geknetet, gebacken und anschließend an die Oberfläche geschleudert worden sei, was die herrlichen Furchen, die leuchtenden, vitrophyrischen Kristalle und das schuppige, biotische Glimmern erkläre, kann ich nur antworten: »Meine Güte! Sagen Sie bloß!« Aber ich könnte nicht behaupten, daß ich dabei irgend etwas Spektakuläres empfinden würde.

Nur gelegentlich ist mir ein Einblick in die Wunderwelt der Geologie vergönnt. Delaware Water Gap ist ein solcher Ort. Hier ragt der Kittatinny Mountain über dem ruhigen Delaware River auf, eine Wand aus Stein, 400 Meter hoch, aus widerstandsfähigem Quarzit, der freigelegt wurde, als sich der gleichmäßige, gemächliche Wasserlauf auf seinem Weg zum Meer eine Passage durch weicheres Gestein suchte. Das Ergebnis ist ein Querschnitt durch einen Berg und ein Anblick, den man nicht alle Tage geboten bekommt, jedenfalls wüßte ich nicht, wo man so etwas entlang des Appalachian Trail sonst noch bewundern könnte. Und dieser hier ist besonders eindrucksvoll, weil der freigelegte Quarzit in langen, wellenförmigen Streifen angeordnet ist, die in einem so schrägen Winkel zueinander liegen – etwa 45 Grad – daß selbst ein mit bescheidener Phantasie ausgestatteter Mensch begreift, daß sich hier etwas Grandioses zugetragen hat, geologisch gesehen.

Es ist ein wunderschöner Anblick. Vor 100 Jahren wurde er mit dem Rhein verglichen und sogar mit den Alpen, was ich ein wenig übertrieben finde. Der Maler Georges Innes kam hierher und malte sein berühmtes Bild »Delaware Water Gap«. Es zeigt den Fluß, der sich träge durch wiesenartige Felder schlängelt, in denen vereinzelt Bäume und Farmhäuser stehen; fern im Hintergrund ragen herbstlich gefärbte Hügel auf, in die ein V eingekerbt ist, durch das der Delaware fließt. Es sieht aus wie eine

Landschaft in Yorkshire oder Cumbria, die auf den amerikanischen Kontinent verpflanzt worden ist. Um die Mitte des letzten Jahrhunderts erhob sich ein stolzer Bau am Flußufer, das Hotel Kittatinny House mit 250 Zimmern, das so erfolgreich war, daß sehr schnell weitere Hotels folgten. Für die Dauer einer Generation nach dem Bürgerkrieg war der Delaware Water Gap der beliebteste Ferienort der feineren Gesellschaft im Sommer. Dann wechselte – wie immer in solchen Fällen – die Mode, und die White Mountains waren angesagt, danach die Niagara-Fälle, dann die Catskills und schließlich die Disney Parks. Heute kommt fast niemand mehr nach Water Gap, um ein paar Tage zu bleiben. Noch immer drängen sich Menschenmassen hier, aber sie kommen mit Autos, halten an einem Rastplatz an, werfen kurz einen anerkennenden Blick auf die Sehenswürdigkeit, steigen wieder ein und fahren weiter.

Leider muß man sich heute schon sehr anstrengen, um eine Vorstellung von der stillen Schönheit zu ergattern, die Innes einst so angezogen hat. Water Gap ist nicht nur die einzige Attraktion im Osten Pennsylvanias, die man als spektakulär bezeichnen könnte, Water Gap ist in der Region der Poconos auch die einzige Lücke in den Appalachen, die sich dem Verkehr bietet. Folglich ist dieser schmale Landsockel vollgestopft mit Bundes- und Landstraßen, einer Eisenbahnlinie und einem Interstate Highway mit einer langen, phantasielosen Betonbrücke, über die ein endloser Strom von Lastwagen und Autos zwischen Pennsylvania und New Jersey hin und her fließt. McPhee hat in dem Buch *In Suspect Terrain* ein passendes Bild dafür gefunden: »Hier laufen Röhren zusammen, die zu einem Patienten auf einer Intensivstation führen.«

Trotz alledem – Kittatinny Mountain, wie er sich auf der Seite von New Jersey über den Fluß erhebt, ist ein unwiderstehlicher Anblick, und man kann – das heißt, ich konnte es nicht, und schon gar nicht an jenem Tag – den Wunsch, ihn zu besteigen und von dort oben herabzusehen, kaum unterdrücken. Ich stellte meinen Wagen an einem Informationszentrum am Fuß des Ber-

ges ab und begab mich auf meinen Marsch durch den einladenden grünen Wald. Es war ein Morgen wie aus dem Bilderbuch:
taufrisch und kühl, doch die Sonne und die laue Luft versprachen
bereits Hitze für die Mittagsstunden; aber ich war früh genug
dran, um einen Tagesausflug zu schaffen. Ich mußte das Auto erst
am nächsten Tag wieder zu Hause in New Hampshire abliefern,
aber ich war fest entschlossen, wenigstens eine ordentliche Tageswanderung zu machen, um einiges von dem Debakel, zu dem
diese Reise für mich geworden war, wieder wettzumachen. Zum
Glück hatte ich eine gute Wahl getroffen. Ich ging inmitten von
Hunderten Hektar herrlichen Waldes, den sich der Worthington
State Forest und die Delaware Water Gap National Recreation
Area miteinander teilten. Der Weg war gepflegt und gerade so
steil, daß man das Gefühl bekam, ein gesundheitsförderndes
Training zu absolvieren und sich keiner zwanghaften Quälerei zu
unterziehen.

Es kam noch ein weiterer Pluspunkt hinzu: Ich hatte ausge-
zeichnete Karten. Ich befand mich nämlich inzwischen kartogra-
phisch in den guten Händen der New York-New Jersey Trail
Conference, deren Karten sehr detailliert und vierfarbig sind.
Grün steht für Wald, Blau für Wasser, rot sind die Wanderwege,
und die Beschriftung ist schwarz. Die Bezeichnungen sind klar
und deutlich, die Karten haben einen vernünftigen Maßstab,
1:36.000, und sie enthalten alle Verbindungsstraßen und Nebenwanderwege. Es scheint so, als wollten die Kartographen, daß
man jederzeit weiß, wo man sich gerade befindet, und daß man
seine Freude an diesem Wissen hat.

Ich kann gar nicht beschreiben, was für ein erhebendes Gefühl
das ist, immer sagen zu können: »Ah, ja! Genau, das ist Dunn-
field Creek.« Oder: »Das da unten muß Shawnee Island sein.«
Wenn alle Karten des AT nur annähernd so gut wären, hätte ich
deutlich mehr Freude an der Wanderung gehabt – schätzungsweise 25 Prozent mehr. Es ging mir erst jetzt auf, daß meine
Gleichgültigkeit gegenüber meiner Umgebung vorher schlicht
und ergreifend daher rührte, daß ich nicht wußte, wo ich mich

befand, gar nicht in der Lage war, es zu wissen. Jetzt konnte ich mich wenigstens orientieren, den Weg erahnen, in Kontakt treten mit einer sich verändernden und erfahrbaren Landschaft.

Und so wanderte ich acht höchst angenehme Kilometer den Kittatinny hinauf zum Sunfish Pond, einem sehr hübschen, 16 Hektar großen See, umgeben von Wald. Unterwegs traf ich nur zwei andere Wanderer – beide waren Tagestouristen –, und wieder dachte ich mir, was für eine maßlose Übertreibung es ist zu sagen, der Appalachian Trail sei überlaufen. 30 Millionen Menschen leben im Umkreis von zwei Autostunden von Water Gap – New York liegt 110 Kilometer östlich, Philadelphia ein Stück weiter südlich –, und es war ein makelloser Sommertag. Der Wald in seiner majestätischen Schönheit gehörte trotzdem nur uns Dreien.

Für den Trail-Wanderer Richtung Norden ist Sunfish Pond eine echte Neuheit, denn südlich von hier findet man keinen Bergsee in dieser Höhe. Tatsächlich ist er das erste glaziale Merkmal: Bis hierher reichte während der letzten Eiszeit die Eisdecke. Der weiteste Vorstoß in New Jersey liegt ungefähr 16 Kilometer südlich von Water Gap, aber selbst hier, wo das Klima ein weiteres Vorrücken verhinderte, war die Eisdecke immer noch 600 Meter dick gewesen.

Das muß man sich mal vorstellen – eine Wand aus Eis, über einen halben Kilometer hoch, und dahinter Zehntausende Quadratkilometer noch mehr Eis, lediglich durchbrochen von den Gipfeln der höchsten Berge. Wir vergessen meist, daß wir uns heute immer noch in einer Eiszeit befinden, bloß erleben wir sie hautnah nur während eines Teils des Jahres. Schnee, Eis und Kälte sind keine typischen Merkmale der Erde. Langfristig gesehen, ist die Antarktis eigentlich ein Dschungel. (Er hat nur gerade eine leichte Erkältung.) Auf dem Höhepunkt der Eiszeit, vor 20.000 Jahren, lag ein Drittel der Erde unter Eis, heute sind es immer noch zehn Prozent. In den letzten zwei Millionen Jahren hat es bestimmt ein Dutzend Eiszeiten gegeben, von denen jede etwa 100.000 Jahre dauerte. Die jüngste Intrusion, die Wisconsin-Eisdecke, erstreckte sich von den Polarregionen über weite Teile Europas und Nordamerikas, erreichte eine Dicke von bis zu 3.000 Meter und rückte mit einer Geschwindigkeit von 120 Meter pro Jahr vor. Der Meeresspiegel sank um 140 Meter, da die Decke alle freien Wasserreservoirs der Erde in sich aufsaugte. Dann, vor 10.000 Jahren, fing die Decke an zu schmelzen und sich zurückzuziehen, nicht über Nacht, aber allmählich. Man hat bis heute keine Erklärung dafür. Sie hinterließ eine völlig umgestaltete Landschaft, schüttete Long Island, Cape Cod, Nantucket und den größten Teil von Martha's Vineyard auf, wo sich vorher nur Wasser befunden hatte, und hob neben vielen anderen auch die Becken der Great Lakes, der Hudson Bay und den kleinen Sunfish Pond aus. Jeder Quadratmeter der Landschaft nördlich von hier hat Narben, Kerben und andere Spuren der letzten Vereisung davongetragen – verstreute Felsbrocken, die sogenannten Findlinge, Moränen, Geschiebehügel, Bergseen, Kare. Ich betrat eine neue Welt.

Über die vielen Eiszeiten der Erde weiß man nur sehr wenig – warum sie kamen, warum sie aufhörten, ob und wann sie wiederkommen. Eine interessante Theorie, wenn man an unsere gegenwärtige Sorge um die Erderwärmung denkt, besagt, daß die Eiszeiten nicht durch sinkende, sondern durch steigende Temperaturen entstanden sind. Warmes Wetter führe zu stärkerem Niederschlag, dieser wiederum zu einer dichteren Wolkendecke, was eine geringere Schneeschmelze in höheren Regionen zur Folge habe. Es braucht nicht allzu viel schlechtes Wetter, um eine Eiszeit auszulösen. Gwen Schultz bemerkt dazu in ihrem Buch *Ice Age Lost*: »Nicht die Schneemenge allein verursacht Eisdecken, sondern die Tatsache, daß der Schnee, und sei es noch so wenig, liegenbleibt.« Was den Niederschlag betrifft, führt sie weiter aus, sei die Antarktis »das trockenste Gebiet der Erde, trockener als jede Wüste«.

Und noch ein weiterer interessanter Gedanke: Sollten sich heute wieder neue Gletscher bilden, dann könnten sie sich aus erheblich mehr Wasserreservoirs speisen als früher – Hudson

Bay, die Great Lakes, die 100.000 kleinen Seen in Kanada standen für die letzten Eisdecken noch nicht zur Verfügung – und würden viel schneller wachsen. Wie würden wir uns verhalten, sollten in naher Zukunft tatsächlich neue Gletscher vorrücken? Würden wir sie mit TNT oder gar Atomsprengköpfen beschießen? Das ist durchaus wahrscheinlich. Dabei sollten wir aber eines bedenken: 1964 wurde Alaska durch das schwerste, jemals in Nordamerika registrierte Erdbeben erschüttert, von 200.000 Megatonnen geballter Energie, was der zerstörerischen Kraft von 2.000 Atombomben entspricht. In Texas, 5.000 Kilometer entfernt, schwappte dabei das Wasser über die Ränder der Swimmingpools, in Anchorage sackte eine Straße sechs Meter tief ab. Das Erdbeben verwüstete 60.000 Quadratkilometer Wildnis, der größte Teil davon vergletschert. Und welche Auswirkungen hatte das Erdbeben auf Alaskas Gletscher? Nicht die geringsten.

Gleich hinter dem See befand sich ein Nebenwanderweg, der Garvey Springs Trail, der steil bergab, zu einer alten, asphaltierten Straße am Fluß entlangführte, direkt unterhalb von Tocks Island, und der mich in einem weiten Bogen zurück zu dem Informationszentrum bringen würde, wo ich mein Auto abgestellt hatte. Das waren sechseinhalb Kilometer, und es wurde langsam warm, aber die Straße war schattig und kaum befahren, drei Autos in einer Stunde, und so glich meine Wanderung einem gemütlichen Spaziergang, mit friedlichen Ausblicken über üppige Wiesen auf den Fluß.

Nach amerikanischen Maßstäben ist der Delaware kein sonderlich beeindruckender Wasserlauf, aber ein Umstand ist charakteristisch für ihn. Es ist praktisch der letzte bedeutende Fluß in den Vereinigten Staaten, der nicht verbaut ist. Das mag manchen als ein unschätzbarer Gewinn erscheinen – ein Fluß, der so verläuft, wie die Natur ihn geschaffen hat. Eine Folge dieses unregulierten Verlaufs sind jedoch die regelmäßigen Überschwemmungen. 1955 gab es eine Flut, die noch heute als »die große

Flut« bezeichnet wird, wie Frank Dale in seinem ausgezeichneten Buch *Delaware Diary* feststellt. Im August – ironischerweise auf dem Höhepunkt einer der schlimmsten Dürreperioden seit Jahrzehnten – suchten nacheinander zwei Wirbelstürme den Bundesstaat North Carolina heim und brachten die Wetterverhältnisse an der gesamten Ostküste gehörig durcheinander. Der erste brachte in zwei Tagen 25 Zentimeter Niederschlag in die Region des Delaware River Valley. Zwei Tage später gingen in weniger als 24 Stunden noch einmal 25 Zentimeter Regen in dem Tal nieder. In Camp Davis, einem Erholungsort, flüchteten 46 Menschen, meist Frauen und Kinder, vor den steigenden Wassermassen in das Hauptgebäude der Ferienanlage, zuerst ins Erdgeschoß, dann in den ersten Stock, und schließlich auf den Dachboden. Doch es half nichts. Gegen Mitternacht rollte eine neun Meter hohe Flutwelle durch das Tal und riß das Gebäude mit. Erstaunlicherweise überlebten neun Menschen das Unglück.

Brücken wurden weggefegt und Uferstädte überschwemmt. Bevor der Tag zu Ende ging, war der Delaware River um 13 Meter gestiegen. Als der Pegelstand endlich fiel, waren 400 Menschen umgekommen und das gesamte Delaware Valley war verwüstet.

Dann mischte sich das U.S. Army Corps of Engineers mit einem Plan in das schlammige Chaos, der den Bau eines Damms in Tocks Island vorsah, unweit der Stelle, an der ich mich gerade befand. Der Damm sollte nicht nur den Fluß zähmen, sondern es sollte auch ein neuer Nationalpark dabei entstehen, in dessen Zentrum sich ein 65 Kilometer langer See für diverse Freizeitaktivitäten befinden sollte. 8.000 Anwohner wurden umgesiedelt. Das ganze Projekt war sehr unprofessionell vorbereitet. Einer der Vertriebenen war blind. Vielen Farmern wurde ihr Grund und Boden nur teilweise abgekauft, so daß manche zum Schluß mit Ackerland, aber ohne Haus – oder mit Haus, aber ohne Ackerland dastanden. Eine Frau, deren Familie dasselbe Stück Land seit dem 18. Jahrhundert bewirtschaftete, wehrte sich mit Händen und Füßen, als sie aus ihrem Haus getragen wurde – zur Freude der Zeitungsreporter und Fernsehteams.

Die Bauten des Army Corps of Engineers sind berüchtigt für ihre schlechte Qualität. Ein Damm über den Missouri River in Nebraska verschlammte so stark, daß ein widerlicher Schlick in die Kanalisation von Niobrara drang, was schließlich zur Zwangsevakuierung der Stadt führte. Einmal brach ein vom Corps of Engineers errichteter Damm in Idaho. Zum Glück geschah es in einem dünn besiedelten Gebiet, und es hatte eine Vorwarnung gegeben. Dennoch wurden viele Kleinstädte überschwemmt, und elf Menschen verloren ihr Leben. Aber das waren alles kleine Dämme. Mit dem Bau von Tocks Island wäre eines der größten Wasserreservoires der Welt entstanden, die Wassermassen des 65 Kilometer langen Sees hätten gegen das Bauwerk gedrückt. Flußabwärts befanden sich vier große Städte, Trenton, Camden, Wilmington, Philadelphia und Hunderte kleinerer Gemeinden. Eine Katastrophe am Delaware hätte alles bisher Dagewesene in den Schatten gestellt.

Und jetzt schickte sich das rührige Army Corps of Engineers an, 950 Millionen Kubikmeter Wasser mit Moränenschutt zu stauen, der berüchtigt ist für seine Instabilität. Darüber hinaus gab es umweltpolitische Bedenken – zum Beispiel würde der Salzgehalt im Boden unter dem Damm gefährlich steigen und das ökologische Gleichgewicht flußabwärts zerstören, von den Austernbänken der Delaware Bay ganz zu schweigen.

Nach jahrelangem zunehmenden Widerstand, der nicht allein aus dem Delaware Valley kam, sondern sich darüber hinaus ausweitete, wurde der Plan 1992 endlich auf Eis gelegt, aber bis dahin waren bereits Farmhäuser und ganze Dörfer dem Erdboden gleichgemacht worden. Ein stilles, einsames, wunderschönes Tal, das sich in 200 Jahren kaum verändert hatte, war für immer verloren. »Für den AT ergab sich aus dem (aufgegebenen) Projekt ein Vorteil«, heißt es dazu im *Appalachian Trail Guide to New York and New Jersey*, »das vom Staat gekaufte Land für das geplante Naherholungsgebiet ist heute ein geschützter Korridor.«

Solche Sprüche konnte ich allmählich nicht mehr hören. Ich weiß, daß der Appalachian Trail einem die Wildnis näherbringen soll, und ich sehe ein, daß es zahlreiche Gebiete gibt, wo der Eingriff des Menschen eine Tragödie bedeuten würde, aber manchmal, so wie hier, reagiert die ATC geradezu pathologisch auf menschlichen Kontakt. Ich hätte nichts dagegen gehabt, zur Abwechslung mal durch ein Dörfchen zu wandern, vorbei an Farmen, statt durch einen totenstillen »geschützten Korridor«.

Zweifellos hat das alles mit unserem historisch begründeten Drang, die Wildnis zu zähmen und auszubeuten, zu tun, aber Amerikas Einstellung zur Natur ist in vieler Hinsicht sehr sonderbar. Ich konnte nicht umhin, meine Erfahrungen auf dem AT mit einer anderen Wanderung zu vergleichen, die ich ein paar Jahre zuvor durch Luxemburg gemacht hatte, und zwar im Auftrag einer Zeitschrift und zusammen mit meinem Sohn. Luxemburg eignet sich hervorragend zum Wandern, besser als man denkt. Es gibt viel Wald, aber auch Burgen, Bauernhäuser, Dörfer mit Kirchtürmen und romantische Flußtäler – Europa im Paket sozusagen. Die Wanderwege, die wir entlanggingen, führten hauptsächlich durch Wald, tauchten aber in Abständen wieder daraus hervor und verliefen über sonnenbeschienene Nebenstraßen, über Zauntritte durch Felder und Weiler. Irgendwann im Laufe des Tages kamen wir immer an einer Bäckerei oder einer Post vorbei, hörten die Türglocke eines Ladens bimmeln und konnten Gesprächen lauschen, von denen wir kein Wort verstanden. Jeden Abend kehrten wir in einer Pension ein und aßen in einem Restaurant, saßen zusammen mit anderen Leuten an einem Tisch. Wir lernten Luxemburg kennen, nicht nur seine Bäume. Es war herrlich, und zwar deswegen, weil die reizende kleine Besichtigung nahtlos und mühelos in die Wandertour überging und umgekehrt.

In Amerika dagegen ist die Schönheit der Natur zu diversen Ausflugszielen verkommen, die man mit dem Auto aufsucht. Und was die Natur selbst betrifft, heißt es entweder/oder – entweder macht man sie sich gnadenlos untertan, wie im Fall von

Tocks-Damm und in tausend anderen Fällen, oder man vergöttert sie als etwas Heiliges, Entrücktes, Losgelöstes, wie den Appalachian Trail. Selten kommt ein Vertreter der einen oder anderen Seite auf die Idee, daß Mensch und Natur auch zusammengehen können, zu beiderseitigem Vorteil, daß eine elegantere Brücke über den Delaware River, um nur ein Beispiel zu nennen, die grandiose Umgebung erst richtig zur Geltung bringen kann, oder daß der AT interessanter und attraktiver sein könnte, wenn er nicht ausschließlich durch die Wildnis verliefe, sondern wenn er den Wanderer ab und zu auch mal an weidenden Kühen oder bestellten Feldern vorbeiführte.

Ich hätte es viel schöner gefunden, wenn im AT-Führer zu lesen gewesen wäre: Dank den Bemühungen der Conference konnte im Delaware River Valley der Ackerbau wieder eingeführt und der Wanderweg neu verlegt werden, so daß er jetzt 25 Kilometer Uferweg umfaßt, denn ehrlich gesagt: Manchmal kann man auch von Bäumen genug haben.

Trotzdem sollte man das Positive hervorheben. Wenn es nach dem Army Corps of Engineers gegangen wäre, müßte ich jetzt zu meinem Auto zurückschwimmen, und ich war dankbar, daß mir wenigstens das erspart blieb.

Auf jeden Fall wurde es höchste Zeit für mich, mal wieder richtig zu wandern.

16. Kapitel

1983 behauptete ein Mann steif und fest, ihm sei beim Wandern in den Berkshire Hills in Massachusetts, ein Stück abseits des Appalachian Trail, ein Berglöwe über den Weg gelaufen. Das klang beunruhigend und gleichzeitig unglaubwürdig, war doch seit 1903, als das letzte Exemplar dieser Gattung im Staat New York erschossen worden war, in den USA kein Berglöwe mehr gesichtet worden.

Bald kamen aus allen Teilen New Englands ähnlich lautende Berichte. Ein Mann hatte auf einer Nebenstraße in Vermont zwei junge Tiere auf einer Böschung spielen sehen, vor zwei anderen Wanderern war ein Muttertier mit zwei Jungen über eine Wiese in New Hampshire spaziert. Jedes Jahr gab es ein halbes Dutzend oder noch mehr ähnlich lautende Berichte, und alle stammten von glaubwürdigen Zeugen. Im Winter 1994 ging ein Farmer in Vermont über seinen Hof, um Futter in eine Vogelkrippe zu streuen, als er in etwa 20 Meter Entfernung drei Berglöwen entdeckte. Er sah die Tiere minutenlang wie versteinert an – Berglöwen sind geschickte und gefährliche Raubtiere, und hier standen gleich drei, die ihn mit ruhigem Blick musterten –, dann raste er zum nächsten Telefon und meldete seine Beobachtung einem Biologen der staatlichen Tierschutzbehörde. Die Tiere waren bei der Ankunft des Mannes natürlich längst verschwunden, aber der Biologe fand frischen Kot, den er pflichtbewußt eintütete und an das U.S. Fish and Wildlife Laboratory schickte. Der Laborbefund bestätigte, daß es sich tatsächlich um die Hinterlassenschaft eines *Felis concolor* handelte, eines östlichen Berglöwen, der verschiedentlich und ehrerbietig auch als Panther, Silberlöwe, Puma und, vor allem in New England, als Wildkatze bezeichnet wird.

Diese Meldungen fanden mein lebhaftes Interesse, denn ich wanderte gerade unweit der Stelle, an der so eine Kreatur zum ersten Mal gesehen worden war. Ich war mit neuem Eifer, neuer Entschlossenheit und einem neuen Plan wieder auf den Appalachian Trail zurückgekehrt. Ich hatte mir vorgenommen, durch New England zu wandern oder jedenfalls so viele Kilometer der Strecke zu absolvieren, wie ich schaffen konnte, bis Katz in sieben Wochen wieder dazustoßen und mit mir die Hundred Mile Wilderness in Maine abgehen würde. In New England führt der Trail fast 1.120 Kilometer weit über wunderschöne bergige Wanderwege; das ist knapp ein Drittel der Gesamtlänge des AT, und es reichte, um mich bis August zu beschäftigen. Zu diesem Zweck brachte mich meine hilfsbereite Frau mit dem Auto in den Südwesten von Massachusetts und setzte mich für meine dreitägige Tour durch die Berkshires an einer Stelle des Trails unweit von Stockbridge ab. Genau da also befand ich mich an einem heißen Junimorgen, stapfte schwitzend eine steile, aber an sich bescheidene Erhebung, Becket Mountain, hinauf. Während ein Schwarm abwehrmittelresistenter Mücken mich umschwirrte, faßte ich in meine Tasche, um zu überprüfen, ob mein Messer noch da war.

Ich rechnete eigentlich nicht damit, einem Berglöwen zu begegnen, aber erst am Tag zuvor hatte ich in einem Artikel im *Boston Globe* gelesen, daß sich Berglöwen im Westen – wo sie definitiv noch nicht ausgerottet sind – in letzter Zeit in den Wäldern von Kalifornien vermehrt an Wanderer und Jogger heranpirschten und sie töteten. Es traf sogar den unvermeidlichen armen Kerl, der mit Schürze und lustigem Hütchen an seinem Grill im Garten stand. Das kam mir wie ein böses Omen vor.

Es ist durchaus möglich, daß Berglöwen in New England unentdeckt überlebt haben. Rotluchse, die zugegebenermaßen erheblich kleiner sind als Berglöwen, gibt es wieder in beträchtlicher Zahl, aber die Tiere halten sich versteckt und sind so scheu, daß man ihre Existenz kaum wahrnimmt. Viele Ranger kriegen während ihres gesamten Berufslebens kein einziges Exemplar zu

Gesicht, und in den Wäldern im Osten Amerikas finden große Wildkatzen genügend Platz, um ungehindert herumstreunen zu können. Allein in Massachusetts gibt es 100.000 Hektar Wald, davon entfallen 40.000 auf die attraktiven Berkshires. Von meinem augenblicklichen Standort aus hätte ich, festen Willen und einen unerschöpflichen Nudelvorrat vorausgesetzt, bis nach Cape Chidley im nördlichen Quebec durchwandern können, 2.900 Kilometer weit bis zur eiskalten Labrador Sea, und kaum je unter dem schützenden Dach der Bäume hervorzutreten brauchen. Dennoch ist es höchst unwahrscheinlich, daß von einer so großen Wildkatzenart genug Exemplare überlebt haben, um sich nicht nur in einem überschaubaren Gebiet, sondern in ganz New England unbemerkt über neun Jahrzehnte hinweg fortzupflanzen. Dennoch gab es den von einem Biologen untersuchten Kot. Und der stammte zweifelsohne von einem Berglöwen.

Die plausibelste Erklärung für die Existenz der Löwen draußen im Wald war, daß es sich dabei um ausgesetzte Haustiere handelte, die unüberlegt gekauft worden waren und die man später wieder loswerden wollte. Ich hätte also noch Glück, wenn mich ein Tier mit Flohhalsband und Impfpaß anfallen würde. Ich stellte mir vor, ich läge auf dem Rücken, würde gerade genüßlich verspeist und könnte dabei auf der über mir baumelnden Hundemarke lesen: »Ich heiße Mr. Bojangles. Wer mich findet, ruft bitte Tanya und Vinny an, Telefon: 924-4667.«

Wie die meisten großen Tiere – und jede Menge kleinerer – wurde der Berglöwe im Osten ausgerottet, weil er als Plage galt. Bis 1940 gab es in vielen Bundesstaaten im Osten groß angekündigte »Kampagnen zur Schädlingsbekämpfung«, die häufig vom Amt für Naturschutz durchgeführt wurden. Das Amt verteilte für jedes erlegte Raubtier, wozu fast alle Tierarten gehörten, zum Beispiel Habichte, Eulen, Eisvögel, Adler und praktisch jedes größere Säugetier, Siegerpunkte an die Jäger. West Virginia vergab sogar jährlich ein Universitätsstipendium an den Studenten, der die meisten Tiere erlegte; andere Bundesstaaten belohnten die Schützen großzügig mit Auszeichnungen und Bargeld. Mit vernünftigem Tierschutz hatte das wenig zu tun. Pennsylvania gab in einem Jahr 90.000 Dollar an Prämien für die Tötung von 130.000 Eulen und Adlern aus, um den Farmern geschätzte Verluste ihres Viehbestandes in der nicht gerade gigantischen Höhe von 1.875 Dollar zu ersparen – es kommt schließlich nicht alle Tage vor, daß eine Eule eine Kuh reißt.

Noch bis 1890 zahlte der Staat New York Prämien für 107 erlegte Berglöwen, und innerhalb von zehn Jahren war das Tier praktisch ausgerottet. Der letzte wildlebende Berglöwe im Osten wurde 1920 in den Smokies erschossen. Der amerikanische Wolf und das Karibu oder nordamerikanische Rentier wurden ebenfalls in den ersten Jahren dieses Jahrhunderts aus ihrem letzten Refugium in den Appalachen vertrieben, gefolgt vom Schwarzbären. Im Jahre 1900 war der Bestand an Bären in New Hampshire, der heute wieder auf über 3.000 angewachsen ist, auf gerade mal 50 gesunken.

Es gibt immer noch jede Menge Leben draußen in den Wäldern, aber es sind vorwiegend kleine Tiere. Einer repräsentativen Schätzung des Ökologen V. E. Shelford von der University of Illinois zufolge leben in den Wäldern im Osten Amerikas auf einer Fläche von 25 Quadratkilometern durchschnittlich 300.000 Säugetiere – 220.000 Mäuse und andere kleine Nager, 63.500 Eichhörnchen, gestreifte und ungestreifte, 470 Hirsche und Rehe, 30 Füchse und fünf Schwarzbären.

Die großen Verlierer in dieser Region sind die Singvögel. Der schmerzlichste Verlust war sicher der des Carolina-Sittichs, eines herrlichen, harmlosen Vogels, der als wildlebendes Tier zahlenmäßig ursprünglich nur noch von der in unvorstellbaren Mengen vorhandenen Wandertaube übertroffen wurde. (Als die ersten Siedler nach Amerika kamen, gab es schätzungsweise neun Milliarden Wandertauben – mehr als doppelt so viel wie alle Vögel zusammengenommen, die heute in Amerika zu finden sind.) Beide Arten wurden durch exzessives Jagen ausgerottet – die Wandertaube aus purer Lust der Jäger, gleich Dutzende von Vögeln beim ziellosen Herumballern vom Himmel zu holen.

Außerdem dienten die Tiere als Schweinefutter. Der Carolina-Sittich hatte keine Chance, weil er das Obst der Farmer fraß und auffallende Federn besaß, die als Hutschmuck bei den Damen Gefallen fanden. 1914 verendeten in einem Abstand von nur wenigen Wochen die letzten beiden Vertreter dieser Gattung in Gefangenschaft.

Ein ähnliches Schicksal ereilte die entzückende Bachman-Grasmücke. Der ohnehin seltene Vogel soll einen der lieblichsten Gesänge gehabt haben. Jahrelang war das Tier nicht aufzuspüren, dann entdeckten 1914 zufällig zwei Vogelfänger unabhängig voneinander innerhalb von zwei Tagen je ein Exemplar. Beide erschossen ihre Beute – saubere Arbeit, Jungs! –, und damit war es um die Bachman-Grasmücke geschehen. Es ist anzunehmen, daß noch andere Vögel von der Bildfläche verschwanden, ohne daß es überhaupt jemand bemerkt hat. John James Audubon hat zum Beispiel drei Vogelarten gemalt – den kleinköpfigen Fliegenschnäpper, die Mönchsgrasmücke und die Blue-Mountain-Grasmücke –, die seitdem nicht wieder gesichtet wurden. Das gleiche gilt für die Townsend-Ammer, von der es nur ein ausgestopftes Exemplar im Smithsonian Institute in Washington gibt.

Zwischen 1940 und 1980 ging der Bestand der Zugsingvögel im Osten der Vereinigten Staaten um 50 Prozent zurück (was größtenteils auf den Verlust von Brutplätzen und anderen lebenswichtigen Winterquartieren in Lateinamerika zurückzuführen ist); er sinkt manchen Schätzungen zufolge pro Jahr um weitere drei Prozent. 70 Prozent aller Vogelarten haben seit den 60er Jahren Bestandsverluste erlitten.

Heutzutage herrscht ziemliches Schweigen im Wald.

Am späten Nachmittag trat ich aus dem dichten Wald auf eine Forststraße, die offenbar nicht mehr in Benutzung war. Mitten auf der Straße stand ein alter Mann mit Rucksack und einem merkwürdigen, verwirrten Ausdruck im Gesicht, als wäre er soeben aus einer Trance erwacht und wüßte nicht, wie er hierher geraten wäre. Ein ganzer Schwarm Mücken umkreiste ihn.

»Können Sie mir sagen, wo der Trail weitergeht?« fragte er mich. Eine seltsame Frage, denn es war klar und deutlich zu erkennen, daß er einfach auf der anderen Seite weiterging. Direkt vor uns tat sich ein etwa ein Meter breiter Durchgang zwischen den Bäumen auf, und sollten noch Zweifel bestehen, leuchtete auf einer kräftigen Eiche die weiße Markierung des AT.

Ich wedelte zum tausendsten Mal an diesem Tag mit der Hand vor meinem Gesicht herum, um die Mücken zu verscheuchen, und deutete mit einem Kopfnicken auf den Durchgang. »Ich würde sagen, da.«

»Ach so, ja«, erwiderte er. »Natürlich.«

Wir traten gemeinsam den Weg durch den Wald an und unterhielten uns darüber, wo wir heute morgen aufgebrochen waren, was unser Ziel war und so weiter. Er war ein Weitwanderer, der erste, den ich so weit im Norden traf, und wollte, wie ich, heute noch bis nach Dalton. Er trug die ganze Zeit über eine unschlüssige, erstaunte Miene zur Schau und musterte die Bäume auf eigentümliche Weise, betrachtete sie immer wieder von oben bis unten, als hätte er so etwas noch nie in seinem Leben gesehen.

»Wie heißen Sie?« fragte ich ihn.

»Die Leute sagen Chicken John zu mir.«

»Chicken John!« Chicken John war eine Berühmtheit. Ich war ziemlich aufgeregt. Manche Leute auf dem Trail erlangen wegen irgendeiner besonderen Eigenart einen geradezu mythischen Status. Am Anfang unserer Wanderung hörten Katz und ich zum Beispiel dauernd von einem jungen Mann, der eine absolute Hightech-Ausrüstung besaß, wie man sie bislang noch nie gesehen hatte, unter anderem ein Zelt, das sich von allein aufstellte. Offenbar brauchte man nur einen Beutel zu öffnen, und es flog heraus, wie ein Schachtelteufelchen aus seinem Karton. Außerdem hatte er noch ein Satellitennavigationsgerät und verschiedenen anderen Hokuspokus. Das einzige Problem war, daß sein Rucksack am Ende über 40 Kilo wog. Er mußte aufgeben, bevor er Virginia erreicht hatte, deswegen haben wir ihn nie gesehen. Im Jahr zuvor hatte sich Woodrow Murphy, der dicke Wanderer, ähnlichen Ruhm erworben. Mary Ellen wäre diese Ehre sicher auch zuteil geworden, wenn sie nicht schon längst aufgegeben hätte. Dieses Jahr war also Chicken John dran – aber ich konnte mich beim besten Willen nicht mehr an den Grund dafür erinnern. Es war Monate her, daß ich in Georgia das erste Mal von ihm gehört hatte.

»Woher kommt der Name Chicken John?« fragte ich ihn.

»Das weiß ich ehrlich gesagt auch nicht«, sagte er, als hätte er sich die Frage auch schon oft gestellt.

»Wann sind Sie losgegangen?«

»Am 27. Januar.«

»Am 27. Januar?« sagte ich leise erstaunt und rechnete rasch im Kopf nach. »Das sind ja fast fünf Monate.«

»Das brauchen Sie mir nicht zu erzählen«, sagte er mit gespieltem Gram.

Er war seit fast einem halben Jahr unterwegs und hatte gerade erst Dreiviertel der Strecke nach Katahdin zurückgelegt.

»Wieviel –«, ich wußte nicht recht, wie ich mich ausdrücken sollte – »wie viele Kilometer laufen Sie am Tag, John?«

»Ach, 22 bis 23, wenn alles klappt. Allerdings« – er sah mich scheel an – »verlaufe ich mich oft.«

Genau. Das war's. Chicken John verlief sich andauernd und kam an den unmöglichsten Stellen heraus. Es ist mir ein absolutes Rätsel, wie man sich auf dem Appalachian Trail verirren kann. Er ist der am deutlichsten und besten markierte Wanderpfad, den man sich vorstellen kann. Gewöhnlich ist es der Teil des Waldes, wo keine Bäume stehen. Wer zwischen Bäumen und einer langen, offenen Schneise unterscheiden kann, der dürfte keine Schwierigkeiten haben, sich auf dem AT zurechtzufinden. Wo auch nur die geringsten Unsicherheiten auftreten könnten, wenn der AT etwa auf einen Nebenwanderweg stößt oder eine Straße kreuzt, finden sich immer gut sichtbare Markierungen. Trotzdem verirren sich manche Leute: die berühmte Grandma Gatewood zum Beispiel, die unterwegs dauernd irgendwo anklopfte und sich erkundigte, wo sie sich denn gerade befände.

Ich fragte Chicken John, wie weit der längste Umweg war, den er mal gelaufen ist.

»60 Kilometer«, sagte er geradezu stolz. »Ich bin auf dem Blood Mountain in Georgia vom Trail abgekommen – ich weiß bis heute nicht, wie ich das geschafft habe – und bin drei Tage lang im Wald herumgeirrt, bis ich an einen Highway kam. Ich dachte schon, jetzt hätte ich mich endgültig ausgetrickst. Ich landete schließlich in Tallulah Falls, mein Foto kam sogar in die Zeitung. Die Polizei hat mich am nächsten Tag zurück an den Trail gebracht und mir die richtige Richtung gezeigt. Die waren wirklich nett.«

»Stimmt es, daß Sie einmal drei Tage hintereinander in die falsche Richtung gelaufen sind?«

Er nickte zufrieden lächelnd. »Zweieinhalb Tage, um genau zu sein. Zum Glück kam ich am dritten Tag in eine Stadt, und ich fragte jemanden: ›Entschuldigen Sie, junger Mann. Wo bin ich hier?‹ und er antwortete: ›Na, wo schon? In Damascus, Virginia, Sir.‹ Ich dachte, hm, komisch, ich war doch gerade vor drei Tagen in einem Ort mit genau demselben Namen. Und dann habe ich die Feuerwache wiedererkannt.«

»Wie kann man sich bloß –« Ich beschloß, die Frage anders zu formulieren. »Warum passiert Ihnen das so oft, John?«

»Tja, wenn ich das wüßte, würde ich mich wohl nicht mehr verlaufen«, sagte er mit einem leisen Lachen. »Ich weiß nur, daß ich ab und zu weit vom Weg abkomme und irgendwo lande, wo ich gar nicht hinwollte. Andererseits macht es das Leben auch interessant. So habe ich viele nette Leute kennengelernt, und ich bin oft zum Essen eingeladen worden. Entschuldigen Sie«, unterbrach er abrupt, »gehen wir auch bestimmt in die richtige Richtung.«

»Ganz bestimmt.«

Er nickte. »Heute würde ich mich nämlich höchst ungern verlaufen, denn in Dalton gibt es ein Restaurant.« Das konnte ich gut verstehen. Wenn man sich schon verirren mußte, dann wenigstens nicht an einem Tag, an dem ein Restaurantbesuch auf dem Programm stand.

Wir gingen die letzten zehn Kilometer gemeinsam, aber wir redeten nicht mehr viel miteinander. Ich wollte heute meine 30 Kilometer schaffen, die längste Etappe, die ich je auf meiner Wanderung laufen sollte, und obwohl die Strecke keine besonderen Schwierigkeiten aufwies und mein Rucksack recht leicht war, war ich am späten Nachmittag rechtschaffen müde. John schien ganz zufrieden zu sein, jemanden zu haben, dem er nachlaufen konnte, und außerdem hatte er ja genug damit zu tun, die Bäume zu betrachten.

Es war bereits nach sechs Uhr, als wir in Dalton ankamen. John hatte die Adresse eines Mannes in der Depot Street, der Wanderer in seinem Garten kampieren ließ, die Dusche sollte man auch benutzen dürfen, und so trabte ich mit John zur nächsten Tankstelle, um nach dem Weg zu fragen. Als wir aus dem Verkaufsraum traten, ging John genau in die entgegengesetzte Richtung los.

»Hier geht's lang, John«, sagte ich.

»Natürlich«, stimmte er mir zu. »Übrigens heiße ich Bernard. Ich weiß auch nicht, wo die Leute den Namen Chicken John herhaben.«

Ich nickte und versprach ihm, am nächsten Tag auf ihn aufzupassen, aber ich habe ihn nie wieder gesehen.

Ich verbrachte die Nacht in einem Motel und wanderte am nächsten Tag weiter nach Cheshire. Es waren nur 14 Kilometer über leichtes Gelände, aber die Kriebelmücke machte den Weg zu einer einzigen Strapaze. Ich habe noch nirgendwo eine wissenschaftliche Bezeichnung für diese winzigen, bösartigen geflügelten Wesen gefunden, ich weiß daher nur, daß sie massenhaft in der Luft schweben, daß sie einen auf Schritt und Tritt begleiten, in die Ohren eindringen, in den Mund und selbst in die Nasenlöcher. Menschlicher Schweiß versetzt sie in orgiastische Ekstase, und Insektenspray scheint ihre Erregung nur noch zu steigern. Sie sind besonders unbarmherzig, wenn man zwischendurch mal stehenbleibt, um etwas zu trinken – so unbarmherzig, daß man schließlich gar nicht mehr anhält und gleich im Gehen trinkt und danach einen ganzen Mundvoll von diesen Viechern ausspuckt. Es ist die Hölle auf Erden. Mit einiger Erleichterung verließ ich daher am frühen Nachmittag ihre waldreichen Jagdgründe und trottete in das sonnige, träge Örtchen Cheshire.

In Cheshire gab es freie Unterkunft für Wanderer in der Kirche auf der Main Street. Massachusetts tut überhaupt viel für seine Wanderer, jedenfalls bin ich häufig an Häusern vorbeigekommen, an denen draußen ein Schild mit der Aufforderung hing, sich doch bitte bei den Apfelbäumen im Garten zu bedienen, Wasser dürfe man sich auch holen. Ich hatte jedoch keine Lust auf eine Nacht in einem Etagenbett, noch weniger auf endlose Nachmittagsstunden ohne eine Beschäftigung, deswegen ging ich weiter bis nach Adams, 6,5 Kilometer über einen knallheißen Highway, aber wenigstens mit der Aussicht auf ein Bett in einem Motel und eine Auswahl an Restaurants.

In Adams gab es nur ein Motel, eine Absteige am Stadtrand. Ich nahm mir ein Zimmer und verbrachte den restlichen Nachmittag damit, in der Stadt herumzustreunen, guckte gelangweilt in die Schaufenster und stöberte in den Bücherkisten eines Trödelladens. Es gab natürlich nichts Interessantes außer den üblichen Readers-Digest-Heften und dann ganz obskure Titel, wie man sie nur in solchen Läden findet: *Das große Buch der häuslichen Kanalisation*, oder *Nick mit dem Kopf, wenn du mich verstehst – Das Leben mit einem Debilen*. Danach ging ich ein Stück spazieren, aus der Stadt heraus, um einen Blick auf Mount Greylock zu werfen, mein Ziel für den nächsten Tag. Greylock ist die höchste Erhebung in Massachusetts und für Wanderer, die in Richtung Norden gehen, der erste Berg nach Virginia, der über 900 Meter hoch ist. Es sind nur 1.064 Meter bis zum Gipfel, aber da er von vielen niedrigeren Bergen umgeben ist, sieht er sehr viel gewaltiger aus, jedenfalls besitzt er etwas Majestätisches, das einen anzieht. Ich freute mich auf ihn.

Ich brach am nächsten Morgen früh auf, bevor die Mittagshitze Gelegenheit hatte, sich richtig auszubreiten – ein glühendheißer

Tag war vorhergesagt worden –, machte noch kurz Station in der Stadt, um mir mein Mittagessen zu kaufen, etwas zu trinken und ein Sandwich, und begab mich dann auf einen Schotterweg zum Gould Trail, einem Nebenwanderweg, der steil bergauf zum AT und weiter zum Greylock führte.

Mount Greylock ist mit Sicherheit der literarischste Berg der Appalachen. Herman Melville, der auf der Farm Arrowhead an seiner Westseite lebte, hatte ihn vom Fenster seines Arbeitszimmers aus im Blick, während er an seinem Roman *Moby Dick* schrieb, und seine Umrisse erinnerten ihn an einen Wal, jedenfalls behaupten das Maggie Stier und Ron McAdow in ihrem ausgezeichneten Buch *Into the Mountains*, einer Geschichte der Berggipfel New Englands. Als Melville mit seinem Roman fertig war, stieg er zusammen mit Freunden auf den Gipfel und feierte bis in die Morgenstunden. Nathaniel Hawthorne und Edith Wharton lebten und arbeiteten ebenfalls in der Nähe. Eigentlich gibt es zwischen 1850 und 1920 keine in irgendeiner Art und Weise mit New England verbundene literarische Gestalt, die den Berg nicht wenigstens einmal bestiegen hat oder hinaufgeritten ist, um die Aussicht zu genießen.

Ironischerweise erfreute sich Greylock auf dem Höhepunkt seines Ruhms keineswegs der grünen Erhabenheit von heute. Seine Hänge waren krätzig von den Narben der Abholzung, und die Ausläufer entstellt von Schiefer- und Marmorhalden. Überall stachen windschiefe Schuppen und Sägewerke ins Auge. Das alles ist heute verheilt und überwachsen, doch dann wurden in den 60er Jahren mit Unterstützung bundesstaatlicher Behörden in Boston Pläne für die Erschließung des Greylock als Skigebiet erstellt, mit einer Seilbahn, einem Netz von Sesselliften und einem Gebäudekomplex auf dem Gipfel, zu dem ein Hotel, Läden und Restaurants gehören sollten – allesamt in dem schnittigen Jetson-Stil der Zeit. Zum Glück wurde aus diesen Plänen nichts. Heute erhebt sich der Greylock aus einem 4.700 Hektar großen Naturschutzgebiet. Er ist ein wirkliches Prachtstück.

Der steile Aufstieg zum Gipfel war schweißtreibend und zog

sich endlos lange hin, aber die Mühe lohnte sich. Das offene, sonnige Gipfelareal, auf dem ständig ein frischer Wind weht, krönt ein großes, hübsches Steinhaus, Bascom Lodge, das in den 30er Jahren von den unermüdlichen Kadern des Civilian Conservation Corps errichtet wurde. Heute beherbergt es ein Restaurant und Übernachtungsmöglichkeiten für Wanderer. Auf dem Gipfel befindet sich außerdem ein Leuchtturm, der dort liebenswert anachronistisch wirkt (Greylock ist 225 Kilometer von der Küste entfernt) und als Mahnmal für die im Ersten Weltkrieg gefallenen Soldaten aus Massachusetts dient. Ursprünglich war der Turm für den Hafen von Boston gedacht, aber aus irgendeinem Grund steht er jetzt hier.

Ich verzehrte mein mitgebrachtes Mittagessen, ging aufs Klo, wusch mich in der Lodge und eilte dann weiter, denn ich hatte noch 13 Kilometer zu laufen und war mit meiner Frau um vier Uhr in Williamstown verabredet. Auf den nächsten fünf Kilometern führte der Weg weitgehend über einen luftigen Grat, der den Greylock mit dem Mount Williams verbindet. Der Ausblick war spektakulär, über sanfte, grüne Hügel und hinauf bis zu den Adirondacks, zehn Kilometer weiter westlich, aber es war unglaublich heiß und selbst hier oben schwül und stickig. Hinzu kam der steile Abstieg, 914 Meter auf fünf Kilometern, zum Glück durch dichten, kühlen, grünen Wald bis zu einer Nebenstraße, die weiter durch die offene schöne Landschaft führte.

Außerhalb des Waldes war die Luft drückend. Es ging drei Kilometer über eine Straße ohne ein Fleckchen Schatten, und der Asphalt war so heiß, daß ich die Hitze durch meine Schuhsohlen hindurch spürte. Als ich schließlich in Williamstown ankam, zeigte das Thermometer an einer Bank 36 Grad Celsius an. Kein Wunder, daß ich so schwitzte. Ich überquerte die Straße und ging zu Burger King, wo wir uns verabredet hatten. Welch ein Genuß, aus der Affenhitze eines Sommertages in die kühle, keimfreie Frische eines klimatisierten Restaurants zu treten. Wenn es einen besseren Grund gibt, dankbar dafür zu sein, daß man im 20. Jahrhundert lebt, dann kenne ich ihn nicht.

Ich holte mir ein großes Glas Cola, ließ mich an einem Tisch am Fenster nieder und fühlte mich durch und durch wohl. Ich hatte 27 Kilometer zurückgelegt, war bei sehr warmem Wetter über einen einigermaßen schwierigen Berg gestiegen. Ich war schmutzig, verschwitzt, verständlicherweise erledigt und stank so, daß sich die Leute nach mir umdrehten. Ich war wieder ein richtiger Wanderer.

1850 bestand New England zu 70 Prozent aus Ackerland und zu 30 Prozent aus Wald. Heute ist das Verhältnis genau umgekehrt. Wahrscheinlich gibt es in der entwickelten Welt keine Region, die in gerade mal einem Jahrhundert so dramatische Veränderungen erlebt hat, oder jedenfalls keine, die dem normalen Verlauf des Fortschritts zuwiderlaufen.

Wenn man sich für den Beruf des Farmers entschieden hat, gibt es eigentlich kein ungeeigneteres Land als New England. Der Boden ist steinig, das Gelände steil und das Wetter so schlecht, daß die Leute regelrecht stolz darauf sind. Ein Jahr in Vermont besteht, einem alten Sprichwort zufolge, aus »neun Monaten Winter, gefolgt von drei Monaten mit schlechten Rodelbedingungen«.

Bis Mitte des letzten Jahrhunderts überlebten die Farmer in New England nur wegen der Nähe zu den Küstenstädten Boston und Portland, und, so meine Vermutung, weil sie nichts anderes kannten. Dann geschahen zwei Dinge: erstens die Erfindung der McCormick-Mähmaschine, die sich ideal für die Bewirtschaftung der großen, kaum hügeligen Felder im Mittleren Westen eignete, aber auf den steinigen, schmalen Feldern New Englands völlig nutzlos war, und zweitens das Aufkommen der Eisenbahn, die den Farmern des Mittleren Westens die Möglichkeit gab, ihre Produkte praktisch ohne Zeitverlust in den Osten des Landes zu transportieren. Da konnten die New-England-Farmer nicht mithalten und wanderten vielfach in den Mittleren Westen ab. 1860 lebte fast die Hälfte aller in Vermont Gebürtigen woanders – 200.000 von 450.000 Menschen.

1840, während des Präsidentschaftswahlkampfs, hielt Daniel

Webster auf dem Stratton Mountain in Vermont eine Rede vor 20.000 Menschen. 20 Jahre später hätte er von Glück sagen können, wenn 50 Zuhörer gekommen wären. Stratton Mountain ist heute weitgehend von Wald bedeckt, nur wenn man genauer hinschaut, kann man hier und da noch Kellereingänge und die überwucherten Reste von Obstgärten erkennen, die sich in den schattigen »Untergeschossen« zwischen jüngeren, widerstandsfähigeren Birken, Ahorn- und Walnußbäumen behaupten. Überall in New England finden sich ehemalige, eingestürzte Einfriedungsmauern, häufig mitten im dichtesten Wald, der aussieht, als stünde er schon seit Jahrhunderten da – ein Zeichen dafür, wie geschwind sich die Natur das Terrain zurückerobert.

Ich erklomm Stratton Mountain an einem wolkenverhangenen, gnädigerweise kühlen Junitag. Es waren sechseinhalb Kilometer Fußweg zum Gipfel, der bei etwas über 1.200 Meter liegt. In Vermont folgt der AT auf einer Länge von 160 Kilometern den Spuren des Long Trail, der sich über die höchsten und bedeutendsten Gipfel der Green Mountains bis hinauf nach Kanada zieht. Eigentlich ist der Long Trail sogar älter als der AT. Er wurde 1921 eröffnet, in dem Jahr, als man den AT konzipierte, und einige Long-Trail-Anhänger sollen noch heute auf den AT als einen ordinären und überehrgeizigen Parvenü herabschauen. Der Stratton Mountain wird jedenfalls stets als der geistige Geburtsort beider Pfade bezeichnet, denn hier hatten angeblich sowohl James P. Taylor als auch Benton MacKaye ihre jeweiligen Eingebungen, die später zu dem Bau der beiden Fernwanderwege durch die Wildnis führten – Taylor 1909, MacKaye einige Zeit später.

Nichts gegen Stratton Mountain, er ist ein herrlicher Berg mit prima Aussicht auf mehrere andere berühmte Gipfel – Equinox, Ascutney, Snow und Monadnock –, aber ich kann nicht behaupten, daß er mich dazu inspiriert hätte, mir eine Machete zu schnappen und einen Weg nach Georgia oder Quebec freizuschlagen. Vielleicht lag es an dem tristen, bedeckten Himmel und dem fahlen Licht, das allem einen öden, verwaschenen Anstrich gab. Acht, neun Leute standen verloren auf dem Gipfel herum, unter anderem ein etwas untersetzter junger Mann, der allein unterwegs war und eine Windjacke trug, die ziemlich teuer aussah. Er hielt ein kleines elektronisches Gerät in der Hand, mit dem er geheimnisvolle Messungen vornahm.

Er sah, daß ich ihm zuschaute, und sagte in einem Ton, aus dem der dringliche Wunsch herauszuhören war, es möge endlich jemand sein Interesse bekunden: »Das ist ein Enviro Monitor.«

»Ach ja?« erwiderte ich höflich.

»Mit dem kann man acht Werte messen. Temperatur, UV-Index, Taupunkt, alles mögliche.« Er hielt die Anzeige etwas schräger, so daß ich sie auch ablesen konnte. »Das ist der Wert der Hitzebelastung.« Man sah irgendeine nichtssagende Zahl mit zwei Stellen hinterm Komma. »Sonneneinstrahlung kann es auch messen«, fuhr er fort, »Luftdruck, Windkälte, Regenmenge, Feuchtigkeit – Umgebungsfeuchtigkeit und aktive Feuchtigkeit –, sogar die Verbrennungszeit für den jeweiligen Hauttyp.«

»Kann man damit auch Plätzchen backen?« fragte ich.

Er war beleidigt. »Es gibt Situationen, da kann einem so ein Ding das Leben retten, glauben Sie mir«, sagte er tapfer. Ich versuchte mir eine Situation vorzustellen, in der ich durch einen steigenden Taupunkt in Lebensgefahr geraten könnte – es gelang mir nicht. Ich wollte den Mann aber auch nicht vor den Kopf stoßen, also sagte ich: »Was ist das?« und zeigte auf eine blinkende Zahl in der linken oberen Ecke der Anzeige.

»Ach das? Das weiß ich auch nicht. Aber das hier« – er hackte auf die Tasten –, »das ist die Sonneneinstrahlung.« Wieder eine nichtssagende Zahl, diesmal mit drei Stellen hinterm Komma. »Ziemlich niedrig heute«, stellte er fest und kippte den Schirm ein wenig, um den Wert noch mal abzulesen. »Ja, stimmt, sehr niedrig heute.« Irgendwie wußte ich das auch so. Ich konnte zwar keinen dieser Werte bis auf drei Stellen hinterm Komma angeben, aber ich hatte ein ganz gutes Gespür für die Wetterbedingungen, einfach, weil ich mich im Freien befand. Interessanterweise hatte der Mann keinen Rucksack dabei, also auch keine Regenhaube, er trug Shorts und Turnschuhe. Sollte das Wetter umschlagen, und in New England konnte das in Sekunden geschehen, würde er wahrscheinlich umkommen, aber wenigstens hatte er dann ein Gerät dabei, das ihm seinen finalen Taupunkt anzeigte.

Ich finde diesen ganzen technischen Krimskrams albern. Manche AT-Wanderer, hatte ich irgendwo gelesen, haben sogar Notebooks und Modems dabei, damit sie jeden Tag Berichte an Familie und Freunde schicken können. Und zunehmend findet man Leute mit solchem elektronischen Schnickschnack wie dem Enviro Monitor oder mit Sensoren am Handgelenk, die den Puls messen. Das sieht aus, als kämen sie direkt von der Schlafklinik hierher auf den Trail.

1996 erschien im *Wall Street Journal* ein köstlicher Artikel über die Plage der Satellitennavigation, der Handys und ähnlicher Geräte in der Wildnis. Diese Hightech-Ausrüstung, so scheint es, bringt Leute in die Berge, die vielleicht nicht dahingehören. Im Baxter State Park, berichtet das *Journal*, habe ein Wanderer eine Einheit der Nationalgarde angerufen und darum gebeten, mit einem Hubschrauber zum Mount Katahdin geflogen zu werden, er sei zu müde zum Wandern. Und auf dem Mount Washington hatten nach Angaben eines Mitarbeiters »zwei resolute Frauen« das Hauptquartier der Bergwacht angerufen und gesagt, sie würden die letzten 1.500 Meter zum Gipfel nicht mehr schaffen, obwohl es noch vier Stunden bis zum Einbruch der Dunkelheit waren. Sie verlangten, eine Rettungsmannschaft solle sie zurück zu ihrem Wagen bringen. Die Bitte wurde abgewiesen. Ein paar Minuten später riefen sie wieder an und verlangten, daß man ihnen wenigstens Taschenlampen brachte. Auch diese Bitte wurde abgelehnt. Ein paar Tage später meldete sich ein anderer Hiker und verlangte einen Hubschrauber, er hinke schon einen Tag hinter seinem Zeitplan her und befürchte, einen wichtigen geschäftlichen Termin zu verpassen. In dem Artikel war auch von Leuten die Rede, die sich trotz Satellitennavigation verirrt hatten. Sie konnten haargenau ihre Position angeben, 36,2 Grad

Nord, 17,48 Grad West oder so, hatten aber nicht den geringsten Schimmer, was das bedeutete, da sie weder Kompaß noch Karten dabei hatten und offenbar auch ihren Verstand zu Hause gelassen hatten. Meine Bekanntschaft auf dem Stratton hätte ganz gut in diesen Verein gepaßt. Ich fragte ihn, ob ein Abstieg bei einer Sonnenstrahlung von 18,574 ratsam sei.

»Ja, ja«, antwortete er ganz ernsthaft. »Sonneneinstrahlungsmäßig besteht heute nur geringes Risiko.«

»Da bin ich aber froh«, sagte ich, ebenfalls ganz ernsthaft und verabschiedete mich von ihm und dem Berg. Ich eroberte mir Vermont in mehreren aufeinanderfolgenden, angenehmen Tagestouren, nicht mit irgendeinem elektronischen Gerät, sondern mit den Füßen und den köstlichen Lunchpaketen, die mir meine Frau jeden Abend vor dem Zubettgehen machte und im obersten Fach des Kühlschranks deponierte. Obwohl ich mir hoch und heilig geschworen hatte, nie wieder mit Hilfe des Autos meine Etappenwanderungen zu absolvieren, stellte sich heraus, daß das hier ganz angebracht war, ja, daß es mir sogar sehr entgegenkam. Ich konnte den ganzen Tag wandern und zum Abendessen wieder zu Hause sein. Ich konnte in meinem eigenen Bett schlafen und mich jeden Tag mit sauberer, trockener Kleidung und mit einem üppigen Lunchpaket auf den Weg machen. Es war eigentlich ideal.

So kam es, daß ich drei wunderbare Wochen lang zwischen den Bergen und meinem Haus hin und her pendelte. Ich stand jeden Morgen bei Sonnenaufgang auf, steckte mein Lunchpaket ein und fuhr über den Connecticut River nach Vermont. Ich stellte den Wagen ab und stieg einen hohen Berg hinauf oder stapfte über sanfte, grüne Hügel. Irgendwann, wenn mir danach war, meist gegen elf Uhr, setzte ich mich auf einen Stein oder Baumstumpf, holte mein Lunchpaket heraus und untersuchte erstmal den Inhalt. Und dann folgte je nachdem: »Hmm, Erdnußbutter! Meine Lieblingsplätzchen!« oder »Oh, lecker, heute wieder kalter Braten!« Ich biß gierig hinein, mümmelte still vor mich hin und dachte an die vielen Berggipfel, die ich mit Katz erklommen

hatte. Was hätten wir da nicht für so eine herzhafte Mahlzeit gegeben! Anschließend packte ich alles wieder ordentlich zusammen, verstaute es in meinem Rucksack und wanderte weiter, bis
es Zeit wurde, Feierabend zu machen und nach Hause zu gehen.
So vergingen die letzten Juni- und die ersten beiden Juliwochen.

Ich erwanderte mir Stratton Mountain und Bromley Mountain, Prospect Rock und Spruce Peak, Baker Peak und Griffith
Lake, White Rocks Mountain, Button Hill, Killington Peak, Gif-
ford Woods State Park, Quimby Mountain, Thistle Hill und
schlenderte zum Schluß gemütliche 17 Kilometer von West Hart-
ford nach Norwich. Diese Wanderung führte vorbei an der
Happy Hill Cabin, der ältesten und wahrscheinlich malerisch-
sten Schutzhütte des AT – die kurz darauf von einigen Angestellten der Trail Conference, die für solche Sentimentalitäten
nicht das geringste Verständnis haben, plattgemacht wurde. Norwich ist hauptsächlich deswegen erwähnenswert, weil die Stadt
als Vorlage für die Bob Newhart Show diente (Bob Newhart be-
treibt in der Fernsehserie eine Kneipe, und die einheimischen
Gäste sind alle auf liebenswerte Weise ein bißchen schlicht im
Gemüt). Außerdem ist es die Heimatstadt von Alden Partridge,
von dem nie ein Mensch gehört hat.

Partridge wurde 1755 in Norwich geboren und war ein leiden-
schaftlicher Wanderer, vermutlich der erste Mensch auf der
ganzen Welt, der aus purer Freude auch weite Entfernungen zu
Fuß zurücklegte. 1785 wurde er in dem für damalige Verhältnisse
unerhört jugendlichen Alter von 30 Jahren Leiter von West Point.
Dort wurde er allerdings in irgendeine Auseinandersetzung ver-
wickelt und zog sich anschließend nach Norwich zurück, wo er
ein Konkurrenzunternehmen gründete, die American Literary,
Scientific and Military Academy. Er prägte den Begriff *physical
education* – Leibeserziehung, und er unternahm mit seinen entsetzten jungen Schülern Gewaltmärsche von 50, 60 Kilometern
in den benachbarten Bergen. Zwischendurch begab er sich allein
auf noch viel gewagtere Unternehmungen. Einmal ging er, was
keine Ausnahme war, 180 Kilometer weit, von Norwich nach

Williamstown, Massachusetts (ungefähr die Route, die ich gerade in gemütlichen Etappen absolviert hatte), stapfte den Mount Greylock hoch und spazierte den gleichen Weg wieder zurück nach Hause. Für die Wanderung hin und zurück brauchte er lediglich vier Tage – und das zu einer Zeit, das dürfen wir nicht vergessen, als es noch keine angelegten Wege und hilfreichen Markierungen gab. Auf diese Weise erklomm er praktisch jeden Gipfel in New England. Eigentlich hat er eine Gedenktafel in Norwich verdient, um die wenigen Wanderer, die noch Richtung Norden weitergehen, moralisch aufzubauen, aber leider gibt es keine solche Tafel.

Von Norwich sind es ungefähr anderthalb Kilometer zum Connecticut River. Eine angenehme, unauffällige Brücke aus den 30er Jahren führt zum Bundesstaat New Hampshire und der Stadt Hanover am gegenüberliegenden Ufer. Die Straße von Norwich nach Hanover war früher mal eine gewundene, zweispurige Allee – eine der typischen, verlockenden Verbindungsstraßen zwischen zwei, nur anderthalb Kilometer auseinanderliegenden alten Städtchen, wie man sie in New England erwartet. Dann kam irgendein Straßenbauer oder sonst jemand auf die grandiose Idee, die alte Landstraße zu einer breiten, mehrspurigen Schnellstraße auszubauen, damit sich die anderthalb Kilometer sagenhafte acht Sekunden schneller zurücklegen ließen und die Autofahrer keine Qualen mehr erlitten, weil sie warten mußten, wenn der Vordermann in eine Nebenstraße abbiegen wollte. Jetzt sollte es überall Ausfahrten geben, so groß, daß auch ein Schwertransporter mit Titanrakete um die Kurve käme, ohne die Bordsteinkante zu rammen oder den lebenswichtigen Verkehrsfluß zu stören.

Die Straße wurde also zu einem breiten, schnurgeraden Highway ausgebaut, teilweise sechsspurig, mit Betonleitplanken in der Mitte und überdimensionalen Natriumdampflampen, die den Nachthimmel kilometerweit erleuchten. Der Bau hatte den Effekt, daß die Brücke zu einer Art Flaschenhals wurde, an der sich die Straße auf zwei Spuren verengte. Manchmal kamen zwei

Autos gleichzeitig an der Brücke an, und einer mußte dem anderen die Vorfahrt lassen – man stelle sich das mal vor! Deshalb geht man jetzt, während ich dies niederschreibe, gerade daran, diese überflüssig reizvolle, alte Brücke gegen eine andere, größere auszutauschen, die dem Betonzeitalter eher entspricht. Noch dazu wird die Straße verbreitert, die einen kleinen Hügel hinauf ins Stadtzentrum und zu dem hübschen, historischen Stadtpark von Hanover führt. Das bedeutet natürlich, daß die Bäume rechts und links der Straße gefällt und die meisten Vorgärten für den Bau von Stützmauern aus Beton drastisch verkürzt werden müssen. Selbst ein Angestellter des Straßenbauamtes müßte zugeben, daß das Ergebnis keineswegs vorzeigbar ist, nichts, was man gern vorn auf einen Fotokalender »Malerisches New England« drucken würde, aber es verkürzt eben die gefährliche Reise von Norwich nach Hanover noch mal um vier Sekunden, und nur darauf kommt es ja an.

Das alles ist für mich nicht ohne Bedeutung, zum einen, weil ich in Hanover wohne, zum anderen, weil ich im 20. Jahrhundert lebe. Zum Glück verfüge ich über eine lebhafte Phantasie, so daß ich mir bei meinem Gang von Norwich nach Hanover keine mehrspurige, befahrene Schnellstraße vorstellte, sondern eine mit Bäumen, Hecken und Wildpflanzen bestandene, schattige Landstraße, geschmückt mit einer stattlichen Reihe wohlproportionierter Straßenlaternen, von denen jeweils kopfüber ein Angestellter des Straßenbauamtes baumelt. – Und sogleich fühlte ich mich viel besser.

17. Kapitel

Von allen Gefahren, die einem draußen in der freien Natur zum Verhängnis werden können, ist keine so unheimlich und unvorhersehbar wie die Hypothermie. Es gibt fast keinen Fall von Kältetod, dem nicht in irgendeiner Hinsicht etwas Mysteriöses und Unwahrscheinliches anhaftet. David Quammen berichtet davon in seinem Buch *Natural Acts*.

Im Spätsommer 1982 verbrachten vier Jugendliche und zwei Erwachsene ihren Urlaub im Banff National Park mit Kanufahren. Eines Abends kehrten sie nicht in ihr Zeltlager zurück. Am nächsten Morgen machte sich ein Suchtrupp auf den Weg und fand die Vermißten in ihren Schwimmwesten tot auf einem See treibend, mit dem Gesicht nach oben und unversehrt. Nichts an ihren Körpern deutete auf eine Notlage oder auf eine Panik hin. Einer der Männer trug sogar noch seine Mütze und seine Brille. Die Kanus, die unweit der Fundstelle auf dem Wasser schaukelten, waren unbeschädigt, und in der Nacht hatte ruhiges, mildes Wetter geherrscht. Aus einem unerklärlichen Grund hatten die sechs ihre Kanus verlassen und sich in voller Montur in das kalte Wasser des Sees gestürzt, wo sie umgekommen waren. »Als hätten sie sich friedlich schlafengelegt«, wie sich ein Mitglied des Suchtrupps ausdrückte. In gewisser Weise traf das zu.

Entgegen landläufiger Meinung sterben nur relativ wenige Hypothermieopfer in Extremsituationen, etwa, wenn sie sich in einem Schneesturm verirrt haben oder sich gegen beißende arktische Kälte wehren mußten. Zunächst einmal gehen nur relativ wenige Menschen bei so einem Wetter überhaupt vor die Tür, und wenn, dann sind sie im allgemeinen gut ausgerüstet. Die meisten Hypothermieopfer sterben auf viel banalere Weise, in gemäßigten Jahreszeiten und bei Temperaturen, die keineswegs nahe dem

Nullpunkt liegen. In der Regel werden sie von einem unvorher-gesehenen Ereignis oder gleich von mehreren, gleichzeitig eintre-tenden Veränderungen überrascht – plötzlicher Temperaturab-fall, ein kalter Platzregen, die Erkenntnis, daß sie sich verirrt ha-ben – für die sie psychisch und physisch mangelhaft ausgestattet sind. Fast immer komplizieren sie das Problem, indem sie eine Dummheit begehen – sie verlassen einen gut markierten Weg, um eine Abkürzung zu suchen, und geraten dabei nur noch tiefer in den Wald, wenn es angebrachter gewesen wäre, an einer Stelle zu bleiben; sie waten durch Flüsse, wodurch sie nur naß werden und ihr Körper noch stärker unterkühlt wird.

Dieses traurige Schicksal ereilte auch Richard Salinas, der 1990 zusammen mit einem Freund im Pisgah National Forest in North Carolina wanderte. Von der plötzlich einsetzenden Dämmerung überrascht, machten sie sich auf den Rückweg zu ihrem Wagen, wurden unterwegs aber aus irgendeinem Grund getrennt. Salinas war ein erfahrener Hiker, er brauchte nur den gut gekennzeich-neten Wanderweg entlang zurück zum Parkplatz zu gehen. Er ist nie dort angekommen. Drei Tage später fand man zuerst seine Jacke und seinen Rucksack, kilometerweit vom Weg entfernt, tief im Wald. Seine Leiche wurde zwei Monate später entdeckt, auf-gespießt von Ästen in dem kleinen Linville River. Vermutlich hatte er den Pfad auf der Suche nach einer Abkürzung verlassen, sich verirrt, war immer tiefer in den Wald hineingestürmt, in Pa-nik geraten, weitergelaufen, bis schließlich die Hypothermie ihn seiner Sinne beraubte.

Hypothermie ist eine Art schleichendes, heimtückisches Trauma. Es überkommt einen buchstäblich schrittweise: Die Körpertemperatur sinkt, und die natürlichen Reaktionen werden schwerfällig und unkoordiniert. In diesem Zustand hat Salinas seine Ausrüstung abgelegt und wenig später aus lauter Verzweif-lung die unvernünftige Entscheidung getroffen, den durch Re-genwasser angeschwollenen Fluß zu durchqueren. Unter norma-len Umständen hätte er erkannt, daß ihn das nur noch weiter vom Ziel entfernte. In der Nacht, als er sich verirrte, war es trocken bei etwa fünf Grad Celsius. Wenn er seine Jacke anbehalten hätte und nicht ins Wasser gestiegen wäre, hätte er eine kalte, ungemütliche Nacht verbracht und später etwas zu erzählen gehabt. Statt dessen verlor er sein Leben.

Ein Mensch, der unter Hypothermie leidet, durchläuft mehrere aufeinanderfolgende Phasen, beginnend – wie unschwer zu erraten ist – mit einem leichten und zunehmend heftiger werdenden Zittern des Körpers, der versucht, durch Muskelkontraktionen Wärme zu erzeugen; danach folgt äußerste Erschöpfung, Trägheit in den Bewegungen, ein gestörtes Gefühl für Zeit und Entfernungen und eine zunehmend hoffnungslose Verwirrtheit, die aus dem Unvermögen heraus, das Naheliegende zu erkennen, zu unüberlegten und unlogischen Entscheidungen führt. Das Opfer verliert allmählich immer mehr die Orientierung und erliegt gefährlichen Halluzinationen – einschließlich der grausamen Fehleinschätzung, daß es nicht friert, sondern geradezu verbrennt. Viele Opfer reißen sich deshalb die Kleider vom Leib, werfen die Handschuhe fort oder kriechen aus ihren Schlafsäcken. Die Annalen der Todesfälle bei Wanderungen sind voller Geschichten von halbnackten, in Schneeverwehungen direkt vor ihrem Zelt aufgefundenen Hikern. In dieser Phase hört der Schüttelfrost auf, denn der Körper hat längst aufgegeben, und Apathie setzt ein. Der Herzschlag verlangsamt sich, und die Gehirnwellen sehen aus wie eine Autospur durch die Prärie. Selbst wenn das Opfer in diesem Zustand noch gefunden würde, wäre der Wiederbelebungsschock für den Körper möglicherweise nicht mehr zu verkraften.

Dies wurde in einem Bericht der Zeitschrift *Outside* im Januar 1997 auf anschauliche Weise verdeutlicht. 1980 sendeten 16 dänische Seeleute einen Funknotruf aus, zogen sich Schwimmwesten über und sprangen in die Nordsee, während ihr Schiff vor ihren Augen im Meer versank. Anderthalb Stunden lang waren sie ein Spiel der Wellen, bevor ein Rettungsschiff endlich in der Lage war, sie aus den Fluten zu ziehen. Selbst im Sommer ist die Nordsee von einer so mörderischen Kälte, daß ein Mensch in ihr innerhalb einer halben Stunde den Tod findet. Daher war das Überleben aller 16 Seeleute wahrlich ein Grund zum Feiern. Die Männer wurden in Decken eingewickelt und in die Messe nach unten gebracht, wo man ihnen ein heißes Getränk verabreichte, woraufhin sie tot umfielen – alle 16.

Genug der fesselnden Anekdoten, setzen wir uns einmal sozusagen persönlich mit dieser faszinierenden Krankheit auseinander.

Ich war jetzt in New Hampshire, was mich sehr freute, da wir erst kürzlich hierhergezogen waren und ich natürlich ein besonderes Interesse daran hatte, Land und Leute kennenzulernen. Vermont und New Hampshire liegen so eng beieinander und sind sich so ähnlich, was Größe, Klima und Dialekt angeht, und darin, womit sich die Bewohner ihren Lebensunterhalt verdienen – hauptsächlich Wintersport und Tourismus –, daß sie häufig als Zwillinge apostrophiert werden. In Wahrheit sind sie grundverschieden. Mit Vermont verbindet man Volvos und Antiquitätenläden und Landgasthäuser mit putzigen Namen, Quail Hollow Lodge und Fiddlehead Farm Inn. Mit New Hampshire dagegen verbindet man Männer mit Jagdmützen und Pick-ups mit Aufklebern und markigen Sprüchen: »Freiheit oder Tod.« Auch die Landschaft unterscheidet sich grundlegend. Die Berge in Vermont gleichen eher sanften, lieblichen Hügelketten, und die Vielzahl der Farmen, die sich auf Milchwirtschaft spezialisiert haben, verleiht dem Bundesstaat etwas insgesamt Menschenfreundlicheres. New Hampshire dagegen ist ein einziger großer Wald. Von den insgesamt 24.097 Quadratkilometern des Staatsgebietes sind knapp 85 Prozent – eine Fläche, die größer ist als Wales – Wald, der Rest besteht entweder aus Seen oder liegt oberhalb der Baumgrenze. Abgesehen von einigen Städten und Wintersportgebieten hier und da ist New Hampshire im großen und ganzen die pure Wildnis – manchmal geradezu beängstigend wild. Die Berge hier sind höher, zerklüfteter, schwieriger zu erklimmen und gefährlicher als die in Vermont.

Im *Thru-Hiker's Handbook*, dem einzigen unverzichtbaren

Führer für den Appalachian Trail, wie ich an dieser Stelle mal erwähnen sollte, bemerkt der große Dan »Wingfoot« Bruce hierzu, daß der Wanderer, der von Süden nach Norden geht, bei Überschreiten der Staatsgrenze von Vermont nach New Hampshire vier Fünftel der Wegstrecke, aber erst die Hälfte der Mühsal geschafft hat. Allein auf dem Abschnitt in New Hampshire, der 260 Kilometer durch die White Mountains führt, befinden sich 35 Berggipfel, die über 900 Meter aufragen. New Hampshire ist also ein ganz schöner Brocken.

Ich hatte so viel über die ungestümen und gefährlichen White Mountains gelesen, daß mir bei dem Gedanken, mich allein in das Gebiet zu wagen, unwohl war – nicht, daß ich es mit der Angst zu tun bekommen hätte, aber wenn ich noch eine einzige Geschichte über die Flucht vor einem Bären gehört hätte, wäre ich soweit gewesen. Man kann sich daher meine heimliche Freude vorstellen, als mein Freund und Nachbar Bill Abdu mir anbot, mich auf einigen meiner Tagestouren zu begleiten. Bill ist ein sehr netter Zeitgenosse, liebenswert und kenntnisreich, ein erfahrener Wanderer mit dem unschätzbaren Vorzug, obendrein noch ein geschickter orthopädischer Chirurg zu sein – genau das, was man in der gefährlichen Wildnis braucht. Ich rechnete zwar nicht damit, daß seine Chirurgenhände von großem Nutzen sein würden, aber sollte ich stürzen und mir das Rückgrat brechen, dann erführe ich wenigstens noch die lateinische Bezeichnung dafür.

Wir beschlossen, mit dem Mount Lafayette anzufangen, und begaben uns zu diesem Zweck an einem klaren Julimorgen in aller Frühe zu dem zwei Autostunden entfernt gelegenen Franconia Notch Park (»notch« bedeutet im Sprachgebrauch von New Hampshire Bergpaß). Das ist ein berühmtes, wunderschönes Fleckchen Erde zu Füßen imposanter Gipfel, mitten im 283.000 Hektar großen White Mountain National Forest gelegen. Der Mount Lafayette – das sind 1.599 Meter steil aufragender, unbarmherziger Granitfels. In einem Reisebericht von 1870, der in dem Buch *Into the Mountains* zitiert wird, heißt es: »Mt. Lafayette ... ist ein wahrer Alptraum, mit Gipfeln und Spitzen, auf denen Blitz und Donner ihr Spiel treiben. Die Hänge sind braun und weisen Schrammen und tiefe Spalten auf.« Stimmt. Lafayette ist ein Monster. Nur der nahegelegene Mount Washington übertrifft ihn noch an Wuchtigkeit und Beliebtheit als Wanderziel in den White Mountains.

Von der Talsohle gerechnet mußten wir 1.130 Meter erklimmen, 600 Meter auf den ersten drei Kilometern und drei kleinere Gipfel unterwegs – Mount Liberty, Little Haystack und Mount Lincoln –, aber es war ein herrlicher Morgen, die Sonne schien nicht zu heiß, und uns umgab die belebende, pfefferminzklare, saubere Luft, die es nur in den Bergen des Nordens gibt. Kurz: alles, was man für einen makellosen Tag braucht. Wir gingen ungefähr drei Stunden, redeten wegen des steilen Anstiegs nur wenig, freuten uns bloß darüber, draußen im Freien zu sein und gut voranzukommen.

Jeder Wanderführer, jeder erfahrene Hiker, jede Informationstafel neben den Parkplätzen am Ausgangs- oder Zielort einer Wanderstrecke warnt davor, daß das Wetter in den White Mountains innerhalb von Sekunden umschlagen kann. Camper, die in kurzen Hosen und mit Turnschuhen in luftigen Höhen nur einen Spaziergang machen wollten und wenige Stunden später in dichtem, eiskaltem Nebel ihrem Tod entgegentaumeln – das sind Geschichten, die man sich am Lagerfeuer erzählt, aber sie sind leider auch wahr. Wenige hundert Meter unterhalb des Gipfels von Little Haystack Mountain passierte uns das gleiche. Urplötzlich war die Sonne verschwunden, und wie aus dem Nichts rollte eine Dunstwolke zwischen den Bäumen heran. Damit ging ein so rapider Temperatursturz einher, als hätten wir einen Kühlraum betreten. Innerhalb von Minuten war der Wald in Nebel gehüllt, feucht und kühl. Die Baumgrenze in den White Mountains liegt an manchen Stellen bereits bei 1.460 Meter, halb so hoch wie in den meisten anderen Regionen, weil die Witterung sehr viel strenger ist, und jetzt sah ich auch warum. Als wir aus dem Krummholz hervortraten, die Zone aus verkrüppelten Bäumen, die den letzten Ausläufer des Waldes vor der Baumgrenze markiert, und das kahle Dach des Little Haystack betraten, schlug uns mit einem Mal ein heftiger Wind entgegen – die Sorte Wind, die einem die Mütze vom Kopf reißt und sie ein paar hundert Meter weiterweht, bevor man überhaupt dazu kommt, eine Hand zu heben. Vorher war er durch den Berg über uns auf den geschützten Westhang abgelenkt worden, aber jetzt fegte er ungehindert über den bloßliegenden Gipfel. Wir stellten uns in den Windschatten einiger Felsen, um unsere Regencapes überzuziehen. Sie spendeten uns zusätzliche Wärme, denn ich war schon von der schweißtreibenden Anstrengung und der feuchten Luft ganz naß am Körper – ein ziemlich unangenehmer Zustand, wenn die Außentemperaturen sinken und der Wind jede Körperwärme wegbläst. Ich machte meinen Rucksack auf, wühlte in meinen Sachen herum und schaute dann mit jenem Gesichtsausdruck hoch, der mit einer bestürzenden Erkenntnis einhergeht: Ich hatte mein Regencape vergessen. Ich durchwühlte noch einmal meinen Rucksack, aber es war ja kaum etwas drin – eine Karte, ein dünner Pullover, eine Wasserflasche und ein Lunchpaket. Ich überlegte kurz und erinnerte mich mit einem innerlichen Stoßseufzer daran, daß ich das Regencape ein paar Tage vorher ausgepackt, im Keller zum Lüften aufgehängt und dann vergessen hatte, es wieder einzupacken.

Bill, der das Band an der Kapuze seiner Windjacke strammzog, sah zu mir herüber. »Ist irgendwas?«

Ich sagte es ihm. Er machte ein besorgtes Gesicht. »Willst du umkehren?«

»Nein, nein.« Das wollte ich wirklich nicht. Außerdem, so schlimm war es nun auch wieder nicht. Es regnete nicht, mir war nur ein bißchen kühl. Ich zog den Pullover an und fühlte mich gleich besser. Wir schauten beide auf die Karte: Wir hatten schon fast alle Gipfel erklommen, und zum Lafayette waren es nur zweieinhalb Kilometer entlang eines Grats, danach folgte ein steiler 360 Meter tiefer Abstieg zur Greenleaf Hut, einer Berghütte mit einer Cafeteria. Wenn ich mich aufwärmen mußte, dann schien es ratsamer weiterzugehen. Die Hütte würden wir viel schneller erreichen als den acht Kilometer entfernten Parkplatz, wo unser Auto stand.

»Willst du auch bestimmt nicht umkehren?«

»Nein.« Ich beharrte darauf. »Wir sind in einer halben Stunde da.«

Wir machten uns wieder auf den Weg durch die graue Suppe und den peitschenden Wind, überquerten den 1.554 Meter hohen Mount Lincoln und stiegen dann ein Stück zu einem sehr schmalen Grat ab. Die Sicht betrug jetzt keine fünf Meter, und es wehte ein messerscharfer Wind. Die Temperatur sinkt alle 300 Höhenmeter um etwa 1,8 Grad Celsius; in dieser Höhe wäre es also ohnehin kälter gewesen, aber jetzt war es richtig ungemütlich. Ich sah mit Entsetzen, daß sich Hunderte kleiner Wassertropfen auf meinem Pullover ansammelten, die allmählich durch das Gewebe drangen und sich mit der Feuchtigkeit des Hemdes darunter vereinigten. Ehe wir auch nur einen halben Kilometer zurückgelegt hatten, war der Pullover klitschnaß und hing schwer auf meinen Schultern und an den Armen.

Zu allem Unglück trug ich auch noch Jeans. Jeder wird einem bestätigen, daß Blue Jeans das ungeeignetste Kleidungsstück für eine Wanderung sind. Ich hatte mich dennoch zu einem Fan von diesen Hosen entwickelt, weil sie strapazierfähig sind und einen ganz gut vor Dornen, Zeckenbissen, Insekten und Giftpflanzen schützen – ideal für den Wald also. Ich gebe allerdings unumwunden zu, daß sie bei Kälte und Feuchtigkeit nutzlos sind. Den Baumwollpullover hatte ich nur pro forma eingesteckt, so wie man auch ein Schlangenbiß-Set oder Schienen für Knochenbrüche einpackt. Meine Güte, es war Juli. Ich hatte nicht damit gerechnet, daß man sonst noch Oberbekleidung benötigen würde, höchstens das Regencape, das ich ja nun leider nicht dabei hatte. Kurzum, ich war unpassend angezogen, was gefährlich werden konnte, und forderte mein Leiden und meinen Tod regelrecht heraus. Ich litt wirklich.

Dabei hatte ich noch Glück. Der Wind fegte laut und gleichmäßig mit einer Geschwindigkeit von etwa 40 Stundenkilometern, aber die Böen kamen mit mindestens doppelter Geschwindigkeit und zudem aus ständig wechselnden Richtungen. Wenn der Wind uns direkt ins Gesicht blies, ging es nur zwei Schritte vor und einen zurück. Wenn er von der Seite kam, versetzte er uns jedesmal einen kräftigen Schubs und drängte uns an den Rand des Grats. Bei dem Nebel ließ sich nicht feststellen, wie tief der Sturz auf beiden Seiten sein würde, aber die Hänge waren ziemlich steil, wir befanden uns schließlich auf über 1.600 Metern und hoch in den Wolken. Wenn sich die Verhältnisse auch nur ein klein bißchen verschlechtert hätten – man vor lauter Nebel seine eigenen Füße nicht mehr gesehen hätte, oder die Böen genug Kraft gehabt hätten, einen erwachsenen Menschen umzustoßen –, dann hätten wir da unten festgesessen, und ich wäre obendrein bis auf die Knochen durchnäßt gewesen. Vor einer knappen Dreiviertelstunde hatten wir in der Sonne noch fröhlich ein Liedchen gepfiffen. Jetzt begriff ich, wie man in den White Mountains zu Tode kommen konnte, sogar mitten im Sommer.

Ich befand mich gewissermaßen in einer leichten Notlage. Ich bibberte wie verrückt und fühlte mich seltsam benommen. Der Grat schien kein Ende zu nehmen, und in der milchigen Brühe war es unmöglich abzuschätzen, wann sich der Lafayette vor uns erheben würde. Ich schaute auf meine Uhr – zwei Minuten vor elf, genau richtig für eine Mittagspause, sollten wir jemals bei dieser verdammten Hütte ankommen. Ich tröstete mich mit dem Gedanken, daß ich wenigstens meinen Humor nicht verloren hatte. Jedenfalls kam es mir so vor. Angeblich ist ein verwirrter Mensch viel zu unsicher, um zu erkennen, daß er verwirrt ist. Logische Schlußfolgerung: Wenn man weiß, daß man nicht verwirrt ist, ist man nicht verwirrt. Es sei denn, kam es mir plötzlich in den Sinn – und ich war ganz fasziniert von dem Gedanken –, es sei denn, der Versuch, sich einzureden, man sei nicht verwirrt, ist lediglich ein erstes furchtbares Symptom für geistige Verwirrung. Vielleicht sogar für fortgeschrittene geistige Verwirrung. Wer weiß das schon? Durchaus möglich, daß ich mich auf eine Frühphase hilfloser Verwirrung zubewegte, die seitens des Betroffenen durch die Befürchtung gekennzeichnet ist, er bewege sich auf eine Frühphase hilfloser Verwirrung zu. Das ist das Problem, wenn man seinen Verstand verliert: Wenn er erst mal weg ist, kriegt man ihn nicht wieder.

Ich schaute auf meine Uhr und stellte mit Schrecken fest, daß es immer noch zwei Minuten vor elf war. Mein Zeitgefühl war weg! Ich war vielleicht nicht in der Lage, meinen Grips verläßlich zu beurteilen, aber jetzt hatte ich den Beweis am Handgelenk. Wie lange würde es noch dauern, bis ich halbnackt durch die Gegend tanzte und versuchte, angebliche Flammen zu ersticken, oder mich die fixe Idee überkäme, der eleganteste Ausweg aus diesem Schlamassel wäre ein Sprung mit einem unsichtbaren Zauberfallschirm in die Talsohle? Ich jammerte ein bißchen vor mich hin, ging aber weiter, wartete eine geschlagene Minute ab und sah dann wieder auf meine Uhr. Immer noch zwei Minuten vor elf! Ich war geliefert!

Bill, der anscheinend gänzlich unbekümmert war und unempfindlich gegenüber der Kälte und der natürlich keine Ahnung davon hatte, daß wir auf dem Grat bei diesem für die Jahreszeit untypischen Wind alles andere als vorankamen, drehte sich ab und zu um und fragte, wie es mir ging.

»Gut!« sagte ich jedesmal, denn ich hätte mich geschämt einzugestehen, daß ich auf dem besten Weg war, meinen Verstand zu verlieren, bevor ich mit einem wissenden Lächeln auf den Lippen und dem Abschiedsruf »Bis nachher im Jenseits, alter Freund!« über den Rand des Grats springen würde. Vermutlich war ihm noch nie ein Patient auf einem Berggipfel abhanden gekommen, und ich wollte ihn nicht unnötig aufregen. Außerdem war ich mir nicht hundertprozentig sicher, daß ich die Kontrolle über mich verlor, ich fühlte mich nur ziemlich elend.

Ich weiß nicht, wie lange wir bis zum Gipfel des Lafayette brauchten, jedenfalls kam es mir wie eine Ewigkeit vor. Vor 100 Jahren stand ein Hotel an diesem öden, abschreckenden Ort, und die vom Wind traktierten Fundamente sind immer noch eine Art Wahrzeichen. Ich habe sie auf Fotos gesehen, aber ich kann mich

kein bißchen an sie erinnern. Ich war voll und ganz auf den Abstieg über den Nebenwanderweg zur Greenleaf Hut konzentriert. Er führte über ein riesiges Geröllfeld und dann, ungefähr
anderthalb Kilometer weiter, durch Wald. Kaum hatten wir den
Gipfel hinter uns gelassen, legte sich der Wind, und nach 150 Metern hatte sich alles wieder beruhigt. Das war geradezu gespenstisch, und auch der Nebel hing nur noch hier und da in Fetzen.
Plötzlich konnten wir die Welt unter uns erkennen, und auch,
wie weit oben wir uns befanden, fast abgehoben, obwohl alle anderen Gipfel in der Umgebung von Wolken verhüllt waren. Zu
meiner Überraschung und Genugtuung ging es mir gleich besser.
Ich richtete mich mit einem neuen Gefühl der Stärke auf, und mir
wurde klar, daß ich die ganze Zeit über mit einem regelrechten
Buckel gegangen war. Es ging mir wirklich viel besser, ich fror
nicht mehr, und mein Kopf war wieder klar.

»So schlimm war es nun auch wieder nicht«, sagte ich mit einem derben Bergwandererlachen zu Bill und drängte weiter zur
Hütte.

Greenleaf Hut ist eine von zehn malerischen und in diesem Fall
besonders praktischen Steinhütten, die von dem altehrwürdigen
Appalachian Mountain Club in den White Mountains betrieben
werden. Der AMC, der vor über 120 Jahren gegründet wurde, ist
nicht nur der älteste Wanderverein in Amerika, sondern auch die
älteste »Bürgerinitiative«, die sich überhaupt um die Belange des
Umweltschutzes kümmert. Der Verein verlangt stolze 50 Dollar
für Übernachtung und Halbpension und wird infolgedessen von
den Weitwanderern nur als Appalachian Money Club bezeichnet.
Zu seiner Verteidigung wäre zu sagen, daß der AMC ein Wege-
netz von 2.250 Kilometern in den White Mountains unterhält, ein
ausgezeichnetes Besucherzentrum in Pinkham Notch führt, le-
senswerte Bücher herausgibt und jeden Wanderer in seinen Hütten aufnimmt, auch wenn er nur aufs Klo muß, Wasser holen oder
sich einfach nur ausruhen will – ein Service, den wir jetzt dankbar in Anspruch nahmen.

Wir bestellten uns einen heißen Kaffee und setzten uns damit an einen der vielen langen Tische zu den anderen verschwitzten Hikern und verzehrten unser Lunchpaket. In der Hütte herrschte eine sehr angenehme Atmosphäre, die Einrichtung war einfach und rustikal, mit einer hohen Decke und viel Platz zum Herumlaufen. Als wir fertig waren, setzte bei mir der Muskelkater ein. Deshalb stand ich auf, spazierte herum und sah mir einen der beiden Schlafräume an. Er war ziemlich groß, mit fest eingebauten Etagenbetten, vier Kojen übereinander. Er war sauber und hell und sehr karg, aber vermutlich sah es hier abends, mit lauter Wanderern und dem ganzen Gepäck, wie in einer Kaserne aus. Es machte auf mich keinen einladenden Eindruck. Benton MacKaye hatte mit diesen Hütten nichts zu tun gehabt, dennoch entsprachen sie voll und ganz seiner einstigen Vision – einfache Ausstattung, rustikal, auf das Leben in der Gemeinschaft zugeschnitten. Mir wurde mit einem dumpfen Schrecken klar: Wäre MacKayes Traum von einer ganzen Kette von Herbergen am Wegesrand Wirklichkeit geworden, dann hätten sie aller Wahrscheinlichkeit nach so wie dieses Haus ausgesehen. Aus dem ruhigen und gemütlichen Refugium mit einer ganzen Veranda voller Schaukelstühle, wie ich es mir in der Phantasie ausgemalt hatte, wäre wohl eher ein Kurzaufenthalt in einem Ausbildungslager geworden, obendrein ein kostspieliger, nach den Preisen des AMC zu urteilen.

Ich rechnete im Kopf nach: Angenommen, der stolze Preis von 50 Dollar hätte überall gegolten, dann hätte es den typischen Weitwanderer zwischen 6.000 und 7.500 Dollar gekostet, wenn er unterwegs jeden Abend in einer Hütte eingekehrt wäre. Das hätte wohl nicht funktioniert. Vielleicht war es besser so, wie es war.

Die Sonne schien nur schwach, als wir aus der Hütte nach draußen traten und uns über einen Nebenweg nach Franconia Notch an den Abstieg machten. Unterwegs nahm sie an Kraft zu, bis man schließlich wieder von einem herrlichen Julitag sprechen konnte, die Luft war mild, in den Bäumen tanzte das Sonnenlicht, und die Vögel zwitscherten. Als wir spät nachmittags an unserem Auto ankamen, war ich fast wieder völlig trocken, und meine vorübergehende Panik auf dem Lafayette – der jetzt vor einem strahlend blauen Himmel im Sonnenlicht glänzte – war nur noch eine ferne Erinnerung.

Beim Einsteigen schaute ich auf meine Uhr. Sie zeigte zwei Minuten vor elf. Ich schüttelte sie und sah mit Interesse, wie sich der Sekundenzeiger wieder in Bewegung setzte.

18. Kapitel

Am Nachmittag des 12. April 1934 hatte Salvatore Pagliuca, ein Meteorologe der Wetterstation auf dem Gipfel des Mount Washington, ein Erlebnis, das niemand vor ihm je gehabt hatte und seitdem auch nie wieder jemand gehabt hat.

Auf dem Mount Washington ist es, milde ausgedrückt, gelegentlich etwas stürmisch, und an jenem 12. April wehte ein besonders heftiger Wind. In den vorangegangenen 24 Stunden war die Windgeschwindigkeit nicht unter 170 Stundenkilometer gefallen, in den Böen lag sie zeitweilig sogar noch darüber. Als es Zeit wurde für Pagliuca, wie jeden Nachmittag die Anzeigen an den Meßgeräten abzulesen, war der Wind so stark, daß er sich ein Seil um die Taille band und zwei Kollegen bat, das andere Ende festzuhalten. Die Männer hatten bereits Schwierigkeiten, die Tür zur Wetterstation aufzukriegen, und brauchten ihre ganze Kraft, damit ihnen Pagliuca nicht als lebender Drachen davonflog. Wie es ihm gelang, an seine Instrumente heranzukommen und die Werte abzulesen, ist nicht überliefert, auch nicht seine Worte, als er schließlich wieder in die Station getorkelt kam, aber »Wahnsinn!« scheint mir sehr wahrscheinlich.

Fest steht jedenfalls, daß Pagliuca eine Bodenwindgeschwindigkeit des Windes von 371 Stundenkilometer gemessen hatte. Ein solches Tempo war nie zuvor auf der ganzen Welt registriert worden.

In seinem Buch *The Worst Weather: A History of the Mount Washington Observatory* bemerkt William Lowell Putnam dazu trocken: »Vielleicht gibt es gelegentlich irgendwo an einem gottverlassenen Ort auf dem Planeten Erde schlechteres Wetter, aber das muß erst noch korrekt gemessen werden.« Zu den Rekorden der Wetterstation auf dem Mount Washington kommen noch weitere hinzu: die meisten zerstörten Wettermeßinstrumente, der meiste Wind innerhalb von 24 Stunden (fast 5.000 Kilometer insgesamt), und die extremste Windkälte (eine Kombination aus einer Windgeschwindigkeit von 160 Stundenkilometern und einer Außentemperatur von –40 Grad Celsius; das wird selbst in der Antarktis nicht übertroffen).

Der Mount Washington verdankt seine extremen Wetterverhältnisse nicht so sehr der Höhe oder dem Breitengrad, obwohl beide Faktoren eine Rolle spielen, sondern vielmehr seiner Lage an einer Stelle, wo zwei von ihrer Höhe bestimmte Wettersysteme aus Kanada und von den Großen Seen auf feuchte, relativ warme Luft vom Atlantik beziehungsweise aus dem Süden der Vereinigten Staaten treffen. In der Folge fallen im Jahresdurchschnitt 625 Zentimeter Schnee. Während eines besonders denkwürdigen Sturms im Jahr 1969 fielen innerhalb von drei Tagen zweieinhalb Meter Schnee auf dem Gipfel. Der Wind ist ein zusätzliches, spezielles Merkmal: Im Winter weht er an zwei von drei Tagen mit durchschnittlicher Hurrikanstärke (das sind 120 Stundenkilometer); auf das ganze Jahr gerechnet, bläst er an 40 Prozent aller Tage mit dieser Geschwindigkeit. Wegen der Dauer und der Strenge des Winters beträgt die durchschnittliche Jahrestemperatur schlappe –2 Grad Celsius. Das sommerliche Mittel liegt bei etwa zehn Grad Celsius, gute fünf Grad niedriger als am Fuß des Berges. Es ist ein grausamer Berg, aber dennoch steigen die Menschen hinauf, manche sogar im Winter.

In ihrem Buch *Into the Mountains* berichten Maggie Stier und Ron McAdow von zwei Studenten der University of New Hampshire, Derek Tinkham und Jeremy Haas, die sich vorgenommen hatten, im Januar 1994 den gesamten Presidential Range abzugehen – sieben Gipfel, einschließlich des Mount Washington, die alle nach amerikanischen Präsidenten benannt sind. Beide waren erfahrene Winterwanderer und verfügten über eine gute Ausrüstung, trotzdem hätten sie sich niemals vorstellen können, worauf sie sich da eingelassen hatten. In der zweiten Nacht stieg die Windgeschwindigkeit auf 145 Stundenkilometer, und die Temperatur sank auf –35 Grad Celsius. Ich habe –30 Grad Celsius erlebt, bei ruhigen Verhältnissen wohlgemerkt, und ich kann nur sagen, selbst wenn man gut eingepackt ist und noch Restwärme von der Hütte in sich hat, kann es sehr schnell sehr ungemütlich werden. Irgendwie überlebten die beiden die Nacht, aber am nächsten Tag verkündete Haas, er könne keinen Schritt mehr weitergehen. Tinkham half ihm in den Schlafsack und schleppte sich selbst zur drei Kilometer entfernten Wetterstation. Er schaffte es gerade noch, trug allerdings schwere Erfrierungen davon. Seinen Freund fand man am nächsten Tag, »halb aus dem Schlafsack gekrochen und steifgefroren«.

Viele andere sind schon bei weniger widrigen Verhältnissen am Mount Washington umgekommen. Eine der frühesten Katastrophen mit grausiger Berühmtheit war der Tod einer jungen Frau namens Lizzie Bourne, die 1855, kurz nachdem am Mount Washington der Tourismus begonnen hatte, an einem sommerlichen Septembernachmittag in Begleitung zweier Männer versuchte, den Berg zu erklimmen. Wie man sich denken kann, schlug das Wetter um, und die drei verirrten sich im Nebel und wurden getrennt. Die Männer schafften es noch bis zum Hotel am Gipfel, aber auch erst nach Einbruch der Dunkelheit. Lizzie Bourne wurde am nächsten Tag nur 50 Meter vom Hoteleingang entfernt gefunden, tot.

Insgesamt haben bisher 122 Menschen ihr Leben am Mount Washington verloren. Bis vor kurzem, als der Mount Denali in Alaska die traurige Führung übernahm, war er der »mörderischste« Berg Nordamerikas. Ich hatte daher, als der unerschrockene Dr. Abdu und ich ein paar Tage später zu unserem zweiten großen Aufstieg am Fuß des Berges vorfuhren, genug Reservekleidung dabei, um die Arktis zu durchqueren – Regencape, Wollpullover, Jacke, Handschuhe, eine Ersatzhose und lange Unterwäsche. Ich wollte mich nicht noch einmal halb zu Tode frieren.

Am Mount Washington, mit ansehnlichen 1.916 Metern der höchste Berg nördlich der Smokies und östlich der Rockies, gibt es nur wenige klare Tage im Jahr, und heute war so ein Tag, weshalb die Menschen in Massen herbeiströmten. Ich zählte bereits über 70 Autos am Pinkham Notch Visitor Center, als wir dort morgens um zehn nach acht ankamen, und mit jeder Minute wurden es mehr. Mount Washington ist der beliebteste Gipfel in den White Mountains und der Tuckerman Ravine Trail, die Route, für die wir uns entschieden hatten, der beliebteste Wanderweg. Schätzungsweise 60.000 Hiker wählen jährlich die Tuckerman-Route, allerdings lassen viele sich bis nach oben fahren und gehen dann zu Fuß hinunter, weshalb die Zahl vielleicht ein etwas schiefes Bild ergibt. Jedenfalls war es für einen schönen, warmen, vielversprechenden Tag mit strahlend blauem Himmel Ende Juli nicht überdurchschnittlich voll.

Der Aufstieg war einfacher, als ich zu hoffen gewagt hatte. Ich konnte mich immer noch nicht so recht an das Bergwandern ohne schweres Gepäck gewöhnen. Das macht enorm viel aus. Ich möchte nicht behaupten, daß wir hinaufrannten, aber wenn man bedenkt, daß wir auf knapp 5.000 Metern Anstieg einen Höhenunterschied von 1.370 Metern zu bewältigen hatten, gingen wir ein ziemlich flottes Tempo. Wir brauchten zwei Stunden und vierzig Minuten (Bills Wanderführer für die White Mountains veranschlagt eine Gehzeit von vier Stunden und 15 Minuten), worauf wir ziemlich stolz waren.

Sicher gibt es anspruchsvollere und faszinierendere Gipfel entlang des Appalachian Trail zu erklimmen als den Mount Washington, aber bei keinem erlebt man solche Überraschungen. Man kämpft sich den letzten Abschnitt des steinigen Steilhangs dieser insgesamt doch recht ansehnlichen Erhebung hoch, guckt über den Rand und wird ausgerechnet von einem riesigen, asphaltierten Parkplatz, voller in der heißen Sonne schimmernder Autos, empfangen. Dahinter liegen verstreut einige Gebäude, zwischen denen sich Massen von Menschen in Shorts und Baseballkappen tummeln. Es herrscht eine Atmosphäre wie auf einem Jahrmarkt, den man groteskerweise auf einen Berggipfel verlegt hat. Man gewöhnt sich daran, auf den Gipfeln entlang des

AT keinen Menschen anzutreffen, und wenn, dann sind es immer nur wenige, die sich außerdem alle genau wie man selbst abgerackert haben, um es bis nach oben zu schaffen. Im Vergleich dazu war dieser Menschenauflauf hier einfach überwältigend. Mount Washington läßt sich bequem mit dem Auto über eine Mautstraße erreichen, die in Serpentinen am Hang verläuft, oder mit einer Zahnradbahn von der anderen Seite, und Hunderte Menschen – Aberhunderte, wie mir schien – hatten von diesen beiden Möglichkeiten Gebrauch gemacht. Überall wimmelte es von Leuten. Sie sonnten sich, beugten sich über das Geländer der Aussichtsterrassen, schlenderten zwischen den Souvenirläden und den Fastfood-Restaurants hin und her. Ich kam mir vor wie ein Besucher von einem anderen Stern und fand es wunderbar. Es war natürlich der reinste Alptraum und eine Schändung des höchsten Berges im Nordosten der Vereinigten Staaten, aber ich war froh, daß sich das alles wenigstens nur an einem Ort abspielte. Das machte den Rest des Trails perfekt.

Das Zentrum der Aktivität bildete ein scheußlicher Betonbau, das Summit Information Center, mit großen Fenstern, breiten Aussichtsplattformen und einer ausgesprochen gut besuchten Cafeteria. Gleich hinter dem Eingang hing eine lange Liste all derer, die am Berg umgekommen waren, dazu jeweils die Ursache, angefangen mit einem gewissen Frederick Strickland aus Bridlington, Yorkshire, der sich im Oktober 1849 während eines Sturms verirrt hatte, gefolgt von einer imposanten Aufzählung aller Unglücksfälle, die mit dem Lawinentod zweier Hiker vor gerade einmal drei Monaten endete. 1996 waren bereits drei Menschen an den Hängen des Mount Washington ums Leben gekommen, und das Jahr war noch nicht vorbei – eine ernüchternde Bilanz. Es gab auf der Tafel noch reichlich Platz für weitere Todesfälle.

Im Kellergeschoß befand sich ein kleines Museum, das über Klima, geologische Beschaffenheit und die einzigartige Pflanzenwelt des Mount Washington informierte; meine besondere Aufmerksamkeit erregte jedoch ein witziger Kurzfilm mit dem

Titel »Frühstück der Champions«, den die Meteorologen wahrscheinlich zu ihrem eigenen Vergnügen gedreht hatten. Er war mit einer fixierten Kamera auf der Gipfelterrasse aufgenommen worden. Man sieht darin einen Herrn bei einer der berüchtigten Sturmböen am Tisch sitzen, so als befände er sich in einem Gartenlokal. Während der Gast versucht, mit den Armen den Tisch festzuhalten, nähert sich ein offensichtlich mit äußerster Anstrengung gegen den Wind ankämpfender Kellner. Es sieht aus, als würde er in 10.000 Meter Höhe auf der Tragfläche eines Flugzeugs wandeln. Er versucht, dem Gast Cornflakes in eine Schale zu schütten, aber alles fliegt waagrecht aus der Pappschachtel heraus. Dann fügt der Kellner Milch hinzu, aber die spritzt ebenfalls seitlich weg und landet auf dem Gast – ein besonders lustiger Moment. Dann fliegt die Schale davon, danach das Besteck, wenn ich mich recht entsinne, schließlich macht sich der Tisch selbständig, und damit endet der Film. Er war so nett, daß ich ihn mir zweimal anschaute; dann begab ich mich auf die Suche nach Bill, damit er ihn sich auch ansah. Ich konnte ihn in dem Gewimmel nicht entdecken, also ging ich nach draußen auf die Plattform und schaute zu, wie die Zahnradbahn schnaufend den Berg hinaufkroch und auf ihrer Fahrt schwarzen Qualm ausstieß. An der Gipfelstation machte sie Halt, und weitere Hundertschaften zufriedener Touristen stiegen aus.

Die Geschichte des Tourismus auf dem Mount Washington reicht weit zurück. Schon im Jahre 1852 befand sich auf dem Gipfel ein Restaurant, und die Besitzer hatten pro Tag an die hundert zahlende Gäste. 1853 wurde ein kleines Hotel aus Stein auf dem Berg errichtet, es nannte sich Tip-Top-House, und es war sofort ein durchschlagender Erfolg. 1869 baute ein ortsansässiger Unternehmer namens Sylvester March eine Zahnradbahn, die erste der Welt. Alle hielten ihn für verrückt, und niemand glaubte, daß für so etwas ein Bedarf bestünde, selbst wenn sie funktionieren sollte, was man ohnehin bezweifelte. Die aus ihr hervorquellenden Massen unter mir waren der Beweis des Gegenteils.

Fünf Jahre nach Eröffnung der Zahnradbahn wurde das alte

Tip-Top-House vom größeren und vornehmeren Summit House Hotel abgelöst, das wiederum einem zwölf Meter hohen Bettenturm weichen mußte, auf dessen Dach sich ein mehrfarbiger Scheinwerfer befand, der in ganz New England und sogar vom Meer aus zu sehen war. Bis Ende des Jahrhunderts erschien als neue Sommerattraktion täglich eine Gipfelzeitung, und American Express eröffnete eine Filiale dort oben.

Auch am Fuß des Berges herrschte Hochkonjunktur. Die moderne Tourismusindustrie – in der Form, daß Menschen in Massen an einen schönen Ort reisen und dort bei ihrer Ankunft Zerstreuungen aller Art vorfinden – ist im wesentlichen eine Erfindung, die in den White Mountains ihren Ursprung hat. In jedem Tal schossen gigantische Hotels mit bis zu 250 Zimmern wie Pilze aus dem Boden. Sie waren in dem hübschen, hiesigen Stil entworfen und sahen aus wie auf die Größe eines Krankenhauses oder Sanatoriums aufgeblasene Berghütten – sehr kunstvolle und reich verzierte Häuser, die zu den größten und kompliziertesten Holzbauten zählen, die je errichtet wurden, mit Türmchen und Erkern und allem erdenklichen architektonischen Schmuck, den das viktorianische Zeitalter zu bieten hatte. Sie verfügten über Wintergärten und Salons, Speisesäle für 200 Personen und Veranden, die wie die Promenadendecks von Kreuzfahrtschiffen aussahen und auf denen die Hotelgäste in der gesunden Luft bei einem Gläschen sitzend die zerklüftete felsige Pracht der Natur bestaunen konnten.

Die feineren Hotels waren noch besser dran. Das Profile House in Franconia Notch zum Beispiel besaß einen eigenen Bahnanschluß zur knapp 13 Kilometer entfernten Bethlehem Junction. Auf dem Hotelgelände standen 21 Cottages, jedes mit zwölf Schlafzimmern. Das Maplewood betrieb ein eigenes Casino, und die Gäste im Crawford House konnten zwischen zwölf Zeitungen wählen, die extra täglich aus New York und Boston herangeschafft wurden. Bei allem, was neu und interessant war – Aufzügen, Gasbeleuchtung, Swimmingpools, Golfplätzen –, hatten die White-Mountain-Hotels immer die Nase vorn. 1890 lagen 200

Hotels in den White Mountains verstreut. Nie zuvor hatte es eine solche Dichte von erstklassigen Hotels an einem Ort gegeben, schon gar nicht in den Bergen. Heute sind diese Häuser praktisch alle verschwunden.

1902 eröffnete das größte von ihnen in Bretton Woods in einem weiten parkähnlichen Areal vor der Kulisse des Presidential Range. In einem imposanten Stil errichtet, den der Architekt selbst bescheiden als »spanische Renaissance« bezeichnete, stellte das Mount Washington Hotel den Gipfel an Eleganz und Opulenz dar. Es stand in einem über 1.000 Hektar großen Landschaftsgarten und hatte 235 Zimmer, die mit allen Finessen ausgestattet waren, die man mit Geld kaufen konnte. Allein für die Stuckarbeiten ließ man 250 Meister aus Italien anreisen. Bei seiner Fertigstellung war das Hotel jedoch bereits ein Anachronismus.

Der Trend ging woandershin. Die amerikanischen Urlauber hatten das Meer entdeckt. Die White-Mountain-Hotels waren ein bißchen zu langweilig, ein bißchen zu abgelegen und für bescheidene Ansprüche ein bißchen zu teuer. Und was noch schlimmer war, die Hotels zogen das falsche Publikum an – Neureiche aus Boston und New York. Den Todesstoß aber versetzte ihnen das Automobil. Die Hotels waren dafür gebaut worden, daß die Gäste mindestens zwei Wochen blieben, aber das Auto verlieh den Menschen dauerhafte Mobilität. In der 1924er Ausgabe von *New England Highways and Byways from a Motor Car* schwärmt der Autor von der unvergleichlichen Pracht der White Mountains – den tosenden Wasserfällen in Franconia, der Alabasterherrlichkeit des Mount Washington, dem intimen Charme der kleinen Städte Lincoln und Bethlehem – und legt den Besuchern dringend ans Herz, sich für die Berge einen ganzen Tag Zeit zu nehmen. In Amerika begann das Zeitalter des Automobils und der beschränkten Aufnahmefähigkeit.

Ein Hotel nach dem anderen wurde geschlossen, die Häuser wurden baufällig oder – was häufiger geschah – brannten bis auf die Grundmauern ab (wobei nicht selten die Versicherungspolice das Einzige war, was den Brand überstand), und der Wald eroberte sich das Gelände zurück. Früher konnte man vom Gipfel aus an die 20 Hotels sehen, heute ist nur noch eins davon übriggeblieben, das Mount Washington, mit seinem feschen roten Dach noch immer beeindruckend und irgendwie feierlich, aber in seiner einsamen Pracht und Herrlichkeit auch unwiederbringlich verloren. Selbst dieses Haus ist mehrmals nur knapp einer Pleite entkommen. An anderen Stellen tief unten im Tal, da, wo sich früher das Fabyan, das Mount Pleasant, das Crawford House und viele andere Hotels stolz erhoben, sind heute nur noch Bäume, Highways und Motels zu erkennen.

Die Ära der großen Hotels in den White Mountains dauerte insgesamt nur 50 Jahre. Was wieder einmal die Altehrwürdigkeit des Appalachian Trail beweist. Mit diesem Gedanken begab ich mich auf die Suche nach meinem Freund Bill, um unsere gemeinsame Wanderung fortzusetzen.

19. Kapitel

»Ich habe eine phantastische Idee«, sagte Stephen Katz. Wir saßen bei mir zu Hause in Hanover. Es war zwei Wochen später, und am nächsten Morgen wollten wir nach Maine aufbrechen.

»Und die wäre?« sagte ich und versuchte, nicht allzu genervt zu klingen, denn phantastische Ideen sind nicht gerade Katz' Stärke.

»Du weißt doch, wie schrecklich schwer diese Rucksäcke immer sind.«

Ich nickte. Davon konnte ich ein Lied singen.

»Ich habe mir da nämlich etwas überlegt. Das heißt, eigentlich überlege ich da schon sehr lange. Denn um die Wahrheit zu sagen, Bryson, vor diesem Rucksackgeschleppe habe ich« – er senkte die Stimme – »einen Scheißhorror.« Er nickte feierlich und wiederholte das Schlüsselwort. »Und da kam mir eine geniale Idee. Eine echte Alternative. Mach die Augen zu.«

»Warum?«

»Es soll eine Überraschung sein.«

Ich mache nicht gern die Augen zu, wenn man mich mit etwas überraschen will. Das konnte ich noch nie ausstehen. Aber ich tat ihm den Gefallen.

Ich hörte, wie er in seinem ausrangierten Armeesack kramte. »Wer trägt ständig schwere Lasten mit sich herum?« fuhr er fort. »Das war die Frage, die ich mir gestellt habe. Wer muß jeden Tag viel mit sich herumschleppen? He, noch nicht gucken. Und dann kam mir die Idee.« Er schwieg einen Moment lang, als würde er noch ein paar entscheidende Veränderungen vornehmen, damit seine Präsentation auch einen perfekten Eindruck machte. »Gut. Jetzt kannst du gucken.«

Ich nahm die Hände von den Augen. Katz strahlte vor Stolz

und hatte sich eine Zeitungstasche des *Des Moines Register* umgehängt – einen von den gelben Säcken, die Zeitungsboten sich über die Schulter werfen, bevor sie sich aufs Rad schwingen und ihre Runde machen.

»Das ist doch nicht dein Ernst«, sagte ich leise.

»Es war mir noch nie so ernst mit etwas, mein lieber Wanderfreund. Ich habe dir auch eine mitgebracht.« Er zog die für mich gedachte Tasche aus seinem Armeesack, sie war zusammengefaltet und noch originalverpackt in einer durchsichtigen Plastiktüte.

»Du kannst doch nicht mit so einer Zeitungstasche durch die Wildnis von Maine marschieren, Stephen.«

»Wieso nicht? Sie ist bequem, sie ist geräumig, sie ist wasserdicht – fast jedenfalls –, und sie wiegt nur ein paar Gramm. Das ist die ideale Wanderausrüstung. Sag mir eins: Wann hast du das letzte Mal einen Zeitungsboten mit einem Knochenbruch gesehen?« Er nickte einmal knapp und energisch mit dem Kopf in meine Richtung, als würde das jedes Gegenargument zunichte machen.

Ich bewegte meine Lippen, als Andeutung, daß ich etwas sagen wollte, aber Katz plapperte weiter, bevor ich auch nur einen klaren Gedanken fassen konnte.

»Und hier ist mein Plan«, fuhr er fort. »Wir beschränken unser Gepäck auf das Allernotwendigste – kein Kocher, keine Gaskartuschen, keine Nudeln, kein Kaffee, keine Zelte, keine Packbeutel. Wir wandern und kampieren wie richtige Gebirgsburschen. Hatte Daniel Boone vielleicht einen Kunstfaserschlafsack für drei Jahreszeiten? Nicht, daß ich wüßte. Wir nehmen nur Trockennahrung mit, Wasserflaschen und höchstens eine Garnitur Ersatzkleidung. Wir können unser Gepäck auf zwei bis drei Kilo reduzieren. Und alles« – er wedelte hocherfreut mit der Hand in dem leeren Beutel – »kommt hier rein.« Sein Gesichtsausdruck war ein stilles Flehen, ihn mit Beifall zu überschütten.

»Hast du je einen Gedanken daran verschwendet, wie lächerlich du mit dieser Tasche aussiehst?«

»Ja. Aber das ist mir egal.«

»Hast du je in Erwägung gezogen, was für ein nie versiegender Quell der Heiterkeit du für alle Menschen zwischen hier und Katahdin darstellen wirst?«

»Mir alles scheißegal.«

»Also gut. Hast du je daran gedacht, was ein Ranger wohl dazu sagen wird, wenn er dich mit einer Zeitungstasche auf den langen Marsch durch die Hundred Mile Wilderness aufbrechen sieht? Weißt du, daß sie das Recht haben, jeden zurückzuweisen, den sie physisch und psychisch für ungeeignet halten?« Das war eine glatte Lüge, aber es zeichnete sich eine vielversprechende Falte auf Katz' Stirn ab. »Und hast du dir auch mal überlegt, daß der Grund dafür, warum Zeitungsboten keine Knochenbrüche haben, vielleicht darin liegt, daß sie die Tasche nur ungefähr eine Stunde pro Tag tragen müssen? Daß es vielleicht nicht allzu bequem sein dürfte, sie zehn Stunden am Stück bergauf zu tragen? Daß sie unentwegt gegen deine Beine schlackert und daß der Gurt dir deine Schultern wundscheuert? Guck doch mal, er kratzt dir ja jetzt schon am Hals.«

Er blickte verstohlen hinunter zu dem Gurt. Das einzig Positive an Katz' großartigen Ideen ist, daß man sie ihm sehr schnell wieder ausreden kann. Er zog den Gurt über seinen Kopf und legte die Tasche wieder hin. »Also gut«, räumte er ein, »scheiß auf die Taschen. Aber diesmal nehmen wir nur leichtes Gepäck mit.«

Damit war ich einverstanden. Mehr noch, es war sogar ein absolut vernünftiger Vorschlag. Wir packten mehr ein, als Katz sich gewünscht hatte – ich bestand darauf, daß wir Schlafsäcke, warme Kleidung und unsere Zelte mitnahmen, auch wenn das eine größere Belastung für Katz darstellte, als ihm lieb war –, aber ich erklärte mich damit einverstanden, den Kocher, die Gaskartuschen, Töpfe und Pfannen zu Hause zu lassen. Wir konnten uns von mir aus von Trockennahrung ernähren – hauptsächlich Snickers, Rosinen und einer unverderblichen Salami, die sich Slim Jim nannte. Wir würden in den 14 Tagen schon nicht verhungern. Außerdem konnte ich keinen Nudeleintopf mehr sehen. Alles in allem sparten wir damit ungefähr zwei bis zweieinhalb Kilo pro Person ein, eigentlich lächerlich, aber Katz freute sich kindisch. Es kam nicht oft vor, daß er seinen Willen bekam, wenn auch nur teilweise.

Und so brachte uns meine Frau am nächsten Tag mit dem Auto bis tief in den schier endlosen Wald im Norden von Maine, von wo aus Katz und ich zu unserer Hundred-Mile-Wilderness-Tour aufbrechen wollten. Maine ist trügerisch. Es ist der zwölftkleinste Bundesstaat, aber er hat mehr unbesiedeltes Waldgebiet – vier Millionen Hektar – als jeder andere Bundesstaat außer Alaska. Auf Fotos sieht es immer friedlich und verlockend aus, wie ein einziger großer Park, mit Hunderten kühlen, tiefen Seen und einer welligen, nebelverhangenen Gebirgslandschaft, so weit das Auge reicht. Nur der Katahdin bietet mit seinen nackten Felshängen unterhalb des Gipfels und seiner überraschend brachialen Erscheinung einen einschüchternderen Anblick. In Wahrheit ist aber alles ziemlich anstrengend.

Die Waldhüter in Maine haben eine gewisse natürliche Begabung dafür, die steinigsten Anstiege und die gefährlichsten Hänge für den Trail auszusuchen, und von denen besitzt Maine eine atemberaubende Menge. Auf seinen 455 Kilometern durch Maine verlangt der Appalachian Trail von dem Wanderer, der von Süden nach Norden geht, 30.000 Höhenmeter Kletterei, also dreimal den Everest rauf und runter. Mittendrin liegt die berühmte Hundred Mile Wilderness, die von dem kleinen Ort Monson bis zu einem Campingplatz in Abol Bridge reicht, ein Stück hinter dem Mount Katahdin. Es sind genau 160,44 Kilometer Waldwanderweg, ohne ein Haus, einen Laden, ein Telefon oder eine asphaltierte Straße – der abgelegenste Abschnitt des gesamten AT. Wenn einem hier etwas passiert, ist man auf sich allein gestellt und kann schon an einer infizierten Blutblase sterben.

Die meisten brauchen eine Woche bis zehn Tage, um diese berüchtigte Wildnis zu durchqueren. Da wir zwei Wochen zur Verfügung hatten, ließen wir uns von meiner Frau in Caratunk absetzen, einem abgeschiedenen Ort am Kennebec River, 61 Kilometer vor Monson und dem offiziellen Ausgangspunkt der Strecke. So blieben uns drei Tage, um uns einzustimmen, und wir hatten Gelegenheit, uns in Monson noch einmal mit dem Nötigsten einzudecken, bevor wir uns endgültig in die Waldwildnis begaben. Ich war bereits in der Woche, bevor Katz dazustieß, zur Erkundung weiter westlich, um den Rangeley und den Flagstaff Lake, ein bißchen gewandert, und ich hatte das Gefühl, als würde ich das Gelände einigermaßen kennen. Trotzdem war es der reinste Schock.

Es war das erste Mal seit vier Monaten, daß ich wieder einen vollbepackten Rucksack aufsetzte. Ich konnte kaum fassen, wie schwer das Ding war, konnte kaum fassen, daß ich es je hatte fassen können. Der Druck war unausweichlich und entmutigend. Aber wenigstens war ich zwischendurch mal gewandert. Katz, das war sofort zu sehen, fing wieder bei Null an – eigentlich noch davor, genauer gesagt. Von Caratunk aus führte ein sanfter, acht Kilometer langer Anstieg zu einem großen See, dem Pleasant Pond. Das sollte eigentlich kein Problem sein, aber ich bemerkte gleich, daß Katz mit unglaublicher Anstrengung einen Fuß vor den anderen setzte und schwer atmete. Sein Gesicht zeigte einen entsetzten Ausdruck, als würde er sich fragen: Wo bin ich hier bloß gelandet?

Wenn ich mich nach seinem Befinden erkundigte, konnte er immer nur in höchst erstauntem Tonfall »Mann, oh Mann!« von sich geben, und als er bei der ersten Pause nach einer Dreiviertelstunde den Rucksack auf den Boden plumpsen ließ, entfuhr ihm ein aus tiefster Seele kommendes »Schaaaaaaeiße!« – keuchend und schleppend, ein Geräusch, als würde sich jemand auf einem prallen Kissen niederlassen. Es war ein schwüler Nachmittag, und Katz war schweißüberströmt. Er holte eine Wasserflasche hervor und trank sie zur Hälfte aus. Dann sah er mich mit einem leicht verzweifelten Blick an, setzte den Rucksack wieder auf und tat wortlos seine Pflicht.

Pleasant Pond ist ein Ferienort. Man hörte das vergnügte Kreischen von Kindern, die keine hundert Meter entfernt im Wasser planschten und schwammen – obwohl wir von dem See selbst durch die Bäume hindurch nichts erkennen konnten. Ohne den Lärm hätten wir gar nicht gemerkt, daß es dort einen See gab, eine ernüchternde Erinnerung daran, wie beklemmend dicht ein Wald sein kann. Hinter dem See erhob sich der Middle Mountain, schlappe 760 Meter hoch, aber in einem steilen Winkel – bei heißem Wetter und einem klobigen Sack hinten drauf, der auf die schwachen Schultern drückt, ist das doppelt so anstrengend. Ich trabte lustlos weiter bis zum Gipfel. Katz fiel sehr schnell weit zurück und kam mit unendlicher Langsamkeit hinterhergeschlurft.

Es war bereits nach sechs, als ich auf der anderen Seite am Fuß des Berges ankam und an einem Flüßchen namens Baker Stream, neben einem grasbewachsenen, kaum benutzten Forstweg, einen guten Lagerplatz für uns fand. Ich wartete ein paar Minuten auf Katz und schlug dann mein Zelt auf. Als er nach 20 Minuten immer noch nicht kam, machte ich mich auf die Suche nach ihm. Es dauerte fast eine Stunde, bis ich ihn schließlich fand; seine Augen waren ganz glasig.

Ich nahm ihm den Rucksack ab und stöhnte bei der nicht ganz unerwarteten Feststellung, daß er einigermaßen leicht war.

»Was ist mit deinem Rucksack passiert?«

»Hab’ ein paar Sachen weggeworfen«, erwiderte er mißmutig.

»Was für Sachen?«

»Klamotten und so.« Er war unsicher, ob er beschämt oder aggressiv reagieren sollte. Er entschied sich für letzteres. »Als erstes diesen blöden Pullover« Wir hatten uns beim Packen etwas über die Notwendigkeit von Wollsachen gestritten.

»Aber es könnte kalt werden. Das Wetter ist wechselhaft in den Bergen.«

»Ja, ja. Wir haben August, Bryson. Falls dir das noch nicht aufgefallen sein sollte.«

Es hatte nicht viel Zweck, mit ihm zu diskutieren. Als wir das Lager erreichten und er sein Zelt aufschlug, warf ich einen Blick in seinen Rucksack. Er hatte fast seine ganze Ersatzkleidung weggeworfen und anscheinend auch einigen Proviant.

»Wo sind die Erdnüsse geblieben?« fragte ich ihn. »Und deine Salami?«

»Wir brauchen den ganzen Scheiß nicht. Es sind doch nur drei Tage bis Monson.«

»Der Proviant war hauptsächlich für die Hundred Mile Wilderness gedacht, Stephen. Wir wissen doch gar nicht, was es für Lebensmittel in Monson gibt.«

»Ach so.« Er sah mich erschrocken und reumütig an. »Ich fand, es war einfach zu viel für drei Tage.«

Ich wühlte verzweifelt in seinem Rucksack, dann suchte ich den Boden ab. »Wo ist deine zweite Wasserflasche?«

Er setzte eine dämliche Miene auf. »Die habe ich weggeworfen.«

»Hast du wirklich deine Wasserflasche weggeworfen?« Das war der reinste Wahnsinn. Wenn man eins beim Wandern im August absolut braucht, dann literweise Trinkwasser.

»Sie war zu schwer.«

»Natürlich ist die schwer. Wasser ist immer schwer. Aber es ist nun mal lebensnotwendig, findest du nicht?«

Er sah mich wieder hilflos an. »Ich mußte etwas Gewicht loswerden. Ich war verzweifelt.«

»Nein. Saublöd.«

»Ja, das auch«, pflichtete er mir bei.

»Wenn du nur nicht immer solchen Scheiß machen würdest, Stephen.«

»Ich weiß«, sagte er bußfertig.

Während Katz weiter sein Zelt aufbaute, ging ich los, um für den nächsten Morgen Wasser zu filtern. Baker Stream war eigentlich ein richtiger Fluß – breit, flach, klar – und sah im Licht des Sommerabends, mit den überhängenden Zweigen im Hintergrund und den letzten Sonnenstrahlen, die auf der Wasseroberfläche funkelten, sehr malerisch aus. Als ich so am Ufer kniete, spürte ich irgend etwas Merkwürdiges – ich weiß nicht was – zwischen den Bäumen links hinter mir, das mich veranlaßte aufzustehen und durch das Gestrüpp am Ufer zu schauen. Weiß der Himmel, was mich dazu trieb, mich umzusehen, denn bei dem melodischen Geplätscher des Flußwassers hätte ich gar nichts hören können – jedenfalls starrte mich aus dem dunklen Unterholz knapp fünf Meter von mir entfernt mit haßerfülltem Blick ein Elch an, voll ausgewachsen, ein Weibchen, wie ich vermutete, da es kein Geweih trug. Offenbar war es auf dem Weg zu seiner Wasserstelle gewesen, als es durch meine Anwesenheit aufgehalten worden war. Jetzt schien es unentschlossen, was es tun sollte.

Mitten im Wald einem wilden Tier, das größer ist als man selbst, von Angesicht zu Angesicht gegenüberzustehen ist eine außergewöhnliche Erfahrung. Man weiß natürlich, daß diese Tiere dort leben, aber man erwartet in keinem Moment, tatsächlich einem zu begegnen, und schon gar nicht, eines aus so unmittelbarer Nähe zu sehen. Dieses hier war so nah, daß ich den Schwarm fliegenähnlicher Insekten erkennen konnte, die seinen Kopf umkreisten. Wir schauten uns minutenlang in die Augen, beide unsicher, wie wir uns verhalten sollten. Es lag etwas Abenteuerliches in dieser Begegnung, das war deutlich zu spüren, aber auch etwas Tiefgründiges und Elementares – eine Art gegenseitige Anerkennung, die ein dauerhafter Blickkontakt mit sich bringt. Das war das Aufregende daran – das Gefühl, daß in unserer behutsamen, gegenseitigen Respektbezeugung gewissermaßen eine Begrüßung zum Ausdruck kam. Ich war hingerissen.

Kurz zuvor hatte ich irgendwo zu meinem Ärger gelesen, daß man in New England wieder angefangen hat, Jagd auf Elche zu machen. Es ist mir ein Rätsel, wie man auf so ein harmloses und zurückhaltendes Tier wie einen Elch schießen kann, aber Tausende von Menschen finden Vergnügen daran, offenbar sogar so viele, daß einige Bundesstaaten dazu übergegangen sind, die Jagdlizenzen zu verlosen. 1996 gingen für die 1.500 in Maine zu vergebenden Jagdscheine 82.000 Anträge ein, und über 12.000 Antragsteller aus anderen Bundesstaaten zahlten bereitwillig 20

Dollar Gebühr nur für die Erlaubnis, überhaupt an der Verlosung teilnehmen zu dürfen.

Die Jäger wollen einem weismachen, Elche seien wilde und bösartige Tiere. Unsinn. Elche sind friedlich wie Kühe, die von einem Dreijährigen am Strick herumgeführt werden. Mehr gibt es dazu nicht zu sagen. Elche sind die seltsamsten Geschöpfe, die je in der Wildnis gelebt haben, und sie sind auf liebenswerte Weise hilflos. Alles an einem Elch – die spindeldürren Beinchen, der typische, unentwegt verwirrte Gesichtsausdruck, das komische, wie zwei Topfhandschuhe geformte Geweih – wirkt wie ein einziger possierlicher Witz der Evolution. Das Tier ist erstaunlich unbeholfen: Es läuft, als wüßte ein Bein nicht, was das andere macht. Was den Elch jedoch besonders auszeichnet, ist der unübertreffliche Mangel an Intelligenz. Wenn man auf einem Highway fährt und unterwegs tritt ein Elch aus dem Wald und stellt sich in den Weg, starrt einen das Tier erstmal minutenlang an – Elche sind bekannt für ihre Kurzsichtigkeit –, dann, urplötzlich, versucht es wegzurennen, jedes Bein in eine andere Richtung. Es spielt keine Rolle, daß sich zu beiden Seiten des Highway Zigtausende Hektar Wald erstrecken. Dem Elch ist das egal. Ahnungslos läuft er zuerst Richtung New Brunswick, bevor ihn seine ungelenken Schritte auf halbem Weg zurück in den Wald treiben, wo er, kaum angekommen, sofort wieder stehenbleibt und seinen gewohnt verwirrten Gesichtsausdruck aufsetzt, als sagte er sich: Hallo, Wald. Wie bin ich bloß hierher gekommen? Elche sind dermaßen konfus im Kopf, daß sie, sobald das Geräusch eines sich nähernden Autos oder Lastwagens zu hören ist, sogar aus dem Wald heraus auf den Highway stürmen, in der Hoffnung, dort vor dem Verkehr sicher zu sein.

Erstaunlicherweise gehört der Elch, trotz seines exorbitanten Mangels an Grips und des eigenartig getrübten Überlebensinstinkts, zu den Tieren in Nordamerika, die am längsten überlebt haben. Außer Elchen tummelten sich früher noch Mastodons, Säbelzahntiger, Wölfe, Karibus, Wildpferde und sogar Kamele im Osten der Vereinigten Staaten, aber alle gingen allmählich ihrer

Ausrottung entgegen, während die Elche einfach weiter durch die Lande trabten. Das war nicht immer so. Schätzungen zufolge lebten um die Jahrhundertwende nur noch ein Dutzend Elche in New Hampshire und in Vermont vermutlich kein einziges Exemplar mehr. Heute gibt es in New Hampshire ungefähr 5.000 Elche, in Vermont etwa 1.000 und in Maine an die 30.000. Diese konstanten beziehungsweise steigenden Zahlen sind der Grund dafür, daß die Tiere wieder zur Jagd freigegeben worden sind. Hierbei gilt es jedoch zweierlei zu bedenken: Zunächst einmal sind die Zahlen reine Spekulation. Elche treten nicht zum Zählappell an. Manche Biologen sind der Ansicht, die Schätzungen könnten bis zu 20 Prozent zu hoch liegen, was bedeuten würde, daß die Jagd keine Auslese wäre, sondern eine pure Metzelei. Nicht weniger relevant ist das Argument, daß es zutiefst und unzweifelhaft unrecht ist, ein so einfältiges und anspruchsloses Tier wie den Elch zu töten. Dieses hier hätte ich mit einer Schleuder erlegen können, mit einem Stein oder einem Stock – wahrscheinlich sogar mit einer zusammengefalteten Zeitung –, dabei wollte es doch nur einen Schluck Wasser trinken. Da kann man doch gleich Jagd auf Kühe machen.

Vorsichtig, um das Tier nicht aufzuschrecken, schlich ich davon, um Katz Bescheid zu sagen. Als wir wiederkehrten, war der Elch ans Wasser getreten und trank ungefähr sieben Meter flußaufwärts. »Meine Güte«, keuchte Katz. Er war begeistert, wie ich zufrieden feststellte. Der Elch schaute zu uns herüber, kam zu dem Schluß, daß wir ihm nichts Böses wollten, und trank weiter. Wir beobachteten das Weibchen noch ein paar Minuten lang, aber die Stechmücken fraßen uns dabei fast auf. Also rissen wir uns von dem Anblick los und kehrten mit einem erhabenen Gefühl zu unserem Zeltlager zurück. Es war wie eine Bestätigung – wir waren jetzt wirklich in der Wildnis angekommen – und eine erfreuliche und angemessene Belohnung für einen Tag der Schinderei.

Wir nahmen unser Abendessen ein, Slim Jims, Rosinen und Snickers, und zogen uns anschließend vor den Dauerattacken der

Mücken in unsere Zelte zurück. Während wir so dalagen, sagte Katz ziemlich fröhlich: »Anstrengender Tag heute. Ich bin geschafft.« Redseligkeit zur Schlafenszeit sah ihm gar nicht ähnlich.

Ein zustimmendes Räuspern meinerseits.

»Ich hatte vergessen, wie anstrengend es ist.«

»Ja, ich auch.«

»Aber die ersten Tage sind immer anstrengend, oder?«

»Ja.«

Er stieß zum Abschluß einen Seufzer aus und gähnte herzhaft. »Morgen wird es besser«, sagte er, immer noch gähnend. Wahrscheinlich sollte das heißen, daß er morgen keine Sachen wegwerfen würde. »Also dann, gute Nacht«, fügte er hinzu.

Ich sah wie gebannt in die Richtung, aus der die Stimme kam. In all den Wochen unserer gemeinsamen Zeltlager war dies das erste Mal, daß er mir eine gute Nacht wünschte.

»Gute Nacht«, sagte ich.

Ich drehte mich auf die andere Seite. Er hatte natürlich recht. Die ersten Tage sind immer schlimm. Morgen würde es bestimmt besser. Minuten später waren wir beide eingeschlafen.

Wir hatten uns beide geirrt. Der nächste Tag fing ganz gut an, mit einem Morgenrot, das heiße Temperaturen versprach. Es war das erste Mal während unserer Wanderung, daß wir bei warmem Wetter aufstanden, und wir freuten uns über diese Premiere. Wir packten unsere Zelte ein, frühstückten Rosinen und Snickers und brachen auf. Um neun Uhr stand die Sonne bereits hoch und knallte erbarmungslos auf uns nieder. Normalerweise ist es im Wald selbst an heißen Tagen einigermaßen kühl, aber heute war die Luft stickig und feucht, geradezu tropisch. Zwei Stunden nach unserem Aufbruch kamen wir an eine schätzungsweise knapp einen Hektar große Lagune voller Schilf, umgestürzter Baumstämme und den nackten Rümpfen abgestorbener Bäume. Libellen tanzten auf der Wasseroberfläche. Am anderen Ufer erhob sich ein gigantischer Koloß, der Moxie Bald Mountain, und wartete auf uns. Aber zunächst stellten wir mit großer Beunruhigung fest, daß der Weg am Rand des Sees abrupt endete. Katz und ich sahen uns an – hier konnte etwas nicht stimmen. Zum ersten Mal seit damals in Georgia fragten wir uns ernsthaft, ob wir uns verirrt hatten. (Wer weiß, wie sich Chicken John in so einer Situation verhalten hätte.) Wir gingen den gleichen Weg ein gutes Stück zurück, überprüften irritiert unsere Karte und unseren Trail-Führer, suchten nach einer Alternativroute um den See herum, durch das dichte, die Haut aufschürfende Unterholz, und gelangten schließlich zu der Erkenntnis, daß man offenbar von uns erwartete, daß wir den See durchquerten. Katz entdeckte auf der gegenüberliegenden Seite, knapp 80 Meter entfernt, die Fortsetzung des Wegs und das typische weiße Wanderzeichen des Appalachian Trail. Wir mußten also durch das Wasser waten.

Katz ging voraus, barfuß und in Boxershorts, nahm einen langen Stock zur Hilfe und stakte damit durch das Gewirr von halb unter, halb über Wasser liegenden Baumstämmen. Ich folgte ihm in gebührendem Abstand auf die gleiche Weise und achtete darauf, daß ich mit meinem Gewicht nicht einen Baumstamm belastete, auf dem er gerade ging. Die Stämme waren mit einer dicken Moosschicht bedeckt und schnellten hoch oder drehten sich, wenn man auf sie trat. Zweimal wäre Katz beinahe gestürzt. Nach ungefähr 25 Metern verlor er gänzlich den Halt und fiel platschend, mit rudernden Armen und lautem Wehgeschrei in das trübe Wasser. Er tauchte vollständig unter, tauchte auf, ging wieder unter und kam heftig strampelnd und mit den Armen fuchtelnd hoch, so daß ich im ersten Moment dachte, er würde ertrinken. Das Gewicht seines Rucksacks zog ihn nach hinten und hinderte ihn daran, sich aufzurichten oder wenigstens den Kopf über Wasser zu halten. Ich wollte gerade meinen eigenen Rucksack absetzen und mich in die Fluten stürzen und ihm zur Hilfe eilen, als Katz einen Baumstamm zu fassen bekam und sich an ihm in eine aufrechte Haltung hochzog. Das Wasser reichte ihm bis zur Brust. Er klammerte sich an den Baumstamm, keuchte schwer vor Anstrengung, wieder zu Atem zu kommen und sich zu beruhigen. Er hatte offenbar einen gehörigen Schrecken bekommen.

»Geht es wieder?« fragte ich ihn.

»Alles prima«, erwiderte er. »Alles prima. Ich frage mich nur, warum sie hier keine Krokodile ausgesetzt haben, dann wäre es wenigstens ein richtiger Abenteuerurlaub.«

Ich kämpfte mich weiter vorwärts, aber nach wenigen Schritten fiel ich auch ins Wasser. Es gab ein paar Momente, da sah ich die Welt, surreal und wie in Zeitlupe, aus der ungewöhnlichen Perspektive eines Tauchers, während sich meine Hand verzweifelt nach einem Baumstamm ausstreckte, ihn aber knapp verfehlte – all das geschah in einer seltsamen Stille, wie in einer Blase –, bevor Katz mir mit schaufelnden Bewegungen zur Hilfe eilte, mich zurück in die Welt des Lichts und der Geräusche zog und auf die Beine stellte. Ich war erstaunt, wie kräftig er war.

»Danke«, prustete ich.

»Keine Ursache.«

Wir wateten mit schweren Schritten ans andere Ufer, fielen abwechselnd hin und halfen uns gegenseitig wieder auf die Beine, krochen die matschige Böschung hoch, halb verrottete Pflanzen im Schlepptau und mit triefenden Rucksäcken. Wir setzten unsere Last ab und ließen uns völlig durchnäßt und erledigt auf dem Boden nieder und schauten hinaus auf die Lagune, als hätte diese uns soeben einen bitterbösen Streich gespielt. Ich wüßte nicht, wann ich mich je so früh am Tag so erschöpft gefühlt hatte. Plötzlich hörten wir Stimmen, und zwei junge Hiker, locker, flockig und ziemlich sportlich, traten aus dem Wald hervor. Sie begrüßten uns mit einem Kopfnicken und schauten abschätzend auf das Wasser.

»Da müßt ihr wohl oder übel durch«, sagte Katz.

Einer der beiden sah ihn erstaunt, aber nicht unfreundlich an. »Seid ihr das erste Mal in dieser Gegend?« fragte er.

Wir nickten.

»Ich will euch ja nicht den Mut nehmen, aber ihr habt gerade erst damit angefangen, naß zu werden.«

Mit diesen Worten hoben die beiden ihre Rucksäcke über den Kopf, wünschten uns alles Gute und stiegen ins Wasser. Sie wateten geschickt in knapp 30 Sekunden hindurch – Katz und ich hatten dafür die gleiche Anzahl von Minuten gebraucht –, stiegen am anderen Ufer heraus, als hätten sie ein Fußbad genommen, setzten die trockenen Rucksäcke wieder auf, winkten kurz zu uns herüber und verschwanden.

Katz holte einmal tief und bedächtig Luft – es war teils ein Seufzer, teils die Freude über die Fähigkeit, wieder atmen zu können. »Ich will nicht destruktiv sein, Bryson, wirklich nicht, das schwöre ich dir, aber ich weiß nicht, ob ich für so etwas der Richtige bin. Könntest du deinen Rucksack einfach so über den Kopf halten?«

»Nein.«

Mit dieser Vorahnung setzten wir uns die Rucksäcke wieder auf und stapften klatschnaß den Moxie Bald Mountain hinauf.

Die Wanderung entlang des Appalachian Trail ist das Anstrengendste, was ich je unternommen habe, und der Abschnitt in Maine war bei weitem der anstrengendste Teil. Das lag zum einen an der Hitze. Maine, das zu den Bundesstaaten mit eher gemäßigtem Klima zählt, wurde gerade von einer mörderischen Hitzewelle überrollt. In der sengenden Sonne strahlten die schattenlosen Granitflächen des Moxie Bald eine wahre Gluthitze ab, und selbst im Wald war die Luft drückend und feucht, als hauchten uns die Bäume und Blätter ihren heißen Atem entgegen. Wir schwitzten wie die Tiere und schütteten Unmengen von Wasser in uns hinein, hatten aber trotzdem permanent Durst. Manchmal war Wasser im Überfluß vorhanden, aber meistens gab es über weite Strecken keinen einzigen Tropfen, so daß wir nie sicher sein konnten, wieviel wir vernünftigerweise zu uns nehmen konnten, ohne später knapp dran zu sein. Selbst bei vollem Vorrat machte es sich jetzt bemerkbar, daß Katz eine Flasche weggeworfen hatte. Zu alldem kamen noch die erbarmungslosen Insekten, das beunruhigende Gefühl der Abgeschiedenheit und das schwierige Gelände hinzu.

Katz reagierte darauf so, wie ich es vorher noch nicht bei ihm erlebt hatte. Er zeigte eine verbissene Entschlossenheit, als gäbe es nur eine Möglichkeit, mit diesem Problem fertig zu werden: Augen zu und durch.

Am nächsten Morgen gelangten wir in aller Frühe an den ersten von mehreren Wasserläufen, die wir durchqueren mußten. Er hieß Bald Mountain Stream, aber in Wahrheit handelte es sich um einen richtigen Fluß – breit, bewegt und im Flußbett übersät mit großen Steinbrocken. Er hatte etwas sehr Einnehmendes an sich – die Oberfläche glitzerte in der Morgensonne wie Tausende von Pailletten, und das Wasser war unglaublich klar –, aber es herrschte eine starke Strömung, und vom Ufer aus konnte man nicht erkennen, wie tief er in der Mitte war. Es gab einige größere Flüsse in der Nähe, zu denen mein *Appalachian Trail Guide to Maine* naiv meinte, es sei »schwierig oder gefährlich, sie bei Hochwasser zu durchqueren«. Ich beschloß, diese Information lieber nicht an Katz weiterzugeben.

Wir zogen Schuhe und Strümpfe aus, krempelten die Hosenbeine hoch und stiegen vorsichtig in das eisige Wasser. Die Steine auf dem Grund hatten alle möglichen Größen und Formen – flach, eiförmig, rund – und drückten hart gegen die Fußsohlen, sie waren mit einer glitschigen, grünlichen Schicht bedeckt, die unglaublich rutschig war. Ich hatte noch keine drei Schritte getan, als ich ausglitt und schmerzhaft auf dem Hintern landete. Ich rappelte mich halbwegs hoch, rutschte aber wieder aus und stürzte erneut, taumelte ein, zwei Meter seitwärts, kippte dann hilflos vornüber, konnte mich mit den Händen auffangen und hockte schließlich auf allen vieren wie ein Hund im Wasser. Beim Aufprall rutschte mir der Rucksack über den Kopf, und die Schuhe, die ich mit den Schnürsenkeln an das Rucksackgestell gebunden hatte, wurden in eine Art Umlaufbahn geschleudert. Sie flogen in einem großen eleganten Bogen seitlich am Rucksack vorbei, stießen gegen meinen Schädel, knallten aufs Wasser auf und schaukelten dann in der Strömung. Während ich dasaß und mir einredete, daß dies alles eines schönen Tages nur noch Erinnerung sein würde, kamen zwei Burschen, die aussahen wie

Klone der beiden jungen Männer vom Vortag, selbstsicheren Schrittes und Wasser spritzend vorbeigeschlendert, ihre Rucksäcke über ihre Köpfe haltend.

»Hingefallen?« sagte der eine munter.

»Nein. Ich wollte mir nur mal das Wasser von unten ansehen.« Schlaumeier.

Ich ging zurück ans Ufer, zog meine durchweichten Schuhe an und stellte fest, daß es deutlich einfacher war, den Fluß mit festem Schuhwerk statt barfuß zu durchqueren. Ich konnte mich einigermaßen aufrecht halten, und die Steine schmerzten auch nicht mehr so wie vorhin an den nackten Füßen. Ich ging vorsichtig, überrascht von der starken Strömung in der Mitte – jedesmal, wenn ich ein Bein hob, wollte der Wasserdruck es weiter stromabwärts absetzen, so als gehörte es zu einem Klapptisch –, aber der Fluß war an keiner Stelle tiefer als einen knappen Meter, und ich gelangte ohne einen weiteren Sturz ans andere Ufer.

Katz hatte in der Zwischenzeit eine andere Methode entdeckt, den Fluß zu durchqueren. Er benutzte die Brocken im Wasser als Trittsteine, fiel aber zum Schluß mitten in einen tosenden Strudel an einer Stelle, die ziemlich tief aussah. Er stand da, die Stirn in Falten. Ich konnte mir beim besten Willen nicht erklären, wie er dahingeraten war – der Brocken ragte einsam aus der weiten Wasserfläche heraus, um ihn herum lauter gefährliche Stromschnellen. Katz wußte nicht ein noch aus. Er versuchte, sich langsam in das silbrig schimmernde Wasser hinabzulassen und die letzten zehn Meter zum Ufer zu waten, wurde aber auf der Stelle wie ein Spielzeugboot weggeschwemmt. Zum zweiten Mal innerhalb von 48 Stunden dachte ich, er würde ertrinken – er machte jedenfalls einen ziemlich hilflosen Eindruck –, aber die Strömung trieb ihn zu einer seichten Stelle mit glitzernden Kieselsteinen sechs Meter stromabwärts, wo er Wasser spuckend auf alle viere kam, ans Ufer kroch und gleich weiter in den Wald stiefelte, ohne einen Blick zurückzuwerfen, als handele es sich um die normalste Sache der Welt.

Und so ging es im Eiltempo bis nach Monson, über einen beschwerlichen Pfad und durch noch mehr Flüsse. Unterwegs sammelten wir Narben und Schrammen auf unserer Haut, und die Insektenstiche verwandelten unseren Rücken in eine Reliefkarte. Am dritten Tag kamen wir wie benommen vor lauter Wald und verdreckt an eine sonnenbeschienene Straße, die erste seit Caratunk. Das letzte Stück bis zu dem verlassenen Flecken Monson war ein Sommerspaziergang. Unweit vom Zentrum des Städtchens befand sich ein altes, mit Schindeln verkleidetes Haus. Im Vorgarten stand eine bemalte Holzskulptur, ein bärtiger Hiker, der ein Schild trug: »Willkommen bei Shaw's.«

Das Shaw's ist das berühmteste Gästehaus am Appalachian Trail, zum einen, weil es die letzte zivilisierte Rast für jeden ist, der sich auf die Hundred-Mile-Wilderness-Tour begibt, und umgekehrt die erste, für alle, die sie gerade hinter sich gelassen haben, zum anderen aber auch, weil in dem Haus eine freundliche Atmosphäre herrscht und es preisgünstig ist. Für 28 Dollar pro Person bekamen wir ein Zimmer, Abendessen und Frühstück und konnten dazu kostenlos Dusche, Waschmaschine und den Aufenthaltsraum benutzen. Das Haus wird von Keith und Pat Shaw geführt. Die Gründung ihrer Herberge vor 20 Jahren verdankten die beiden einem Zufall. Keith brachte eines Tages einen ausgehungerten Wanderer mit nach Hause, der später weitererzählte, wie nett man ihn hier aufgenommen hatte. Bereits wenige Wochen danach, berichtete Keith stolz, als wir uns ins Gästebuch eintrugen, hätten sie den zwanzigtausendsten Hiker begrüßen können.

Es war noch eine Stunde Zeit bis zum Abendessen. Katz lieh sich fünf Dollar von mir – für Limonade, wie ich annahm – und verschwand auf sein Zimmer. Ich duschte, stopfte einen Haufen Wäsche in die Maschine und ging nach draußen auf den Rasen vor dem Haus, wo ein paar robuste Gartenstühle standen, auf die ich meinen müden Leib zu betten gedachte. Ich wollte mir eine Pfeife anzünden und mich der glückseligen Behaglichkeit eines sommerlichen Spätnachmittags und der angenehmen Vorfreude auf ein wohlverdientes Abendessen hingeben. Aus einem Fenster in der Nähe hörte ich das Klappern von Pfannen, wenig später ein Brutzeln. Ich wußte nicht, was dort gebraten wurde, aber es roch lecker.

Nach einer Minute trat Keith vor die Tür und setzte sich zu mir. Keith war ein alter Mann, weit über 60, er hatte fast keine Zähne mehr und einen Körper, der so aussah, als hätte er schon so manches aushalten müssen. Keith war ziemlich nett.

»Du hast doch hoffentlich nicht den Hund gestreichelt, oder?« sagte er.

»Nein.« Ich hatte das Tier vom Fenster aus gesehen, ein häßlicher, bösartiger Mischling, der auf der Rückseite des Hauses angebunden war und sich bei jedem Geräusch und jeder kleinsten Bewegung im Umkreis von 100 Metern unangemessen in Rage kläffte.

»Nicht, daß du auf die Idee kommst, ihn zu streicheln. Laß dir das gesagt sein: bloß nicht den Hund streicheln. Gerade letzte Woche hat einer ihn gestreichelt, obwohl ich ihn gewarnt hatte. Der Hund hat ihm in die Eier gebissen.«

»Wirklich?«

Er nickte. »Er wollte gar nicht wieder loslassen. Du hättest den Kerl jaulen hören sollen.«

»Wirklich?«

»Ich mußte dem Hund eins mit der Hake überbraten, damit er losließ. Glaub mir, das ist der gemeinste Scheißköter, den ich je gesehen habe.«

»Und wie ist es dem armen Kerl ergangen?«

»Na ja, gefreut hat er sich nicht gerade darüber, das kann ich dir sagen.« Er kratzte sich nachdenklich am Hals, als fiele ihm ein, daß er sich demnächst mal wieder rasieren müßte. »War auch noch ein Weitwanderer. Ist den ganzen Weg von Georgia bis hierher zu Fuß gegangen. Ziemlich weit, um sich seine Eier anknabbern zu lassen.« Mit diesen Worten stand er auf, um nach dem Abendessen zu sehen.

Das Abendessen wurde an einem langen Eßtisch serviert, und es wurde großzügig aufgetragen, Platten mit Fleisch, Schüsseln mit Kartoffelpüree und Maiskolben, ein windschiefer Holzteller mit Brot und ein Napf mit Butter. Katz kam etwas später dazu, frisch geduscht und rundum zufrieden. Er wirkte außergewöhnlich, fast übertrieben energiegeladen und kitzelte mich beim Vorübergehen spontan am Rücken, was überhaupt nicht seine Art war.

»Geht's gut?« fragte ich.

»Mir ist es noch nie so gut gegangen, mein alter Wanderfreund, noch nie.«

Es setzten sich noch zwei andere Gäste zu uns an den Tisch, ein niedliches, etwas verschüchtert wirkendes und irgendwie züchtiges Pärchen, beide sonnengebräunt und kräftig und ebenfalls frisch geduscht. Katz und ich begrüßten sie mit einem Lächeln und fingen an, unsere Teller vollzuladen, als wir merkten, daß die beiden ein Tischgebet murmelten. Es schien kein Ende zu nehmen. Wir fingen trotzdem an zu essen.

Es schmeckte phantastisch. Keith agierte als Kellner und bestand darauf, daß wir reichlich aßen. »Wenn ihr es nicht eßt, kriegt es der Hund«, sagte er. Das Vieh ließ ich nur zu gern hungern.

Die beiden jungen Leute waren Weitwanderer aus Indiana und am 28. März am Springer Mountain aufgebrochen – ein Datum, das jetzt, in der sommerlichen Hitze eines Augustabends, unendlich weit entfernt war und irgendwie nach Schnee roch – und waren 141 Tage am Stück gewandert. Sie hatten 3.291,82 Kilometer zurückgelegt und noch 184,9 Kilometer vor sich.

»Dann habt ihr es ja bald geschafft«, sagte ich, nur um ein Gespräch anzuknüpfen.

»Ja«, antwortete die Frau. Sie sagte es betont langsam, fast in zwei Silben, als wäre ihr der Gedanke noch nie vorher gekommen. Ihre Art hatte etwas heiter Unbekümmertes an sich.

»Habt ihr je daran gedacht aufzugeben?«

Die Frau überlegte einen Moment lang. »Nein«, lautete die schlichte Antwort.

»Wirklich nicht?« Ich fand das erstaunlich. »Habt ihr nie gedacht: meine Güte, es reicht. Ich kann einfach nicht mehr. Ich will nicht mehr. Ich habe keine Lust mehr?«

Sie überlegte wieder, wobei leichte Panik sie erfaßte. Das waren Fragen, über die sie sich offenbar bisher noch nie den Kopf zerbrochen hatte.

Ihr Freund eilte ihr zur Hilfe. »Es gab am Anfang ein paar schwierige Phasen«, sagte er, »aber wir haben unser ganzes Vertrauen auf Gott gesetzt, und Sein Wille geschah.«

»Lobet den Herrn«, flüsterte die Frau fast unhörbar.

»Ach so«, sagte ich und nahm mir vor, unbedingt meine Zimmertür abzuschließen, wenn ich nachher ins Bett ging.

»Und gesegnet sei Allah für das Kartoffelpüree«, sagte Katz vergnügt und lud sich zum dritten Mal auf.

Nach dem Abendessen schlenderten Katz und ich ein Stück die Straße hinunter zu einem kleinen Lebensmittelladen, um Proviant für die Hundred-Mile-Wilderness-Tour zu kaufen, zu der wir morgen aufbrechen wollten. Katz benahm sich irgendwie komisch in dem Laden. Er wirkte einigermaßen munter, aber auch abwesend und unruhig. Wir mußten immerhin für zehn Tage in der Wildnis einkaufen, eine ziemlich ernste Angelegenheit, aber er war nicht gewillt, sich zu konzentrieren, und spazierte einfach weiter oder holte lauter unpassende Sachen aus den Regalen, wie Chilisoße und Büchsenöffner.

»He, wie wär's mit einem Sechserpack Bier«, sagte er plötzlich in Partylaune.

»Komm, Stephen, bleib doch mal bei der Sache«, sagte ich. Ich begutachtete gerade die Käsesorten.

»Ich bin bei der Sache.«

»Willst du lieber Cheddar oder Colby?«

»Mir egal.« Er schlenderte zum Bierregal und kam mit einem Sechserpack Budweiser unterm Arm zurück.

»Na, was hältst du von einem Sechserpack Budweiser. Ein Sechserpack Bud, Buddy?« Er stupste mich in die Seite, um mich auf seinen Wortwitz aufmerksam zu machen.

Ich zuckte vor dem Stupser zurück, abgelenkt von anderen Dingen. »Hör auf, so rumzualbern, Stephen.« Ich war zu dem Regal mit Süßigkeiten und Plätzchen weitergegangen und überlegte, was wohl zehn Tage halten würde, ohne daß es unterwegs zu einer klebrigen Masse zerschmolz oder völlig zerbröselt würde. »Willst du Snickers, oder möchtest du mal was anderes ausprobieren?« fragte ich.

»Ich will Budweiser.« Er grinste, doch als er merkte, daß ich nicht darauf eingehen würde, bekam seine Stimme plötzlich einen eindringlichen, flehentlicheren Tonfall. »Bitte, Bryson, kannst du mir« – er sah auf das Preisschild – »vier Dollar und 79 Cents leihen? Ich bin pleite.«

»Was ist denn mit dir los, Stephen? Stell das Bier weg. Was ist überhaupt mit den fünf Dollar, die ich dir eben gegeben habe?«

»Schon ausgegeben.«

»Wofür?« Plötzlich fiel es mir wie Schuppen von den Augen. »Du hast wieder getrunken, stimmt's?«

»Nein«, sagte er entrüstet, als müßte er eine ungeheuerliche und verleumderische Unterstellung zurückweisen.

Er war betrunken, jedenfalls fast. »Doch, das stimmt«, sagte ich völlig baff.

Er seufzte und verdrehte leicht die Augen. »Vier halbe Michelob. Was ist das denn schon?«

»Du hast wieder getrunken.« Ich war bestürzt. »Wann hast du wieder damit angefangen?«

»In Des Moines. Nur ein bißchen. Ein paar Bierchen nach der Arbeit, mehr nicht. Kein Grund zur Aufregung.«

»Du weißt doch, daß du nicht trinken darfst, Stephen.«

Das wollte er nicht hören. Er sah aus wie ein vierzehnjähriger Junge, dem man gesagt hat, er soll sein Zimmer aufräumen. »Erspar dir deine Belehrungen, Bryson.«

»Ich kaufe dir kein Bier«, sagte ich ruhig.

Er grinste wieder, als sei ich die Tugend in Person. »Mach schon. Ich will doch nur ein Sechserpack.«

»Nein!«

Ich war wütend, stinksauer – seit Jahren war ich nicht mehr so wütend über etwas gewesen. Ich konnte nicht fassen, daß er wieder angefangen hatte zu trinken. Es kam mir vor wie ein gemeiner, törichter Verrat – an sich selbst, an mir, an unserer gemeinsamen Unternehmung.

Katz sah mich immer noch mit einem schelen Grinsen an, aber es stimmte nicht mehr mit seinen Gefühlen überein. »Du willst mir also kein Bier ausgeben – nach allem, was ich für dich getan habe?«

Das war ein ziemlicher Tiefschlag. »Nein.«

»Dann leck mich doch am Arsch«, sagte er, machte auf dem Absatz kehrt und ging raus.

20. Kapitel

Das trübte natürlich die Stimmung, wie man sich vorstellen kann. Wir sprachen nicht mehr darüber, aber es stand immer zwischen uns. Beim Frühstück wünschten wir uns gegenseitig guten Morgen, wie üblich, aber ansonsten wechselten wir kein Wort miteinander. Als wir uns kurz darauf neben dem Wagen von Keith einfanden, der versprochen hatte, uns zum Startpunkt des Trails zu bringen, standen wir verlegen schweigend da, wie zwei Kontrahenten in einem Rechtsstreit, die gleich vor ihren Richter geführt werden sollen.

Am Waldrand, wo wir ausstiegen, war ein Schild aufgestellt, das besagte, hier sei der Anfang der Hundred Mile Wilderness, und es folgte eine ausführliche, sehr nüchtern formulierte Warnung, daß das, was vor einem läge, kein gewöhnlicher Abschnitt des Appalachian Trail sei und daß man nur weitermachen solle, wenn man Proviant für zehn Tage dabeihabe und sich fühle wie die Leute in einem Patagonia-Werbespot.

Die Warnung verlieh dem Wald etwas Geheimnisvolles, Düsteres. Er war zweifellos anders als die Wälder weiter südlich – dunkler, schattiger, eher schwarz als grün. Hier standen auch andere Bäume – in den tieferen Lagen mehr Nadelbäume und sehr viel mehr Birken –, und verstreut im Unterholz lagen runde, schwarze Felsen, wie schlafende Tiere, die den stillen Schlupfwinkeln etwas Gespenstisches gaben. Als Walt Disney aus der Geschichte von *Bambi* einen Film machte, sollen die Bilder nach Vorlagen der Great North Woods in Maine entstanden sein, aber das hier war eindeutig kein Wald à la Disney, mit weiten Tälern und niedlichen Tieren. Dieser Wald erinnerte eher an den aus dem Film *Der Zauberer von Oz*, wo die Bäume häßliche Fratzen tragen und einem feindselig gesonnen sind und wo jeder Schritt

Gefahr bedeutet. Das hier war ein Wald wie geschaffen für Bären, die hinter Bäumen lauern, Schlangen, die von Ästen herabbaumeln, Wölfen mit laserstrahlroten Augen, ein Wald voller seltsamer Geräusche, voller Schrecken – ein Ort, »an dem die Nacht haust«, wie Thoreau es so treffend ausgedrückt hat.

Wie üblich war der Trail sehr gut markiert, nur an manchen Stellen war er fast überwuchert von Farnkräutern und Buschwerk, das von den Wegrändern auf die Mitte hin zuwuchs und den eigentlichen Pfad auf eine kaum erkennbare Linie am Waldboden reduzierte. Da nur 10 Prozent der Weitwanderer es bis hierher schaffen und dieser Abschnitt für eine Tagestour zu weit entfernt ist, wird der Trail in Maine kaum frequentiert, so erobern die Pflanzen ihn wieder zurück. Was diesen Abschnitt des Trails allerdings besonders von den anderen unterscheidet, ist das Gelände. Im Profil sieht die Topographie des AT auf dem 29 Kilometer langen Abschnitt zwischen Monson und Barren Mountain recht anspruchslos aus, zieht sich in einer mehr oder weniger gleichbleibenden Höhe von 365 Metern hin, mit nur wenigen steilen An- und Abstiegen. In Wahrheit ist der Weg die Hölle.

Bereits nach einer halben Stunde kamen wir an eine Felswand, die erste von vielen, ungefähr 120 Meter hoch. Der Weg führte an der Vorderseite über eine Art Rinne nach oben, die wie ein Aufzugschacht aussah. Der Hang ragte fast senkrecht auf. Ein Grad mehr, und man hätte von einer Kletterwand sprechen müssen. Langsam und mühselig bahnten wir uns den Weg über Streinbrocken und zwischen ihnen hindurch, wobei wir Hände und Füße benutzten. Zu den Strapazen kam noch die schier unerträgliche Hitze. Ich mußte alle zehn, zwölf Meter anhalten, verschnaufen und mir den beißenden Schweiß aus den Augen wischen. Mir war schrecklich heiß, ich war schweißgebadet, geradezu in Schweißtücher gewickelt. Ich trank während des Aufstiegs meine Wasserflasche dreiviertel leer und benetzte mit dem Rest mein Stirnband, das ich mir zur Kühlung meines Kopfes, in dem es wie rasend hämmerte, umgebunden hatte. Ich fühlte mich überhitzt, und mir war schwindlig. Das konnte gefährlich werden. Ich legte häufigere und längere Ruhepausen ein, um mich zu erfrischen, aber jedesmal, wenn ich mich wieder erhob, kam die nächste Hitzewelle über mich. Ich hatte noch nie so hart und mühsam ackern müssen, um ein Hindernis auf dem Appalachian Trail zu überwinden, und das war gerade mal das erste von vielen, die noch folgen sollten.

Oben lag ein mehrere hundert Meter langer, kahler, sanft abfallender Granitfels vor uns. Es war, als würde man auf dem Rücken eines Wals spazierengehen. Von jedem Gipfel aus bot sich ein sensationeller Ausblick – ein wogender grüner Wald, klare blaue Seen und einsame erhabene Berge, soweit das Auge reichte. Viele Seen waren riesig, und in den meisten hatte vermutlich noch nie ein Mensch gebadet. Ich hatte das wohlige Gefühl, in einen verborgenen Winkel der Erde einzudringen, aber bei dieser mörderischen Hitze konnte man sich diesem Gefühl unmöglich ganz hingeben.

Danach folgte ein schwieriger und zermürbender Abstieg über eine Felsklippe auf der anderen Seite, dann ein kurzer Gang durch ein dunkles Tal, das uns zur nächsten Felswand brachte. So verging der Tag mit gewaltigen Kletterpartien und der Hoffnung auf Wasser hinter dem nächsten Berg. Hauptsächlich diese Hoffnung hielt uns aufrecht. Katz hatte sein Wasser sehr schnell aufgebraucht; ich bot ihm von meinem an, was er dankbar und mit einem Blick, der um Waffenstillstand bat, annahm. Aber es lag noch immer etwas Unausgesprochenes zwischen uns, das schale Gefühl, daß sich etwas verändert hatte und daß es nie wieder so sein würde wie vorher.

Es war meine Schuld. Ich ging stur weiter, viel weiter als wir normalerweise gegangen wären und ohne mich mit ihm abzusprechen. Es war die heimliche Strafe dafür, daß er das Gleichgewicht zwischen uns zerstört hatte, und Katz ertrug sie schweigend und bußfertig. Wir legten 22,5 Kilometer zurück, eine ungewöhnlich weite Strecke unter diesen Umständen. Wir hätten auch noch weiter gehen können, aber um halb sechs kamen wir an einen breiten Fluß, Wilber Brook, wo wir Halt machten. Wir waren zu müde, um ihn zu durchqueren – das heißt, ich war zu müde –, und es wäre nicht klug gewesen, die Gefahr einzugehen, so kurz vor Sonnenuntergang noch einmal ganz naß zu werden. Wir schlugen unser Lager auf und verzehrten unseren Proviant ohne Freude und mit bemühter Höflichkeit. Selbst wenn keine Verstimmung zwischen uns geherrscht hätte, wäre kaum gesprochen worden, dazu waren wir viel zu müde. Es war ein langer Tag gewesen, der anstrengendste der ganzen Tour, und der Gedanke, daß wir noch 136 Kilometer vor uns hatten, bis wir den Laden am Zeltplatz von Abol Bridge erreichen würden, und 160 Kilometer bis zu dem herausfordernden Massiv von Katahdin, schwebte wie ein Damoklesschwert über uns.

Aber auch dort gab es keine Aussicht auf irgendwelche Annehmlichkeiten. Katahdin liegt im Baxter State Park, der sich mit trotzigem Stolz dem Ideal der Ursprünglichkeit und Entbehrung verschrieben hat. Es gibt keine Restaurants und keine Hütten, keine Souvenirläden und Imbißstände, nicht mal eine asphaltierte Straße oder einen öffentlichen Fernsprecher. Der Park selbst liegt in einer gottverlassenen Gegend, einen Zwei-Tages-Marsch von Millinocket, der nächsten Stadt, entfernt. Es konnte zehn bis elf Tage dauern, bis wir wieder eine richtige Mahlzeit zu uns nehmen und in einem richtigen Bett schlafen würden. Das war noch ganz schön lange hin.

Am nächsten Morgen wateten wir schweigend durch den Fluß – mittlerweile hatten wir Übung darin – und machten uns an den langen, sanften Aufstieg zum Dach der Barren-Chairback-Range, einer sich über 24 Kilometer hinziehenden zerklüfteten Gipfelkette, die wir überqueren mußten, um zu dem etwas sanfteren Abschnitt im Tal des Pleasant River dahinter zu gelangen. Auf der Karte waren nur drei kleine Gletscherseen eingezeichnet, Überreste der Eiszeit, allesamt abseits des Trails; sonst gab es nicht den geringsten Hinweis auf andere Wasserreservoirs. Mit nicht einmal vier Litern für uns beide und bei den hohen Temperaturen bereits am frühen Morgen versprach die Kraxelei von einer Wasserquelle zur nächsten recht ungemütlich zu werden.

Der Aufstieg zum Barren Mountain war eine mühselige Schinderei, auf weiten Strecken steil, und es war heiß, aber wir beide schienen auch an Kraft zu gewinnen. Selbst Katz ging die Sache relativ beschwingt an. Dennoch brauchten wir fast den ganzen Morgen für die 7,24 Kilometer dort hinauf. Ich erreichte den Gipfel etwas eher als Katz. Der Granitstein war von der Sonne so aufgewärmt, daß er zu heiß zum Sitzen war, aber es ging ein leichter Wind – der erste seit Tagen –, und ich fand eine schattige Stelle unter einem ausgedienten Beobachtungsturm. Es war das erste Mal seit Wochen, wenigstens kam es mir so vor, daß ich mal wieder einen einigermaßen bequemen Platz gefunden hatte. Ich lehnte mich zurück und hatte ein Gefühl, als könne ich monatelang schlafen. Katz kam zehn Minuten später, schwer keuchend, aber zufrieden, daß er es bis hier geschafft hatte. Er ließ sich auf einem Stein neben mir nieder. Ich hatte noch ein Restchen Wasser übrig und reichte Katz meine Flasche. Er trank einen bescheidenen Schluck und wollte mir die Flasche zurückgeben.

»Trink aus«, sagte ich, »du hast sicher Durst.«

»Danke.« Er trank einen noch bescheideneren Schluck als vorher und stellte die Flasche ab. Er blieb eine Weile ruhig sitzen und holte dann ein Snickers hervor, brach den Riegel in zwei Stücke und gab mir die eine Hälfte. Es war eine komische Geste. Ich hatte selbst genug Snickers dabei, und das wußte er auch, aber er hatte sonst nichts, was er mit mir teilen konnte.

»Danke«, sagte ich.

Er biß einen Happen von dem Riegel ab, kaute eine Minute lang und sagte dann ganz unvermittelt: »Freundin und Freund unterhalten sich. Sagt die Freundin zu dem Freund, ›Wie schreibt man eigentlich Pädophilie, Jimmy?‹ Der Freund sieht sie erstaunt an. ›Meine Güte‹, sagt er, ›das ist aber ein ziemlich langes Wort für eine Achtjährige.‹«

Ich lachte.

»Tut mir leid wegen neulich abend«, sagte Katz.

»Mir auch.«

»Ich bin nur einfach etwas … Ich weiß auch nicht.«

»Ich weiß.«

»Manchmal ist es ganz schön schwer für mich«, fuhr er fort. »Ich gebe mir Mühe, Bryson, wirklich, aber ...« Er unterbrach sich und zuckte nachdenklich mit den Achseln, er wirkte ziemlich hilflos. »Das ist eben dieses Loch in meinem Leben, das früher das Trinken ausgefüllt hat.« Er bewunderte die Aussicht, die übliche grüne Unendlichkeit des Waldes, die Seen, die in dem warmen Dunst schimmerten. Etwas an seinem Blick – fixiert auf einen Punkt irgendwo in der Ferne – ließ mich vermuten, daß er zum Ende gekommen war, aber dann fuhr er fort. »Als ich nach Des Moines zurückging, um den Job auf dem Bau anzunehmen, zog die ganze Kolonne jeden Tag nach Feierabend geschlossen in die Kneipe gegenüber. Sie haben mich jedesmal eingeladen mitzukommen, aber ich habe immer geantwortet« – er hob beide Hände und sagte mit tiefer Stimme und im Ton aufrechter Überzeugung – »›Nein, Jungs, ich bin geheilt.‹ Statt dessen bin ich nach Hause gegangen, in meine kleine Wohnung, habe mir irgendein Fertiggericht gekocht und kam mir richtig anständig vor. So soll es ja auch sein. Aber ich sage dir, wenn man das jeden Tag macht, fällt es einem schwer, sich einzureden, man würde ein ausgefülltes und aufregendes Leben führen. Das persönliche Stimmungsbarometer schlägt nicht gerade bis zum orgiastischen Bereich aus, nur weil man sich sein eigenes Fertiggericht kocht. Verstehst du, was ich meine?«

Er warf mir einen Blick zu und sah, daß ich nickte.

»Und so kam es, daß mich die Kollegen eines Tages wieder zum x-ten Mal einluden, und ich dachte: Ach, Scheiße, was soll's, kein Gesetz verbietet mir, so wie jeder andere auch in eine Kneipe zu gehen. Also ging ich mit, trank meine Cola, und alles war in Ordnung. Es war schön, einfach mal wieder auszugehen. Es gab nur einen Spinner unter den Kollegen, Dwayne, der mich ständig blöd anmachte. ›Na los, bestell dir schon ein Bier. Du weißt doch, daß du eins trinken willst. Ein kleines Bierchen kann nicht schaden. Du hast seit drei Jahren keinen Schluck mehr getrunken. Du kriegst das schon hin.‹« Er sah mich an. »Verstehst du mich?«

Ich nickte.

»Er hatte mich in einem Moment erwischt, in dem ich verletzlich war, aber ich atmete noch«, sagte Katz mit einem schmalen ironischen Lächeln auf den Lippen. »Ich schwöre bei allem, was mir heilig ist, ich habe nie mehr als drei getrunken. Ich weiß genau, was du sagen wirst – glaub mir, das haben alle zu mir gesagt. Ich weiß, daß ich nicht trinken darf. Ich weiß, daß ich nicht einfach so ein paar Bier trinken kann wie jeder normale Mensch. Ich weiß, daß es dabei nicht bleibt, daß es mehr werden und noch mehr und daß ich ziemlich bald die Kontrolle darüber verliere. Das weiß ich alles. Aber –« Er unterbrach sich wieder und schüttelte den Kopf. »Aber ich trinke nun mal gern. Ich kann mir nicht helfen. Ich trinke für mein Leben gern, Bryson. Es schmeckt mir. Ich habe es gern, wenn mir nach ein paar Gläsern der Kopf schwirrt. Ich habe den Geruch und die Atmosphäre in Kneipen gern. Mir fehlen die dreckigen Witze und das Klicken der Billardkugeln im Hintergrund und dazu das bläuliche schummrige Licht an der Theke abends.« Er schwieg wieder für eine Weile, gab sich seinem Tagtraum vom ewigen Trinkerleben hin. »Und das alles darf ich nicht mehr. Ich weiß.« Er schnaufte laut. »So ist das. Manchmal sehe ich nur noch Fertiggerichte vor mir. Ein endloser Reigen, der auf mich zukommt, wie in einem Zeichentrickfilm. Hast du schon mal Fertiggerichte gegessen?«

»Seit Jahren nicht mehr.«

»Die reinste Scheiße, glaub mir. Ich weiß nicht, es ist ziemlich hart …« Seine Stimme verlor sich. »Eigentlich ist es wirklich irre hart.« Es sah mich an, den Tränen nahe, der Ausdruck in seinem Gesicht war aufrichtig und demütig. »Und deswegen benehme ich mich manchmal wie ein Arschloch«, sagte er leise.

Ich lächelte ihn kurz an. »Wie das allerletzte Arschloch«, sagte ich.

Er schneuzte sich und lachte dabei. »Ja, schon möglich.«

Ich beugte mich zu ihm hinüber und klopfte ihm verlegen, aber liebevoll auf die Schulter. Er ließ es mit einem Anflug von Dankbarkeit geschehen.

»Und weißt du, was das Schlimmste ist?« sagte er plötzlich in einem Ton, als müsse er sich mit Gewalt am Riemen reißen. »Was gäbe ich jetzt für ein Fertiggericht! Ich könnte jetzt glatt jemanden dafür umlegen. Wirklich.« Wir lachten.

»Truthahnbraten für den großen Hunger, mit künstlichen Innereien und 40 Prozent Fettanteil. Hmmm. Lecker. Für einmal dran schnuppern würde ich dich glatt im Stich lassen.« Dann wischte er sich etwas aus den Augenwinkeln, sagte: »Ach, Scheiße«, stand auf und pinkelte über den Rand der Klippe.

Ich sah ihm hinterher, er wirkte alt und müde, und für einen Moment fragte ich mich, was wir hier oben eigentlich verloren hatten. Wir waren keine kleinen Jungs mehr.

Ich schaute auf die Karte. Wir hatten praktisch kein Wasser mehr, aber es war nur etwas über einen Kilometer bis zum Cloud Pond, wo wir unsere Flaschen auffüllen konnten. Wir teilten uns den allerletzten Schluck, und ich sagte Katz, ich würde schon mal vorausgehen zu dem See und Wasser filtern, dann sei es fertig, wenn er dazustoße.

Es war ein netter Spaziergang von 20 Minuten entlang einer grasbewachsenen Kammlinie. Cloud Pond lag am Ende eines steilen Seitenwegs, ungefähr 400 Meter neben dem eigentlichen Trail. Ich lehnte meinen Rucksack gegen einen Baum oben am Wegesrand und ging mit unseren Wasserflaschen und dem Filter runter zum Seeufer.

Ich brauchte ungefähr 20 Minuten, um an den See zu gelangen, die drei Flaschen zu füllen und auf den AT zurückzukehren, so daß insgesamt etwa 40 Minuten vergangen waren, seit ich Katz zuletzt gesehen hatte. Eigentlich hätte er längst da sein müssen, selbst wenn er noch etwas auf dem Gipfel verweilt hätte und auch, wenn man sein langsames Tempo berücksichtigte. Außerdem war es ein leichter Weg, und ich wußte, daß er Durst hatte, ich fand es daher seltsam, daß er nicht schneller war. Ich wartete 15 Minuten, 20 Minuten, 25 Minuten, schließlich ließ ich meinen Rucksack stehen und ging zurück, um nach ihm zu suchen. Es war über eine Stunde her, daß wir uns zuletzt gesehen hatten, als ich den Gipfel jetzt wieder erreichte – aber Katz war nicht da.

Ich stand einigermaßen verwirrt an der Stelle, wo wir eben noch gesessen hatten. Seine Sachen waren weg. Offenbar war er losgegangen, aber er war weder auf dem Barren Mountain noch am Cloud Pond und auch nicht auf dem Weg dazwischen – wo steckte er bloß? Die einzige Erklärung war, daß er in die andere Richtung gegangen war. Eigentlich unmöglich. Katz hätte mich niemals ohne eine Erklärung im Stich gelassen. Nie. Oder war er irgendwo unterwegs auf dem Grat gestürzt? Es war ein absurder Gedanke, denn der Weg war nicht im mindesten schwierig oder gar gefährlich, aber man konnte ja nie wissen. John Connolly hatte uns vor einigen Wochen von einem Freund berichtet, der bei großer Hitze ohnmächtig geworden war, auf einem sicheren und ebenen Weg gestürzt war und stundenlang ein paar Meter neben dem Weg in der brütenden Sonne gelegen hatte, bis er langsam austrocknete. Ich suchte den ganzen Trail bis zur Abzweigung zum Cloud Pond nach frischen Spuren ab, besonders den Wegrand, und schaute in Abständen über den Kamm, jedesmal in Angst, Katz in verrenkter Haltung unten auf einem Stein liegend zu entdecken. Ich rief mehrere Male laut seinen Namen, aber bekam nur das Echo meiner eigenen schwächer werdenden Stimme zur Antwort.

Als ich zur Abzweigung kam, waren es zwei Stunden, seit ich Katz zuletzt gesehen hatte. Langsam wurde mir die Sache unheimlich. Die einzige noch verbliebene Möglichkeit war, daß er an der Abzweigung vorbeigegangen war, als ich gerade unten am See das Wasser filterte, aber auch das war eigentlich höchst unwahrscheinlich. Oben am Trail hing deutlich sichtbar ein Pfeil, auf dem »Cloud Pond« stand, und mein Rucksack hatte darunter am selben Baum gelehnt. Selbst wenn ihm beides nicht aufgefallen wäre, hätte er doch gewußt, daß Cloud Pond nur anderthalb Kilometer vom Barren Mountain entfernt war. Wenn man den AT über so lange Zeit abgewandert war wie wir, kann man einen Kilometer ziemlich genau abschätzen. Er konnte nicht allzu weit über die Abzweigung hinaus gegangen sein, ohne daß er seinen Fehler bemerkt hätte und zurückgekommen wäre. Das ergab keinen Sinn.

Katz war allein da draußen in der Wildnis, ohne Wasser, ohne Karte, ohne eine genaue Vorstellung von der Beschaffenheit des Geländes vor ihm, wahrscheinlich ohne irgendeine Vorstellung davon, wie es mir erging, und mit einem beängstigenden Mangel an Gespür für das Richtige. Wenn es jemanden gab, der in dem Fall, daß er sich verirrte, den Weg verlassen und eine Abkürzung suchen würde, dann war es Katz. Allmählich machte ich mir ernsthaft Sorgen. Ich hinterließ einen Zettel auf meinem Rucksack und ging den Trail weiter. Nach ungefähr 800 Metern führte der Weg fast 180 Meter senkrecht bergab in ein einsames namenloses Hochtal. Er hätte sicher längst gemerkt, daß er falsch gegangen war. Ich hatte ihm gesagt, der Weg zum Cloud Pond führe über leichtes und ebenes Gelände.

Ich kletterte vorsichtig den Hang hinunter, rief in Abständen Katz' Namen und befürchtete das Schlimmste – es war eine Klippe, die man leicht hinunterstürzen konnte, besonders, wenn man mit einem schweren sperrigen Rucksack beladen war und mit den Gedanken woanders war –, aber ich entdeckte keine Spur von Katz. Ich folgte dem Trail noch drei Kilometer weiter durch das Tal und wieder hinauf zu einem hohen Felsgipfel, der sich Fourth Mountain nannte. Oben bot sich ein unglaublich weiter Ausblick in alle Richtungen, die Wildnis war mir noch nie so riesig erschienen. Ich rief wieder mehrmals laut Katz' Namen, aber ich erhielt keine Antwort.

Mittlerweile war es später Nachmittag, Katz war jetzt schon vier Stunden ohne einen Tropfen Wasser. Ich hatte keine Ahnung, wie lange ein Mensch bei dieser Hitze ohne Wasser auskommen konnte, aber ich wußte aus eigener Erfahrung, daß es nach einer halben Stunde Marschierens ziemlich ungemütlich werden konnte. Mir sank der Mut bei dem Gedanken, daß er von oben vielleicht einen anderen See entdeckt hatte – in dem Tal, über 600 Meter unter uns, lag verstreut ein halbes Dutzend Seen – und in seiner Verwirrung beschlossen hatte, querfeldein zu gehen. Auch wenn er nicht verwirrt war, hatte ihn vielleicht der Durst dazu getrieben, sich auf den Weg zu einem dieser Seen zu machen. Sie sahen herrlich und einladend aus. Der nächste war nur drei Kilometer weit entfernt, aber es gab keinen angelegten Pfad dorthin, und man hätte einen gefährlichen Abhang im Wald hinunterklettern müssen. Mitten im Wald, ohne jede Orientierung, kann man einen Weg leicht um 1.000 Meter verfehlen. Andererseits konnte es auch passieren, daß man nur 50 Meter davon entfernt war und es nicht wußte, so wie es uns ein paar Tage vorher mit dem Pleasant Pond ergangen war. Und wenn man sich in diesen riesigen Wäldern erstmal richtig verirrt hatte, konnte man ohne weiteres darin den Tod finden. So einfach war das. Es würde niemand kommen, um einen zu retten. Kein Hubschrauber würde einen durch die dichte Blätterdecke hindurch von oben sehen. Keine Rettungsmannschaften würden einen finden. Wahrscheinlich würde nicht mal eine aufbrechen, um nach einem zu suchen. Es gab Bären in dieser Gegend, Bären, die wahrscheinlich noch nie einen Menschen gesehen hatten. Ich bekam regelrecht Kopfschmerzen bei dem Gedanken, was Katz alles zugestoßen sein konnte.

Ich ging zurück zu der Abzweigung zum Cloud Pond und hoffte, inständiger als ich je in meinem Leben etwas gehofft hatte, daß er auf seinem Rucksack saß und es eine witzige, von mir bisher nur noch nicht berücksichtigte Erklärung für alles gab, etwa, daß wir permanent aneinander vorbeigelaufen waren, wie in einer Slapstick-Komödie: Er wartet verdutzt neben meinem Rucksack, geht dann los und sucht mich, ich komme eine Sekunde später, warte verwundert auf ihn und gehe dann auch los – aber ich ahnte, daß er nicht da sein würde, und so war es auch. Es war fast dunkel, als ich an die Stelle kam. Ich schrieb nochmal eine Nachricht und legte sie unter einen Stein mitten auf dem Trail – nur für den Fall –, setzte den Rucksack auf und ging runter zum See, wo eine Hütte stand.

Ironischerweise handelte es sich um den schönsten Lagerplatz, den ich je am Appalachian Trail gesehen hatte, und ausgerechnet hier war Katz nicht dabei. Cloud Pond war ein zirka 80 Hektar großes, ruhiges Gewässer, umgeben von einem dunklen Wald aus Nadelbäumen, deren Wipfel wie spitze, schwarze Silhouetten in den fahlen, blauen Abendhimmel ragten. Die Hütte, die ich ganz für mich allein hatte, stand 30 bis 40 Meter vom Seeufer entfernt und etwas erhöht. Sie war ziemlich neu und absolut sauber. Nebenan gab es ein Plumpsklo. Es war perfekt. Ich legte meine Sachen auf das Schlafpodest und ging ans Ufer, um Wasser zu filtern, damit ich das nicht morgen früh machen mußte. Dann zog ich mich bis auf die Shorts aus, stapfte ein paar Schritte in das dunkle Wasser hinein und wusch mich mit meinem Stirnband. Wenn Katz hier gewesen wäre, hätte ich mich auch getraut zu schwimmen. Ich versuchte, nicht an ihn zu denken, versuchte zumindest, mir nicht vorzustellen, wie er einsam im Wald umherirrte. Ich konnte jetzt ohnehin nichts für ihn tun.

Statt dessen setzte ich mich auf einen Stein und schaute mir den Sonnenuntergang an. Der See war sagenhaft schön. Im Licht der langen Strahlen der untergehenden Sonne schimmerte die Wasseroberfläche golden. In Ufernähe kreisten zwei Seetaucher, als machten sie sich nach dem Abendessen noch zu einem kleinen Spazierflug auf. Ich beobachtete sie eine ganze Weile, und mir fiel ein Naturfilm ein, den ich vor einiger Zeit auf BBC gesehen hatte.

Seetaucher sind keine geselligen Tiere. Nur gegen Ende des Sommers, kurz bevor sie zum Nordatlantik zurückfliegen, wo sie auf stürmischen Wellen reitend den Winter verbringen, laden sie sich gegenseitig zu kleinen Versammlungen ein. Ein Dutzend oder mehr Seetaucher von den Nachbarseen fliegen herbei, und alle schwimmen ein paar Runden im Wasser. Es gibt keinen ersichtlichen Grund dafür, außer der puren Freude am Zusammensein. Der jeweilige Gastgeber führt seinen Gästen stolz, aber doch zurückhaltend sein Territorium vor – zuerst geht es zu seiner Lieblingsbucht, dann vielleicht zu einem umgestürzten Baum, dann weiter zu einem weichen Teppich aus Wasserlilien. »Hier gehe ich morgens immer gern auf Fischfang«, teilt er den anderen mit. »Und an dieser Stelle da wollen wir nächstes Jahr unser Nest bauen.« Die anderen Seetaucher folgen ihm emsig und zeigen sich höflich interessiert. Man weiß nicht, warum sie das tun (so wenig, wie man weiß, warum ein Mensch einem anderen Menschen gern sein renoviertes Badezimmer zeigen will) oder wie sie diese Zusammenkünfte organisieren, dennoch finden sich die Tiere jeden Abend zur rechten Zeit am richtigen See ein, mit einer Gewißheit, als hätte man ihnen eine Einladung geschickt: »Wir feiern ein Fest!« Ich finde so etwas wundervoll. Meine Freude wäre noch größer gewesen, wenn ich nicht andauernd an Katz hätte denken müssen, der jetzt bei Mondlicht keuchend durch die Nacht irrte und einen See suchte.

Ach, übrigens: Die Seetaucher verschwinden zunehmend, weil die Seen am sauren Regen sterben.

Die Nacht war natürlich entsetzlich, und ich war vor fünf Uhr auf den Beinen und beim ersten Dämmerlicht wieder auf dem Trail. Ich ging weiter nach Norden, die Richtung, in die Katz ebenfalls gegangen war, wie ich vermutete, aber es beschlich mich das Gefühl, daß ich mich nur noch tiefer in die Hundred Mile Wilderness begab – nicht der allerbeste Weg, wenn Katz vielleicht ganz in der Nähe war und Probleme hatte. Gelegentlich erfüllte mich der Gedanke, daß ich hier, am Ende der Welt, ganz allein auf mich gestellt war, mit einer gewissen Unruhe – einer Unruhe, die kurzzeitig noch heftig verstärkt wurde, als ich beim Abstieg zurück in das namenlose Tal in meiner Eile stolperte und beinahe 15 Meter tief gestürzt und unten in der Schlucht aufgeprallt wäre. Das hätte eine ziemliche Schweinerei gegeben. Ich hoffte nur, daß ich das Richtige tat.

Selbst in Hochform würde ich drei, vielleicht sogar vier Tage bis Abol Bridge und zum Campingplatz brauchen. Bis ich dann die Polizei oder Rettungsmannschaften benachrichtigt hätte, wäre Katz bereits vier bis fünf Tage vermißt gewesen. Wenn ich andererseits jetzt umkehren und den Weg zurückgehen würde, den wir gekommen waren, könnte ich morgen nachmittag schon in Monson sein. Das Beste wäre, es käme mir jemand entgegen, der Richtung Süden ging und mir sagen könnte, ob er Katz begegnet war oder nicht, aber außer mir war niemand auf dem Trail. Es war jetzt kurz nach sechs. In Chairback Gap, neuneinhalb Kilometer weiter, gab es einen Unterstand. Den würde ich gegen acht Uhr erreichen. Wenn ich Glück hatte, würde ich vielleicht noch jemanden antreffen. Ich zog entschlossen weiter, mit etwas mehr Bedacht und einem unangenehmen Gefühl der Unsicherheit.

Ich kletterte über den Gipfel des Fourth Mountain – was mit einem Rucksack auf dem Rücken sehr viel schwerer fällt – und stieg in das nächste bewaldete Tal dahinter ab. Sechseinhalb Kilometer hinter dem Cloud Pond gelangte ich an einen kleinen Bach, den man kaum als solchen bezeichnen konnte – eigentlich war es nur ein Schlammloch. Aufgespießt auf einen Zweig neben dem Trail, an einer absichtlich unübersehbaren Stelle, steckte eine leere Packung Old-Gold-Zigaretten. Katz war kein starker Raucher, aber er hatte immer eine Packung Old Golds dabei. Im Schlamm neben einem umgestürzten Baumstamm lagen drei Zigarettenkippen. Offenbar hatte Katz hier gewartet. Er war also am Leben, hatte den Trail nicht verlassen und war eindeutig hier entlanggekommen. Ich spürte gleich ein Gefühl unermeßlicher Erleichterung. Wenigstens ging ich in die richtige Richtung. Solange er auf dem Trail blieb, würde ich ihn irgendwann unweigerlich überholen.

Ich fand ihn vier Stunden nachdem ich losgegangen war. Er saß auf einem Stein an der Abzweigung zum West Chairback Pond, das Gesicht der Sonne zugewandt, als wollte er sich bräunen. Er hatte ziemlich viele Schrammen und Kratzer abbekommen und war schmutzig, aber ansonsten sah er gesund aus. Er war natürlich hocherfreut, als er mich sah.

»Bryson, altes Haus. Tut das gut, dich zu sehen. Wo warst du die ganze Zeit?«

»Das habe ich mich auch gefragt. Was dich betrifft.«

»Ich muß wohl die letzte Wasserstelle verpaßt haben, oder?«

Ich nickte.

Er nickte ebenfalls. »Das habe ich mir schon gedacht. Als ich an den Fuß der großen Klippe kam, hatte ich so ein Gefühl. Scheiße, dachte ich, das kann nicht richtig sein.«

»Warum bist du nicht umgekehrt?«

»Das weiß ich auch nicht. Ich war davon ausgegangen, daß du bestimmt schon weitergewandert bist. Ich hatte echt Durst. Vielleicht hat mich das etwas verwirrt – vielleicht war ich auch nur denkfaul. Wirklich, ich hatte irren Durst.«

»Und was hast du gemacht?«

»Ich bin weitermarschiert und habe mir gedacht, daß ich irgendwann schon auf Wasser stoßen müßte, und schließlich kam ich an diese Schlammgrube.«

»Wo du die Zigarettenpackung liegengelassen hast.«

»Hast du sie gefunden? Darauf war ich so stolz. Ich habe etwas Wasser mit meinem Stirnband aufgesogen, das hat Fess Parker mal in der Dave-Crockett-Show vorgeführt.«

»Gewagt.«

Er nahm das Kompliment mit einem Kopfnicken entgegen. »Das hat ungefähr eine Stunde gedauert, und dann habe ich noch eine Stunde auf dich gewartet und ein paar Zigaretten geraucht. Dann wurde es dunkel, und ich habe mein Zelt aufgeschlagen, ein bißchen von meiner Salami gegessen und bin schlafen gegangen. Heute morgen dann habe ich nochmal etwas Wasser mit dem Tuch aufgesogen und bin bis hierher gewandert. Ein hübscher See da unten, habe ich mir gedacht, und bin auf die Idee gekommen, hier auf dich zu warten, wo es Wasser gibt, und habe darauf gehofft, daß du vorbeikommst. Ich habe zwar nicht damit gerechnet, daß du mich hier versauern läßt, aber du bist so ein Tagträumer beim Wandern, Bryson. Ich konnte mir gut vorstellen, daß du den ganzen Weg bis auf den Katahdin durchmarschiert wärst, bevor dir aufgefallen wäre, daß ich gar nicht mehr hinter dir bin.« Er nahm einen affektierten Tonfall an. »Oh, was für eine herrliche Aussicht, findest du nicht auch, Stephen? Stephen …? Stephen …? Also, wo steckt der Kerl denn bloß wieder?« Er lachte mich an. Sein altes, vertrautes Lachen. »Insofern bin ich froh, dich wiederzusehen.«

»Wo hast du die ganzen Kratzer her?«

Er sah auf seinen Arm, der mit blutverkrusteten Schrammen im Zickzackmuster bedeckt war. »Ach, die? Das weiß ich auch nicht.«

»Das weißt du nicht? Das sieht aus, als hättest du dich mit einem Skalpell traktiert.«

»Na ja, ich wollte dich nicht erschrecken, aber ich habe mich außerdem ein bißchen verlaufen.«

»Wie ist das passiert?«

»Nachdem ich dich aus den Augen verloren hatte und bevor ich an das Schlammloch gekommen war, wollte ich an einen See, den ich von oben aus gesehen hatte.«

»Das ist nicht wahr, Stephen.«

»Mann, ich hatte wahnsinnigen Durst, und so weit sah es nun auch wieder nicht aus. Also stieg ich in den Wald ab. Das war wohl nicht sehr klug, was?«

»Nein.«

»Tja, das habe ich auch sehr schnell begriffen. Kaum war ich ein paar hundert Meter weit gegangen, hatte ich mich auch schon verlaufen. Total verlaufen. Es ist komisch, weil man glaubt, daß man nur runter an den See zu gehen braucht und denselben Weg wieder rauf. Das dürfte nicht allzu schwierig sein, wenn man ein bißchen achtgibt, denkt man. Aber die Sache ist die: Es gibt überhaupt nichts, auf das man achtgeben kann. Ein Baum ist wie der andere. Es gibt nur einen einzigen riesigen Wald. Als ich dann begriff, daß ich absolut keine Ahnung mehr hatte, wo ich mich befand, dachte ich, na gut, du hast dich beim Absteigen verlaufen, also geh jetzt besser bergauf. Aber plötzlich sind da tausend Möglichkeiten, bergauf oder bergab zu gehen. Es ist total verwirrend. Ich latsche also einfach los, und latsche und latsche, bis mir klar war, daß ich schon viel weiter rauf gegangen war als vorher runter. Scheiße, Stephen, dachte ich, du dämlicher Trottel. Ich war mittlerweile schon stinksauer auf mich selbst, kann ich dir sagen. Du mußt zu weit gegangen sein, du Hornochse, dachte ich. Also bin ich wieder ein Stück runter gegangen, aber das half auch nichts, dann ein Stück seitwärts, und dann – na ja, du siehst, was ich meine.«

»Man soll nie vom Weg abgehen, Stephen.«

»Vielen Dank auch. Kommt nur ein bißchen spät, dein Ratschlag, Bryson. Das ist so, als würde man einem Verkehrstoten sagen: ›Von jetzt an fahr vorsichtig.‹«

»Entschuldige.«

»Schon verziehen. Ich glaube, ich bin nur noch ein bißchen aus dem Gleichgewicht. Ich dachte wirklich, mein letztes Stündlein hätte geschlagen. Im Wald verirrt, ohne Wasser, während du die ganzen Schokoladenkekse hast.«

»Wie hast du den Trail dann wieder gefunden?«

»Durch ein Wunder, ich schwöre es dir. Ich wollte mich gerade den Wölfen und Bären zum Fraß vorwerfen, da schaue ich auf und sehe das weiße Wanderzeichen an einem Baum, und dann gucke ich an mir runter, und siehe da, ich stehe direkt auf dem Trail. Neben dem Schlammloch auch noch. Ich setzte mich hin und rauchte drei Zigaretten hintereinander, um mich zu beruhigen, und dann dachte ich: Scheiße. Bryson ist hier bestimmt schon vorbeigekommen, während ich draußen im Wald herumgetappt bin. Der kommt nicht mehr zurück, denn diesen Abschnitt des Trails hat er schon abgesucht. Dann fing ich an mir Sorgen zu machen, daß ich dich nie wiedersehen würde. Deswegen war ich wirklich überfroh, als du dann aufgekreuzt bist. Um die Wahrheit zu sagen, Bryson, ich war in meinem Leben noch nie so froh, einen Menschen zu sehen.«

Etwas Flehendes lag in seinem Blick.

»Willst du nach Hause?« fragte ich.

Er überlegte einen Moment. »Ja.«

»Ich auch.«

Wir beschlossen, den Trail zu verlassen und uns nicht weiter vorzumachen, wir wären echte Bergmenschen, das waren wir nämlich nicht. Am Fuß des Chairback Mountain, sechseinhalb

Kilometer weiter, befand sich eine befestigte Forststraße. Wir wußten nicht, wohin sie führte, aber irgendwohin mußte sie ja führen. Ein Pfeil am Rand meiner Karte wies südlich zu den Katahdin Iron Works, einer seltsamen Fabrikanlage aus dem 19. Jahrhundert, heute ein Denkmal der Industriegeschichte. Nach meinem Trail-Führer befand sich vor dem Eisenwerk ein öffentlicher Parkplatz, es mußte also auch eine Straße dorthin führen. Am Fuß des Berges füllten wir unsere Flaschen in einem Bach auf und marschierten dann die Forststraße entlang. Wir waren erst wenige Minuten unterwegs, als in der Nähe Lärm zu hören war. Wir drehten uns um und sahen hinter uns eine Staubwolke auf uns zurollen, die von einem uralten Pick-up verursacht wurde, der mit großer Geschwindigkeit heranraste. Ich hielt instinktiv meinen Daumen raus, und zu meinem großen Erstaunen bremste der Wagen zehn Meter vor uns ab.

Wir liefen hin und steckten unsere Köpfe durch die heruntergekurbelte Fensterscheibe. In dem Wagen saßen zwei Männer mit Schutzhelmen und ziemlich verdreckt – offenbar Waldarbeiter.

»Wo wollen Sie hin?« fragte der Fahrer.

»Egal«, sagte ich. »Hauptsache weg von hier.«

21. Kapitel

Wir bekamen den Katahdin Mountain also nicht zu sehen. Wir bekamen nicht einmal die Katahdin Iron Works zu sehen, erhaschten nur einen verschwommenen Blick von ihnen, weil wir mit 100 Stundenkilometern daran vorbeirasten. Es war die schrecklichste, holprigste Fahrt, die ich je in meinem Leben über eine Schotterpiste, hinten auf der offenen Ladefläche eines Pickup mitgemacht habe. Nie wieder.

Wir hielten uns fest, so gut wir konnten, mußten aber zwischendurch die Beine hochreißen, um den Motorsägen und anderen gefährlich aussehenden Gerätschaften auszuweichen, die auf der Ladefläche hin und her rutschten. Der Wald flog an uns vorbei, denn der Fahrer donnerte rücksichtslos die Straße entlang und fuhr mit Begeisterung durch Schlaglöcher, so daß wir hochgeschleudert wurden, und legte sich gleich anschließend, um unsere Marter noch zu erhöhen, mit Freude in die Kurve. Wir standen auf wackligen Beinen, als wir in dem kleinen Ort Milo ausstiegen, 32 Kilometer weiter südlich. Wir waren maßlos erstaunt, mit welcher Geschwindigkeit sich unsere Umgebung verändert hatte. Eben noch mitten in der Wildnis, vor uns mindestens ein Zwei-Tages-Marsch zurück in die Zivilisation, und jetzt standen wir auf dem Gelände einer Tankstelle am Rand einer Kleinstadt. Wir sahen dem Pick-up hinterher, als er wegfuhr, und mußten uns erstmal orientieren.

»Willst du eine Cola?« sagte ich zu Katz. Neben dem Eingang zur Tankstelle stand ein Automat.

Er überlegte einen Moment. »Nein«, sagte er. »Nachher vielleicht.«

Es war ungewöhnlich für Katz, normalerweise stürzte er sich bei jeder sich bietenden Gelegenheit mit überschwenglicher Begeisterung auf Cola und Fastfood, aber ich konnte ihn ganz gut verstehen. Es ist immer wie ein leichter Schock, wenn man den Trail verläßt und kurzzeitig in die Welt der Bequemlichkeit hineinversetzt wird, in der es Wahlmöglichkeiten gibt. Diesmal aber war es anders. Diesmal sollte es für immer sein. Wir wollten unsere Wanderschuhe an den Nagel hängen. Von jetzt ab sollte es immer Cola geben, ein weiches Bett, eine heiße Dusche und was man sich sonst noch so wünscht. Jetzt herrschte keine Not mehr. Eine überwältigende Vorstellung.

Es gab kein Motel in Milo, aber man empfahl uns eine Pension, die sich Bishop's Boarding House nannte, ein großes, weißes Haus in einer hübschen, baumbestandenen Straße mit breiten Vorgärten und soliden alten Villen – die Sorte, bei denen die ehemaligen Kutscherhäuser mit Quartier für die Hausangestellten im ersten Stock in Garagen umgewandelt worden waren.

Die Besitzerin, Joan Bishop, begrüßte uns herzlich und mit einer freundlichen Geschäftigkeit. Sie war eine muntere, weißhaarige Dame mit einem schweren Ostküstendialekt, und als sie an die Tür kam, wischte sie sich die mehlbestaubten Hände an der Schürze ab und bat uns mit unseren verdreckten Rucksäcken ohne einen Anflug von Mißbilligung in ihre blitzsaubere Diele.

Es roch nach selbstgebackenem Kuchen, nach selbstgezüchteten Tomaten und nach frischer, von Ventilatoren und Klimaanlagen verschonter Luft – altmodische Sommergerüche. Sie nannte uns »Jungs« und benahm sich, als hätte sie uns seit Tagen, ja seit Jahren erwartet.

»Meine Güte, Jungs, wie seht ihr denn aus!« gluckste sie vor Erstaunen und Freude. »Als hättet ihr schwer mit Bären gekämpft.«

Wir müssen wirklich einen hübschen Anblick geboten haben. Katz war von seinem angstvollen Herumirren im Wald geradezu blutüberströmt, und die Erschöpfung stand uns ins Gesicht geschrieben.

»Geht erst mal nach oben, Jungs, und wascht euch. Dann kommt runter auf die Veranda, und ich mache euch in der Zwischenzeit einen Eistee. Oder wollt ihr lieber Limonade? Egal, ich stelle beides hin. Und jetzt ab mit euch!« Mit diesen Worten scheuchte sie uns nach oben.

»Danke, Mom«, murmelten wir ein bißchen verwirrt, aber dankbar.

Katz war augenblicklich wie verwandelt – so daß er sich vielleicht ein bißchen zu sehr wie zu Hause fühlte. Ich kramte gerade müde ein paar Sachen aus meinem Rucksack, als er plötzlich ohne anzuklopfen in meinem Zimmer stand und schnell die Tür schloß. Er war ganz aus der Fassung. Er war nur mit einem in der Eile um die Hüften gewickelten Handtuch bekleidet.

»Eine kleine alte Dame«, sagte er völlig verdutzt.

»Wie bitte?«

»Im Flur ist eine kleine alte Dame«, sagte er.

»Das ist schließlich eine Pension«, sagte ich.

»Ach ja, das hatte ich ganz vergessen.« Er öffnete die Tür einen Spalt breit, spähte hinaus und verschwand, ohne sich weiter darüber auszulassen.

Nachdem wir geduscht und uns umgezogen hatten, setzten wir uns zu Mrs. Bishop auf die Veranda, sanken dankbar in die großen alten Gartenstühle und streckten die Beine von uns, so wie man es eben macht, wenn es heiß ist und man müde ist. Ich hoffte, Mrs. Bishop würde uns erzählen, wie viele Wanderer sie schon bei sich aufgenommen hätte, die sich dem Appalachian Trail ebenfalls geschlagen gegeben hatten, aber soweit sie sich erinnerte, waren wir die ersten.

»Gestern stand in der Zeitung, ein Mann aus Portland ist auf den Katahdin geklettert, um auf dem Gipfel seinen achtundsiebzigsten Geburtstag zu feiern«, sagte sie, um ein Gespräch anzufangen.

Wie man sich vorstellen kann, baute mich das unglaublich auf.

»Bis dahin werde ich es wohl auch nochmal versuchen«, sagte Katz und fuhr sich mit dem Finger über die Schrammen auf seinem Unterarm.

»Der Berg läuft jedenfalls nicht davon, Jungs«, sagte sie. Da hatte sie natürlich recht.

Wir aßen in der Stadt in einem beliebten Restaurant und machten anschließend einen Bummel, denn es war ein lauer, angenehmer Abend. Milo war auf reizende Weise ein hoffnungsloser Ort – wirtschaftlich gesehen aussichtslos, weit ab vom Schuß, aber irgendwie liebenswert. Es gab einige sehr schöne Wohnviertel und eine imposante Feuerwache. Vielleicht kam es uns allerdings auch nur so vor, weil es unser letzter Abend war, bevor es nach Hause ging. Da wäre uns jeder Ort recht gewesen.

»Und? Findest du es schade, daß du den Trail jetzt verläßt?« fragte Katz mich nach einer Weile.

Ich überlegte. Ich war unsicher. Ich merkte, daß ich keine Gefühle gegenüber dem AT hegte, die nicht von Widersprüchlichkeit gekennzeichnet waren. Einerseits hatte ich den Trail satt, andererseits hatte er mich in seinen Bann geschlagen; einerseits konnte ich die endlosen Wälder hinterher nicht mehr sehen, andererseits bewunderte ich gerade diese Endlosigkeit; einerseits begab ich mich gern auf eine Flucht vor der Zivilisation, und andererseits sehnte ich mich doch nach deren Annehmlichkeiten. Ich wollte aufhören, und ich wollte ewig so weitermachen; in einem Bett schlafen und im Zelt; gucken, was hinter dem nächsten Berg lag, und nie wieder einen Berg sehen. Alles zusammen, und alles auf einmal, auf jedem Meter des Trails. »Ich weiß nicht«, sagte ich. »Ja und nein. Und du?«

Er nickte. »Mir geht es genauso. Ja und nein.«

Wir spazierten noch ein Stück weiter, gedankenverloren.

»Wir haben es geschafft«, sagte Katz und schaute dabei hoch. Ihm fiel mein fragender Gesichtsausdruck auf. »Jedenfalls haben wir Maine durchwandert.«

Ich sah ihn an. »Wir sind nicht einmal in die Nähe des Mount Katahdin gekommen.«

Er tat das als reine Spitzfindigkeit ab. »Ist doch nur ein Berg«, sagte er. »Auf wieviel Bergen muß man denn gewesen sein, Bryson?«

Ich lachte kurz auf. »So kann man das natürlich auch sehen.«

»So muß man es sehen«, fuhr Katz fort, jetzt ganz ernst. »Was mich betrifft, kann ich sagen, ich bin den Appalachian Trail ent-langgewandert. Bei Schnee und bei Hitze. Im Süden und im Nor-den. Ich bin gewandert, bis mir die Füße bluteten. Ich bin den Appalachian Trail entlanggewandert, Bryson.«

»Wir haben ganz schön viel ausgelassen.«

»Nebensächlichkeiten«, bemerkte Katz naserümpfend.

Ich zuckte die Achseln, nicht unzufrieden mit dem, was er sagte. »Vielleicht hast du recht.«

»Natürlich habe ich recht«, sagte er, als sei nur selten das Ge-genteil der Fall.

Wir waren wieder an den Stadtrand gekommen, an die Tank-stelle, wo uns die Holzfäller abgesetzt hatten. Sie war immer noch geöffnet.

»Was hältst du von einer Cream Soda?« sagte Katz vergnügt. »Ich lade dich ein.«

Ich sah ihn verdutzt an. »Du hast doch gar kein Geld mehr.«

»Ich weiß. Ich lade dich mit deinem Geld ein.«

Ich grinste und gab ihm fünf Dollar aus meinem Portemon-naie.

»Heute abend kommt Akte X«, sagte Katz zufrieden, sehr zu-frieden sogar, und verschwand in dem Laden. Ich sah ihm hin-terher, schüttelte den Kopf und fragte mich, woher er das bloß immer wußte.

Und so ging unsere gemeinsame Tour zu Ende – mit einem Six-pack Cream Soda in Milo, Maine.

Katz kehrte nach Des Moines in seine kleine Wohnung zurück, zu seinem Job auf dem Bau und zu einem Leben eifriger Nüch-ternheit. Ab und zu ruft er an und redet davon, sich doch nochmal an die Hundred Mile Wilderness heranzuwagen, aber ich glaube nicht, daß wir das je machen werden.

Ich bin noch den ganzen Sommer über bis weit in den Herbst hinein gewandert, mal hier, mal da. Mitte Oktober, zum Höhe-punkt der Herbstsaison, bin ich zu meiner, wie sich später erwies, letzten Wanderung aufgebrochen, einer erneuten Besteigung des

Killington Peak in Vermont. Es war ein Tag wie aus dem Bilderbuch, die Gegend war erfüllt von einem moschusartigen herbstlichen Duft und einer scharfen Frische, und die Luft war so rein, daß man meinte, man brauche nur die Hand auszustrecken, um sie mit den Fingern zu berühren. Selbst die Farben waren knackig frisch: stahlblauer Himmel, dunkelgrüne Felder, und Blätter in allen Schattierungen, die die Natur hervorzubringen vermag. Es ist wahrlich ein erstaunlicher Anblick, wenn jeder einzelne Baum in einem Wald auf einmal für sich steht, wenn da, wo vorher ein nahtloser grüner Teppich ausgebreitet war, plötzlich tausend verschiedene Farben leuchten.

Ich schritt begeistert und energisch aus, angetrieben von der frischen Luft und der Pracht um mich herum. Vom Gipfel des Killington aus hatte ich einen Rundblick über fast ganz New England und weiter bis nach Quebec, zum fernen, bläulichen Stumpf des Mont Royal. Fast jeder bedeutendere Gipfel in New England – Washington, Lafayette, Greylock, Monadnock, Ascutney, Moosilauke – hob sich reliefartig ab und sah viel näher aus, als er in Wirklichkeit war. Ein unvorstellbar schöner Anblick. Daß dieser unendlich weite Ausblick nur einen Ausschnitt der Appalachen darstellte, daß da unten ein für alle offener, gepflegter Trail verlief, 3.540 Kilometer durch Berge und durch Wälder von ebenso erhabener Größe, war ein Gedanke, der einen geradezu überwältigte. Ich kann mich nicht erinnern, daß mir jemals in meinem Leben stärker ins Bewußtsein gerückt war, wie sehr die Vorsehung das Land, in dem ich auf die Welt gekommen bin, begünstigt hat. Das war der ideale Ort, um die Wanderung zu beenden.

Es wäre mir sowieso nichts anderes übriggeblieben. Der Herbst ist nur kurz in New England. Wenige Tage nach meiner Tour auf den Killington setzte der Winter mit aller Macht ein. Die Wandersaison war eindeutig zu Ende. Kurz darauf, an einem Sonntagnachmittag, saß ich zu Hause am Küchentisch mit Wanderbuch und Taschenrechner und zählte die Kilometer zusammen, die ich gegangen war. Ich überprüfte die Zahlen zweimal und schaute dann mit einem Gesichtsausdruck auf, der ungefähr so ausgesehen haben mag wie der von Katz und mir in dem Moment, als uns klar wurde, daß wir den Appalachian Trail niemals ganz schaffen würden.

Ich hatte 1.400 Kilometer geschafft, weit weniger als die Hälfte des AT. Die ganze Mühe, der ganze Schweiß, all der Dreck, die Tage endlosen Marschierens, die Nächte auf hartem Boden – und all das belief sich zum Schluß nur auf 39,5 Prozent des Weges. Weiß der Himmel, wie andere den gesamten Trail bewältigen. Ich habe nur ungläubiges Staunen für die übrig, die die ganze Strecke gehen. Und dennoch, 1.400 Kilometer sind auch kein Pappenstiel. Es entspricht der Entfernung zwischen New York und Chicago, sogar etwas mehr. Wenn ich diese Strecke ohne eine Vorgabe zu Fuß gegangen wäre, wären jetzt alle ziemlich stolz auf mich.

Ich gehe immer noch häufig auf dem Trail hinter unserem Haus wandern, meist wenn ich bei meiner Arbeit mal steckenbleibe. Meistens bin ich in Gedanken versunken, aber irgendwann kommt jedesmal der Moment, in dem ich aufschaue und um mich blicke und mit ungetrübter Bewunderung erkenne, was für ein unglaublich kompliziertes und empfindliches Gebilde der Wald ist, mit welch zwangloser Mühelosigkeit elementare Dinge sich zusammenfügen und eine Komposition bilden, die, welche Jahreszeit auch immer herrscht und wohin ich meinen berauschten Blick auch wende, perfekt ist. Nicht bloß sehr feingliedrig oder herrlich, sondern perfekt, nicht weiter zu verbessern. Man braucht nicht Berge hinaufzusteigen, sich nicht durch Schneestürme zu kämpfen, nicht im Matsch auszurutschen, nicht tagein, tagaus im wahrsten Sinne des Wortes bis an seine Grenzen zu gehen, um zu dieser Erkenntnis zu gelangen – aber glauben Sie mir, es hilft dabei.

Ein paar Dinge bedaure ich natürlich. Ich bedaure, daß ich den Katahdin nicht hinaufgegangen bin. (Ich verspreche, das werde ich nachholen.) Ich bedaure, daß ich keinen Bär gesehen habe und keinen Wolf, daß ich keinen Rotluchs verscheucht und keinen verdutzten Eber aufgeschreckt habe, daß ich keinem Riesensalamander in seinen Schlupfwinkel gefolgt und keiner Klapperschlange ausgewichen bin. Ich hätte zu gern, wenigstens einmal dem Tod ins Gesicht geschaut (aber nur kurz, bitteschön, und mit der schriftlichen Garantie, daß ich überlebe). Dafür habe ich jede Menge anderer Erfahrungen gemacht. Ich weiß, wie man ein Zelt aufschlägt und was es heißt, unter freiem Himmel zu schlafen. Für kurze Zeit in meinem Leben war ich schlank und fit und stolz auf mich. Ich habe enormen Respekt vor der Wildnis und den gütigen dunklen Mächten des Waldes bekommen. Ich habe eine Ahnung von den ungeheuren Dimensionen der Erde erhalten. Ich habe Geduld und Kraft in mir gefunden, die ich vorher an mir nicht kannte. Ich habe ein Amerika entdeckt, von dessen Existenz nur wenige wissen. Ich habe einen Freund gewonnen. Ich bin nach Hause gekommen.

Und das Schönste ist: Wenn ich heute einen Berg sehe, schaue ich ihn mir lange an und taxiere ihn mit einem selbstsicheren Blick aus Granitaugen.

Wir sind nicht alle 3.540 Kilometer gegangen, das stimmt, aber wir haben es versucht. Katz hatte doch recht, und es ist mir egal, was andere Leute sagen. Wir sind den Appalachian Trail entlanggewandert.

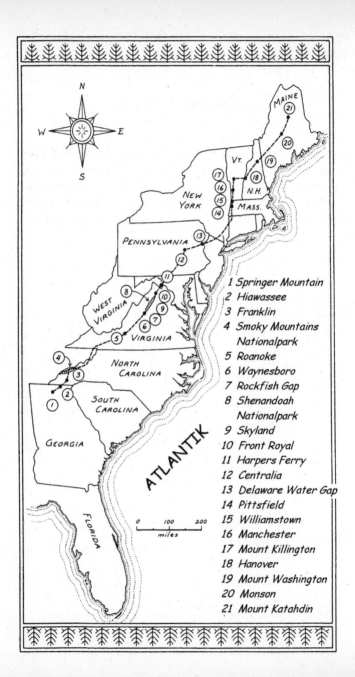

1 Springer Mountain
2 Hiawassee
3 Franklin
4 Smoky Mountains
 Nationalpark
5 Roanoke
6 Waynesboro
7 Rockfish Gap
8 Shenandoah
 Nationalpark
9 Skyland
10 Front Royal
11 Harpers Ferry
12 Centralia
13 Delaware Water Gap
14 Pittsfield
15 Williamstown
16 Manchester
17 Mount Killington
18 Hanover
19 Mount Washington
20 Monson
21 Mount Katahdin

Anmerkung des Autors

Dieses Buch berichtet von den Erfahrungen, die der Autor bei seiner Wanderung entlang des Appalachian Trail gemacht hat, und spiegelt seine Meinung wider. Einige Namen sowie Eigenschaften, die lebenden Personen zugeschrieben werden könnten, wurden verändert, um die Privatsphäre dieser Personen zu schützen.

Bibliographie

Attenborough, David: *Das geheime Leben der Pflanzen.* Bern: Scherz-Verlag, 1995.

Bailyn, Bernhard: *Voyagers to the West: A Passage in the Peopling of America on the Eve of Revolution.* New York: Alfred A. Knopf, 1986.

Brooks, Maurice: *The Appalachians.* Boston: Houghton Mifflin Co., 1986.

Bruce, Dan »Wingfoot«: *The Thru-Hiker's Handbook.* Harpers Ferry, WV: Appalachian Trail Conference, 1995.

Cruikshank, Helen Gere (Hg.): *John and William Bartram's America: Selections from the Writing of the Philadelphia Naturalists.* New York: Devin-Adair Co., 1957.

Dale, Frank: *Delaware Diary: Episodes in the Life of a River.* New Brunswick, NJ: Rutgers University Press, 1996.

Emblidge, David (Hg.): *The Appalachian Trail Reader.* New York: Oxford University Press, 1997.

Faragher, John Mack: *Daniel Boone: The Life and Legend of an American Pioneer.* New York: Henry Holt and Co., 1993.

Farwell, Byron: *Stonewall: A Biography of General Thomas J. Jackson.* New York: W. W. Norton and Co., 1993.

Foreman, Dave; Wolke, Howie: *The Big Outside: A Descriptive Inventory of the Big Wilderness Areas of the United States.* New York: Harmony Books, 1992.

Herrero, Stephen: *Bären: Jäger und Gejagte in Amerikas Wildnis.* Cham: Müller Rüschlikon, 1992.

Houk, Rose: *Great Smoky Mountains National Park.* Boston: Houghton Mifflin Co., 1993.

Long, Priscilla: *Where the Sun Never Shines: A History of America's Bloody Coal Industry.* New York: Paragon House, 1991.

Luxenberg, Larry: *Walking the Appalachian Trail.* Mechanicsburg, Pennsylvania: Stackpole Books, 1994.

Matthiessen, Peter: *Wildlife in America.* New York: Penguin Books, 1995.

McKibben, Bill: *Das Ende der Natur.* München: List Verlag, 1990.

Nash, Roderick: *Wilderness and the American Mind.* New Haven: Yale University Press, 1982.

Parker, Ronald B.: *Inscrutable Earth: Explosions into the Science of Earth.* New York: Charles Scribner's Sons, 1984.

Peatti, Donald Culross: *A Natural History of Trees of Eastern and Central North America.* Boston: Houghton Mifflin Co., 1991.

Putnam, William Lowell: *The Worst Weather on Earth: A History of the Mount Washington Observatory.* New York: American Alpine Club, 1993.

Quammen, David: *Natural Acts: A Sidelong View of Science and Nature.* New York: Avon Books, 1996.

Schultz, Gwen: *Ice Age Lost.* New York: Anchor, 1974.

Shaffer, Earl V.: *Walking with Spring: The First Solo Thru-Hike of the Legendary Appalachian Trail.* Harpers Ferry, WV: The Appalachian Trail Conference, 1996.

Stier, Maggie; McAdow, Ron: *Into the Mountains: Stories of New England's Most Celebrated Peaks.* Boston: Appalachian Mountain Club Books, 1995.

Trefil, James: *Physik in der Berghütte: Von Gipfeln, Gletschern und Gesteinen.* Reinbek: Wunderlich, 1992.

Wilson, Edward O.: *The Diversity of Life.* Cambridge, MA: Belknap Press/Harvard University Press, 1992.

BILL BRYSON

»Wer die Briten und ihr Land liebt,
muß dieses Buch lesen, und wer sie
erstmals kennenlernt, auch.«
Bücherpick

**Bill Bryson
Reif für die
Insel**

England für Anfänger und
Fortgeschrittene

GOLDMANN

44279

MARK CHILDRESS

»Childress ist ein begnadeter Fabulierer mit
Umblättergarantie, ein wunderbarer Geschichtenspinner
mit einem großen Herz für seine Figuren.«

stern

42308

42310

GOLDMANN

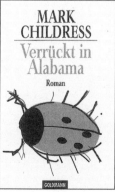

43207

MARLO MORGAN

»Ein überwältigendes Buch.
Eine wunderbare Geschichte über die
mystische Reise einer Frau.«
Marianne Williamson

43740

HISTORISCHE ZEITEN
BEI GOLDMANN

Große Persönlichkeiten, gefährliche Abenteuer und magische Riten –
Geschichten aus den Anfängen unserer Zivilisation

43452

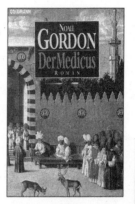

43768

41609

43116

GOLDMANN